AS MEMÓRIAS DE SHERLOCK HOLMES

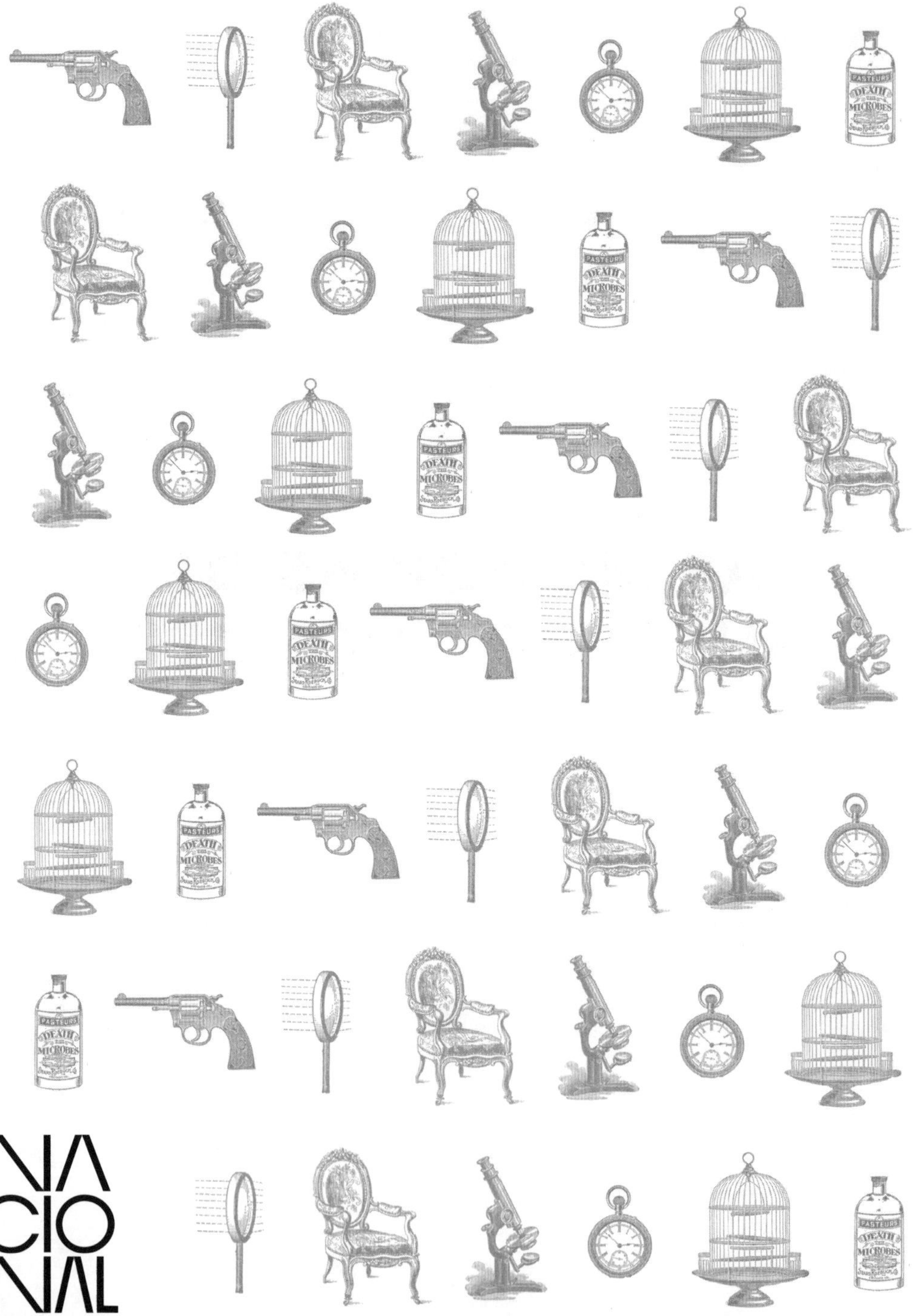

NACIONAL

SHERLOCK
HOLMES

SIR ARTHUR CONAN DOYLE

AS MEMÓRIAS DE SHERLOCK HOLMES

Tradução: Michele de Aguiar Vartuli

Diretor Superintendente: Jorge Yunes
Diretora Editorial Adjunta: Silvia Tocci Masini
Editores: Cristiane Maruyama, Marcelo Yamashita Salles
Editora Júnior: Nilce Xavier
Preparação: Vivian Miwa Matsushita
Produtora Editorial: Solange Reis
Coordenação de Arte: Márcia Matos
Estagiária de Arte: Camila Simonetti

Publicado em 2012 pela BBC Books, um selo da Ebury Publishing, empresa do grupo Random House.

Este livro foi publicado como acompanhamento da série de televisão *Sherlock*, transmitida na BBC1 em 2012.
Sherlock é uma produção da Hartswood Films para a BBC Wales, em coprodução com a MASTERPIECE.
Produtores executivos: Beryl Vertue, Mark Gatiss e Steven Moffat
Produtora executiva da BBC: Bethan Jones
Produtora executiva da MASTERPIECE: Rebecca Eaton
Produtora da série: Sue Vertue

Dados Internacionais de Catalogação na Publicação (CIP)
(Câmara Brasileira do Livro, SP, Brasil)

Doyle, Arthur Conan, Sir, 1859-1930.
As memórias de Sherlock Holmes / Sir Arthur Conan Doyle ; tradução Michele de Aguiar Vartuli. -- São Paulo : Companhia Editora Nacional, 2014.

Título original: The memoirs of Sherlock Holmes.

ISBN 978-85-04-01888-2

1. Ficção policial e de mistério (Literatura inglesa) I. Título.

14-00121 CDD-823.0872

Índices para catálogo sistemático:
1. Ficção policial e de mistério : Literatura inglesa 823.0872

1ª edição - São Paulo - 2014

NACIONAL

EDITORA AFILIADA

Av. Alexandre Mackenzie, 619 – Jaguaré
São Paulo – SP – 05322-000 – Brasil – Tel.: (11) 2799-7799
www.editoranacional.com.br – editoras@editoranacional.com.br
CTP, Impressão e acabamento IBEP Gráfica

Sumário

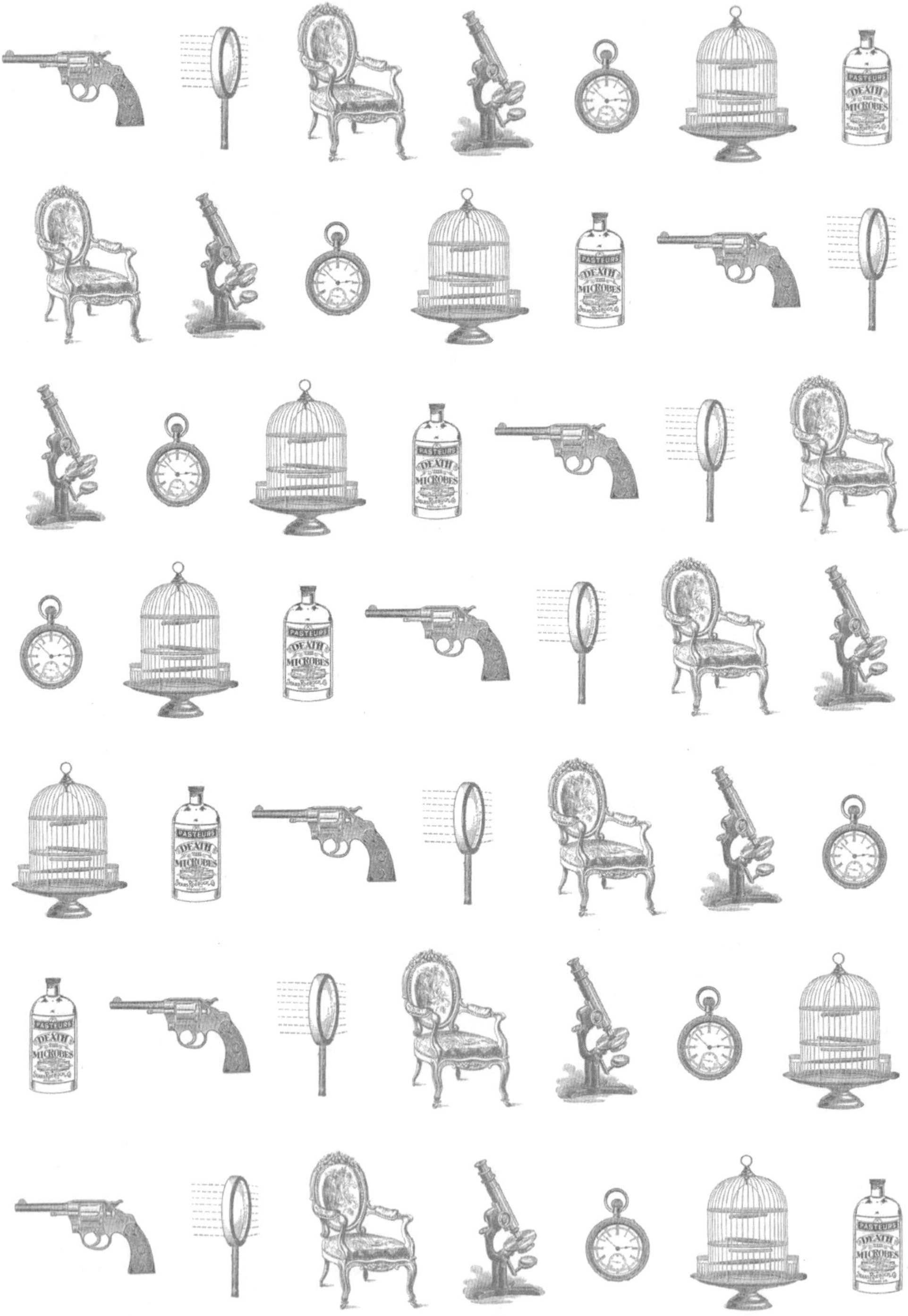
PASTEURS
DEATH
MICROBES

INTRODUÇÃO

Todo entusiasta de Sherlock Holmes é capaz de lembrar seu primeiro encontro com o cara. Para mim, foi em julho de 1977.

Eu tenho 10 anos (típico moleque dos anos 1970: pulôver apertado, calça boca de sino e um corte de cabelo dos infernos). Meu pai nos levou para um passeio de carro pela Cúmbria. O tempo está invariavelmente péssimo. Estamos hospedados num celeiro convertido — naquela época, "convertido" significava que só tinham dado uma lavadinha com mangueira. Minha irmã e eu estamos mortos de tédio depois de passar um dia inteiro olhando para a chuva — choramingando constantemente por alguma diversão. A única tábua de salvação é o televisor preto e branco no canto de nosso decrépito quarto. A BBC 2 está "exibindo uma temporada de Sherlock Holmes" — reprisando todos os filmes de Rathbone/Bruce. Cada noite da semana passa um filme diferente. Assim, esta é a primeira vez que tenho contato com o cara. Numa TV portátil com chuvisco. Num estábulo.

Basil Rathbone *é* Sherlock Holmes. Os modos suaves; o perfil nobre; a voz tão rica e impressionante. Fico sentado ali, enfeitiçado, completamente hipnotizado por esse gênio eloquente. Nunca vi nada como ele. Ele realmente consegue dizer que um crime foi cometido a partir da camada de tinta na cabeça de um parafuso. Pode deduzir a história de vida de um homem examinando o rebite gasto na ponta de sua bengala. Eu quero ser capaz de fazer isso! Pela primeira vez na vida, o intelecto é *sexy* e descolado. Sherlock Holmes me atrai para um mundo perigoso e exótico — um mundo onde vilões não se limitam a te matar a bordoadas, antes mandam sementes de laranja para te deixar tenso. (Lembro muito bem que eu tremia no sofá assistindo a *Sherlock Holmes Enfrenta a Morte*, o *thriller* baseado na sexta história desta coletânea, "O Ritual dos Musgrave".)

Esqueça a tranquila majestade dos lagos — estou ansioso para voltar ao nosso estábulo toda noite e ligar a TV. Sherlock Holmes é o cara com quem quero andar. Para dizer a verdade, quero *ser* esse cara. Minha irmã e eu nos tornamos Holmes e Watson — ansiosos para identificar qualquer gênio do crime que passe por esta cidade rural, fazendo planos para esconder uma pérola roubada ou quebrar a espinha de sua próxima vítima. O crime nunca foi tão glamoroso — ontem eu queria tocar num grupo de rock. Hoje quero ser um detetive. Aparentemente (é o que meu pai diz), existem livros que acompanham os filmes. Assim, quando o feriado acaba, junto meus trocados e vou à livraria WHSmith...

Todo entusiasta de Sherlock Holmes é capaz de lembrar seu primeiro volume de histórias. O meu foi uma antologia no formato de uma brochura bem grossa — preta e vermelha. Conan Doyle me fisgou na primeira página e nunca mais me largou.

Setembro de 2008. 31 anos depois. Um jantar. (Vou a jantares agora, porque virei um adulto de verdade. Até levo vinho e tudo.) É na casa de Steven Moffat, em Londres. Eu, Steven, Mark Gatiss e parceiros. Steven está ansioso para falar comigo sobre um seriado de TV que eles estão preparando...

— Queremos fazer um seriado com Sherlock Holmes, ambientado no presente. — Balanço a cabeça entusiasticamente enquanto penso: "Eu ouvi certo? Sherlock Holmes no século 21? Tem como dar certo?" É óbvio que Holmes está indissoluvelmente ligado à sua época. O seu mundo é o dos táxis *hansom*, neblina, lampiões a gás e códigos secretos escritos com sangue em mansões góticas. Holmes pode mesmo ser arrastado, esperneando e gritando, para a era moderna?

Steven está tipicamente engajado: refere-se alegremente aos filmes de Rathbone — a maioria dos quais foi atualizada para a década de 1940. Se Rathbone conseguiu, nós também conseguiremos.

— Se eu quero escrever um episódio? — Pode apostar. E assim, três décadas depois que Basil e eu nos conhecemos, sou convidado a pegar o bastão e contribuir — numa medida bem pequena — para o legado de Sherlock Holmes.

Estou inclinado a crer que Doyle teria aprovado o que fizemos com o seriado *Sherlock*. (Tudo bem, posso dizer isso porque a ideia não foi minha, foi de Steven e Mark — eu apenas subi no bonde depois de um bom jantar.) Doyle era prolífico — escreveu 56 contos e quatro histórias longas para nos apresentar o melhor detetive da literatura —, mas tinha um relacionamento ambíguo com sua criação. Nunca foi preciosista ou possessivo com ela. Holmes começou como um ganha-pão — uma maneira de suplementar a renda de Doyle como médico: 50 mil palavras enviadas aos editores, Ward e Lock, que lhe pagaram míseras 25 libras pelos direitos autorais e publicaram o texto em seu número especial de Natal. Doyle soltou essa esfuziante criação no mundo, mas foi o mundo que criou o mito. Sherlock Holmes foi submetido a incontáveis novas interpretações, algumas durante a vida de Conan Doyle. E ele as aprovava.

O gorro de caça é o exemplo mais óbvio. Ele jamais é mencionado nas histórias que você vai ler — nem nas que vêm antes ou depois delas. Sydney Paget, o ilustrador da revista *Strand*, gostava desse tipo de chapéu — foi o primeiro a retratar Holmes usando um. "Elementar, meu caro Watson" é a frase mais comumente associada a Holmes, mas Conan Doyle jamais a usou. (Holmes exclama "Elementar!" quatro vezes nas histórias, mas é só.) O cachimbo curvo é uma afetação posterior, adotada por um ator que interpretava Holmes nos palcos. Ele preferia o cachimbo de espuma do mar aos modelos mais retos porque era atrapalhado com objetos de cena, e o cachimbo de haste curva era mais fácil de segurar. Portanto, nada de gorro de caça, nada de cachimbo e nada da famosa frase de efeito.

E os erros! Quantas esposas Watson tinha? Algo entre uma e cinco — o texto tem inconsistências alarmantes. E seu ferimento de guerra? Num momento está no ombro, no seguinte desceu para a perna. A questão, certamente, é que nunca nos importamos. Ou nem notamos. Ofuscados pelo brilho das personagens e de suas aventuras, nunca paramos para questionar os detalhes.

Por isso, não acho que Doyle ficaria muito ofendido se tomamos liberdades com sua criação. Ele já estava acostumado. O cânone de Shakespeare muitas vezes foi fortalecido por interpretações modernas. Certamente prova a sua grandeza quando, privado dos lampiões a gás, da neblina e das mansões assombradas, Sherlock continua inquestionavelmente sendo Sherlock. Sua voz abafa o ruído.

A última história desta coletânea tem o título apropriado de "O Problema Final". (Alerta de *spoiler*: se você não sabe o que vai acontecer, pule agora mesmo o resto desta introdução. Agora mesmo. Estou falando sério.) O professor Moriarty luta com Holmes num precipício mortal à beira das Cascatas Reichenbach, na Suíça. O desenho a nanquim de Paget que mostra os dois homens lutando antes de morrer é certamente uma das imagens mais duradouras dele. Doyle, como se sabe, matou sua criação ao final desta série. E, o que não é surpresa nenhuma, incorreu na terrível ira dos seus leitores.

Sacos com cartas ofensivas chegavam à casa de Doyle em Londres. Ele foi execrado nos jornais. Uma caricatura retratou Doyle chorando sobre um caixão. Dizem até que ele tomou guarda-chuvadas de uma senhora na rua. Ele era, afinal de contas, o homem que assassinou o amado Sherlock Holmes. Doyle viajou para o exterior para escapar ao furor público, mas a cada dia sua determinação fraquejava. Ele acabaria cedendo ao inevitável e traria Holmes de volta à vida? Isso poderia acontecer?

Infelizmente, esta introdução não se estende às histórias que vêm depois. (Não quero entregar o final, mas você provavelmente sabe no que isso vai dar. Afinal, *existem* outras histórias!) Se Conan Doyle teve dificuldades para manter seu herói enterrado, então quero crer que ele consegue perdoar as gerações futuras por tê-lo ressuscitado com outras roupagens. Ele perdoa Basil por usar chapéu de feltro e combater espiões nazistas na Londres da Segunda Guerra, tudo em nome de Sherlock. E espero que também nos perdoe pelos ternos Westwood, blogs, mensagens de texto e adesivos de nicotina.

Sherlock não quer descansar em paz — ele nos chama das profundezas geladas de Reichenbach. Mas todas as nossas variações modernas serão sempre eclipsadas pelos maravilhosos originais de Doyle. Bom proveito.

Steve Thompson

Ator, roteirista e escritor britânico. Escreveu roteiros para as séries inglesas Doctor Who *e* Sherlock, *nas quais participou como ator.*

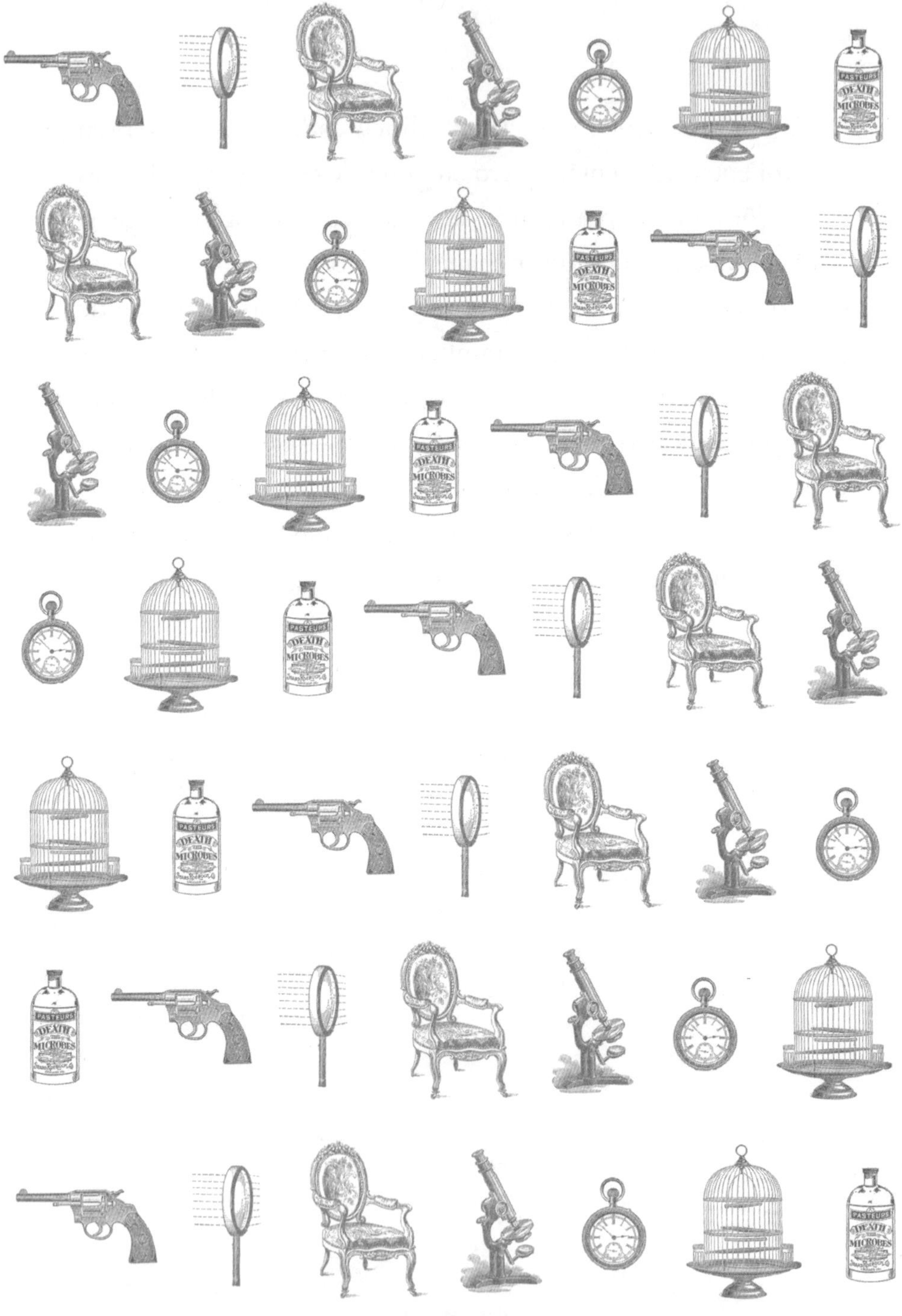
PASTEURS
DEATH
MICROBES

um

SILVER BLAZE

— Infelizmente, Watson, precisarei partir — disse Holmes, quando estávamos fazendo o desjejum juntos, uma manhã.

— Partir! Para onde?

— Para Dartmoor, para King's Pyland.

Não fiquei surpreso. Aliás, minha única surpresa era ele ainda não ter-se envolvido naquele caso extraordinário, que se tornara o único assunto das conversas por toda a Inglaterra. Durante um dia inteiro, meu colega andara pela sala com o queixo apoiado no peito e o sobrolho franzido, enchendo e reabastecendo seu cachimbo com o mais forte tabaco preto, e absolutamente surdo a qualquer pergunta ou comentário meu. Novas edições de todos os jornais eram trazidas pelo nosso jornaleiro, apenas para serem olhadas rapidamente e jogadas num canto. No entanto, por mais que ele estivesse calado, eu sabia muito bem com o que estava cismando. Só havia um problema diante do público que poderia desafiar seu poder de análise, e era o singular desaparecimento do favorito da Copa Wessex, e o trágico assassinato de seu treinador. Quando, portanto, ele anunciou abruptamente sua intenção de partir para o local do drama, era tudo o que eu esperava e desejava.

— Ficaria muito feliz em ir com você, se não for atrapalhar — eu disse.

— Meu caro Watson, você me faria um grande favor me acompanhando. E acho que seu tempo não será desperdiçado, pois há aspectos neste caso que prometem torná-lo absolutamente único. Temos, acho, apenas tempo suficiente para pegar nosso trem em Paddington, então me aprofundarei no assunto durante a nossa jornada. Você me ajudaria se levasse seu excelente binóculo.

E foi assim que, cerca de uma hora depois, me vi no canto de um vagão de primeira classe, velozmente a caminho de Exeter, enquanto Sherlock Holmes, com o rosto anguloso e enérgico emoldurado por seu gorro de viagem com abas viradas para as orelhas, mergulhou rapidamente no maço de novos jornais que comprara na estação. Havíamos deixado Reading bem para trás quando ele jogou o último dos cotidianos para baixo do assento e me ofereceu sua charuteira.

— Estamos indo bem — ele disse, olhando pela janela e consultando seu relógio. — No momento, nossa velocidade é de oitenta e cinco quilômetros e meio por hora.

— Não prestei atenção nas placas de quilômetros — respondi.

— Nem eu. Mas os postes do telégrafo nesta linha ficam a cinquenta e quatro metros um do outro, e o cálculo é simples. Presumo que você tenha pesquisado esse assunto do assassinato de John Straker e do desaparecimento de Silver Blaze.

— Li o que foi publicado no *Telegraph* e no *Chronicle*.

— É um daqueles casos nos quais a arte do pensador deve ser usada mais para peneirar os detalhes do que para adquirir novas evidências. A tragédia foi tão incomum, tão completa, e de tamanha importância pessoal para tanta gente que estamos sofrendo uma epidemia de suposições, conjecturas e hipóteses. A dificuldade é separar a estrutura dos fatos — dos fatos absolutos e inegáveis — dos floreios de teóricos e jornalistas. Então, depois de nos estabelecermos sobre essa base sólida, será nosso dever verificar que inferências possam ser produzidas, e quais são os aspectos especiais ao redor dos quais orbita todo esse mistério. Na tarde de terça-feira, recebi telegramas tanto do Coronel Ross, dono do cavalo, quanto do inspetor Gregory, destacado para o caso, convidando-me a cooperar.

— Na tarde de terça! — exclamei. — E agora é quinta-feira de manhã. Por que não partiu ontem?

— Porque cometi um erro, meu caro Watson. Uma ocorrência, temo eu, muito mais comum do que imagina quem me conhece só pelos relatos que você escreve. O fato é que eu não achava concebível que o cavalo mais famoso da Inglaterra pudesse ficar escondido por muito tempo, especialmente num lugar tão pouco habitado quanto o norte de Dartmoor. Hora após hora, ontem, esperei ouvir que o animal fora encontrado, e que seu raptor era o assassino de John Straker. Quando, no entanto, novamente amanheceu e descobri que, além da prisão de Fitzroy Simpson, nada fora feito, senti que estava na hora de entrar em ação. No entanto, sob certos aspectos, sinto que ontem não foi um dia desperdiçado.

— Você formulou uma teoria, então?

— Ao menos absorvi os fatos essenciais do caso. Vou enumerá-los para você, pois nada esclarece mais um caso do que contá-lo a outra pessoa, e não posso esperar sua cooperação se não mostrar qual é a nossa posição de partida.

Refestelei-me nas almofadas, baforando meu charuto, enquanto Holmes, curvando-se para a frente, enumerando os detalhes na palma da mão esquerda com seu indicador longo e magro, deu-me um esboço dos fatos que levaram à nossa jornada.

— Silver Blaze — ele disse — é da linhagem de Isonomy, e tem uma ficha corrida tão brilhante quanto a de seu famoso ancestral. Já está competindo há cinco anos, e conquistou todos os prêmios das pistas para o Coronel Ross, seu afortunado dono. Até o momento da catástrofe, era o principal favorito da Copa Wessex, pagando três para um nas apostas. Sempre foi, todavia, um grande favorito do público de corridas, e nunca decepcionou, de forma que, mesmo pagando tão pouco, quantias enormes já haviam sido apostadas nele.

É óbvio, portanto, que muitas pessoas têm o mais forte interesse em evitar que Silver Blaze esteja presente para receber a bandeirada na próxima terça-feira.

"Esse fato era, naturalmente, conhecido em King's Pyland, onde fica o estábulo de treino do coronel. Todas as precauções foram tomadas para proteger o favorito. Seu treinador, John Straker, é um jóquei aposentado que corria para o Coronel Ross antes de ficar pesado demais para montar. Foi jóquei do coronel por cinco anos e seu treinador por sete, e sempre se mostrou um servidor zeloso e honesto. Sob seu comando estavam três rapazes, pois o estabelecimento era pequeno e continha apenas quatro cavalos. Um dos rapazes ficava de guarda à noite no estábulo, enquanto os outros dormiam no depósito de feno. Os três têm caráter excelente. John Straker, que é casado, mora numa casinha a uns duzentos metros do estábulo. Não tem filhos, mantém uma criada e leva uma vida confortável. Os arredores são muito desertos, mas uns oitocentos metros ao norte há um pequeno aglomerado de casas que foram construídas por um empreiteiro de Tavistock para inválidos e outras pessoas que queiram aproveitar o ar puro de Dartmoor. Tavistock fica três quilômetros a oeste, e do outro lado do pantanal, a outros três quilômetros, fica o centro de treinamento de Capleton, que é maior, pertence ao Lorde Blackwater e é administrado por Silas Brown. Em todas as outras direções, o pantanal é um completo deserto, habitado somente por alguns ciganos nômades. Essa era a situação geral na noite de segunda-feira passada, quando a catástrofe aconteceu.

"Naquela tarde, os cavalos foram exercitados e lavados como sempre, e os estábulos foram trancados às 21h. Dois dos rapazes andaram até a casa do treinador, onde jantaram na cozinha, enquanto o terceiro, Ned Hunter, ficou de guarda. Alguns minutos depois das 21h, a criada, Edith Baxter, levou para o estábulo o jantar do rapaz, que consistia num prato de cordeiro com *curry*. Ela não levou bebidas, pois há uma bica no estábulo, e a regra dizia que quem estivesse de guarda não deveria beber outra coisa. A criada levou uma lanterna, porque estava muito escuro e o caminho passava pelo pantanal.

"Edith Baxter estava a 30 metros do estábulo quando um homem surgiu da escuridão e pediu que ela parasse. Quando ele se aproximou do círculo de luz amarela projetado pela lanterna, ela viu que era um senhor de porte cavalheiresco, trajando um terno de *tweed* cinza e um gorro de tecido. Usava polainas e carregava uma pesada bengala de cabo redondo. O que mais a impressionou, no entanto, foi a palidez extrema do seu rosto e o nervosismo do seu comportamento. Ele não deveria ter menos de 30 anos, ela pensou.

"'Pode me dizer onde estou?', ele perguntou. 'Estava quase decidido a dormir ao relento quando vi a luz da sua lanterna.'

"'O senhor está perto do estábulo de treinamento de King's Pyland', ela disse.

"'Oh, deveras! Que golpe de sorte!', ele exclamou. 'Pelo que sei, um cavalariço dorme ali sozinho toda noite. Talvez seja o jantar dele que a senhorita está levando. Certamente não seria orgulhosa a ponto de não querer ganhar o valor de um vestido novo, seria?' Ele tirou um pedaço de papel branco dobrado do bolso do colete. 'Entregue isto àquele rapaz esta noite e ganhará o vestido mais bonito que o dinheiro pode comprar.'

"Ela ficou assustada com a ousadia de sua abordagem, passou por ele e foi até a janela através da qual costumava entregar as refeições. Já estava aberta, e Hunter estava sentado à mesinha lá dentro. Ela havia começado a lhe contar o que acontecera quando o estranho apareceu de novo.

"'Boa noite', ele disse, olhando pela janela. 'Eu queria falar um momento com você.' A garota jura que, enquanto o estranho falava, ela notou o canto do papelzinho dobrado saindo de sua mão fechada.

"'O que o senhor veio fazer aqui?', o rapaz perguntou.

"'Dar a você a chance de pôr algum no bolso', disse o outro. 'Vocês têm dois cavalos na Copa Wessex: Silver Blaze e Bayard. Dê-me o palpite certo e não sairá perdendo. É verdade que, depois da pesagem, Bayard ficou cem metros na frente do outro depois de um quilômetro, e que o haras resolveu apostar nele?'

"'Então você é um daqueles malditos espiões!', exclamou o rapaz. 'Vou mostrar como tratamos a sua laia aqui em King's Pyland.' Ele correu e atravessou o estábulo para soltar o cachorro. A garota fugiu para a casa, mas, enquanto corria, olhou para trás e viu o estranho debruçando-se para dentro pela janela. Um minuto depois, porém, quando Hunter voltou com o cachorro, ele se fora, e o rapaz, apesar de correr ao redor das edificações, não encontrou nem sinal dele."

— Um momento! — interrompi. — O cavalariço, quando saiu correndo com o cachorro, deixou a porta destrancada?

— Excelente, Watson, excelente! — murmurou meu colega. — A importância desse detalhe me ocorreu com tanta força que enviei um telegrama para Dartmoor ontem, especialmente para averiguar isso. O rapaz trancou a porta ao sair. A janela, devo acrescentar, não era grande o suficiente para permitir a passagem de um homem.

"Hunter esperou até que seus colegas cavalariços retornassem, e então mandou uma mensagem para o treinador, contando o que acontecera. Straker ficou agitado ao ouvir o relato, embora não parecesse ter entendido sua verdadeira importância. Ficou, todavia, vagamente inseguro, e a Sra. Straker, ao acordar, à uma da manhã, descobriu que ele estava se vestindo. Respondendo às perguntas da esposa, ele disse que não conseguia dormir de ansiedade pelos cavalos, e que pretendia ir a pé até o estábulo, para ver se estava tudo bem. Ela implorou que ele ficasse em casa, pois ouvia a chuva batendo na janela, mas, apesar de seus apelos, o marido vestiu seu comprido impermeável e partiu.

"A Sra. Straker acordou às 7h e percebeu que o marido ainda não retornara. Vestiu-se apressadamente, chamou a criada e seguiu para o estábulo. A porta estava aberta; lá dentro, encolhido numa cadeira, Hunter estava mergulhado num estado de estupor absoluto, a baia do favorito estava vazia e não havia nenhum sinal do treinador.

"Os dois rapazes que dormiam no depósito onde se cortava o feno, acima da sala de arreios, foram rapidamente acordados. Não ouviram nada durante a noite, porque ambos têm o sono pesado. Hunter estava obviamente sob influência de alguma droga potente; e, como não dizia coisa com coisa, deixaram-no dormir até passar o efeito, enquanto os dois rapazes e as duas mulheres saíram em busca dos desaparecidos. Ainda tinham esperanças de que o treinador, por algum motivo, tivesse saído cedo para exercitar o cavalo, mas, ao subirem a encosta perto da casa, de onde a visão se descortina para todos os arredores pantanosos, eles não só não viram nem sinal do favorito desaparecido como perceberam algo que os alertou de que estavam diante de uma tragédia.

"A uns quatrocentos metros do estábulo, o sobretudo de John Straker estava desfraldado sobre um arbusto de tojo. Imediatamente além, havia uma depressão em forma de cuia no pantanal, e no fundo dela o cadáver do desventurado treinador foi encontrado. Sua cabeça fora esmigalhada por um forte golpe desferido com alguma arma pesada, e ele tinha um ferimento na coxa, um corte longo e limpo, evidentemente infligido por algum instrumento muito afiado. Estava claro, no entanto, que Straker se defendera vigorosamente de seus agressores, pois sua mão direita segurava uma pequena faca, com manchas de sangue no cabo, e, na esquerda, um lenço de seda vermelho e preto, que foi reconhecido pela criada como o que era usado na noite anterior pelo estranho que visitara o estábulo.

"Hunter, ao se recuperar do estupor, também disse ter certeza quanto ao proprietário do lenço. Também tinha certeza de que o mesmo estranho, enquanto estava na janela, pusera a droga em seu cordeiro com *curry*, privando o estábulo de seu vigia.

"Quanto ao cavalo desaparecido, havia provas abundantes, na lama no fundo da depressão fatal, de que ele estivera lá no momento da luta. Mas desde aquela manhã o animal desaparecera, e, embora uma vultosa recompensa tenha sido oferecida, e todos os ciganos de Dartmoor estejam de sobreaviso, não se teve notícia dele. Finalmente, uma análise mostrou que os restos do jantar, deixados pelo cavalariço, continham uma considerável quantidade de ópio em pó; as pessoas da casa, após terem consumido a mesma comida, na mesma noite, não apresentaram nenhum efeito adverso.

"Esses são os principais fatos do caso, livres de todas as suposições e narrados de maneira tão direta quanto possível. Agora recapitularei o que a polícia já fez a respeito.

"O inspetor Gregory, destacado para o caso, é um policial extremamente competente. Se tivesse imaginação, poderia ascender a grandes alturas em sua profissão. Ao chegar, ele prontamente encontrou e prendeu o homem sobre o qual as suspeitas recaíam naturalmente. Houve pouca dificuldade em encontrá-lo, já que ele era muito conhecido na vizinhança. Seu nome, ao que parece, é Fitzroy Simpson. É um homem de excelente berço e educação, que dilapidou uma fortuna nas pistas, e agora vive como um discreto e cortês *bookmaker* nos clubes desportivos de Londres. Um exame de seu livro de apostas revela que ele registrara cinco mil libras de apostas contra o favorito.

"Ao ser preso, ele depôs dizendo que viera de Dartmoor na esperança de obter informações sobre os cavalos de King's Pyland, e também sobre Desborough, o segundo favorito, que estava aos cuidados de Silas Brown no haras de Capleton. Não tentou negar ter agido conforme o descrito na noite anterior, mas declarou não ter nenhum plano sinistro, desejando simplesmente receber informações de primeira mão. Quando lhe foi apresentado seu lenço, ficou muito pálido, e foi totalmente incapaz de explicar sua presença na mão da vítima. Suas roupas molhadas mostravam que ele andara na tempestade da noite anterior, e sua bengala, que era uma Penang lawyer com chumbo no interior, era o tipo de arma que poderia, com repetidos golpes, ter infligido os terríveis ferimentos pelos quais o treinador sucumbira.

"Por outro lado, não havia nenhum ferimento em sua pessoa, embora o estado da faca de Straker demonstrasse que pelo menos um de seus agressores deveria ter ficado com sua marca. Isso é tudo, em resumo, Watson, e, se você puder me dar qualquer luz, ficarei infinitamente grato."

Eu ouvira com o maior interesse a narrativa que Holmes, com clareza característica, me apresentara. Embora a maioria dos fatos já me fosse familiar, eu não apreciara suficientemente sua importância relativa, nem a conexão de uns com os outros.

— Não seria possível — sugeri — que a incisão na coxa de Straker tivesse sido causada por sua própria faca, nas convulsões que se seguem a qualquer dano ao cérebro?

— É mais do que possível; é provável — disse Holmes. — Nesse caso, um dos maiores argumentos em favor do acusado desaparece.

— No entanto — continuei —, até agora não entendo qual poderia ser a teoria da polícia.

— Temo que qualquer teoria apresentada teria graves objeções — respondeu meu colega. — A polícia imagina, presumo, que esse Fitzroy Simpson, depois de drogar o rapaz, tendo obtido de alguma forma uma cópia da chave, tenha aberto a porta do estábulo e retirado o cavalo, com a intenção, ao que tudo indica, de realmente sequestrá-lo. Seus arreios desapareceram, portanto Simpson deve tê-los colocado no animal. Então, depois de deixar a porta aberta atrás de si, estava levando o cavalo através do pantanal quando encontrou o treinador ou foi alcançado por ele. Uma altercação naturalmente se seguiu, Simpson estourou os miolos do treinador com sua pesada bengala sem receber qualquer ferimento da pequena faca que Straker usou para se defender, e então o ladrão levou o cavalo para algum esconderijo, ou então o animal pode ter fugido durante a luta, e agora está vagando pelo pantanal. É assim que a polícia vê o caso, e, por mais improvável que pareça, todas as outras explicações são ainda mais improváveis. No entanto, testarei a questão rapidamente quando chegar ao local, e, até lá, realmente não vejo como podemos fazer qualquer progresso da nossa posição atual.

Anoiteceu antes que chegássemos à cidadezinha de Tavistock, que fica, como a saliência de um escudo, no meio do grande círculo de Dartmoor. Dois cavalheiros estavam à nossa espera na estação: um deles alto e louro, com cabelo e barba semelhantes à juba de um leão e olhos azul-claros curiosamente penetrantes; o outro, um sujeitinho alerta, muito bem-apessoado, usando casaco longo e polainas, com pequenas costeletas aparadas e um monóculo. Este último era o Coronel Ross, o famoso desportista; o outro, o inspetor Gregory, um homem que estava rapidamente fazendo nome entre os detetives ingleses.

— Fico encantado que tenha vindo, Sr. Holmes — disse o coronel. — O inspetor aqui já fez tudo que poderia ser sugerido; mas não quero deixar de tentar nada para vingar o pobre Straker e recuperar o meu cavalo.

— Houve algum novo desenvolvimento? — Holmes perguntou.

— Lamento informar que fizemos bem poucos progressos — explicou o inspetor. — Temos uma carruagem aberta à espera, e, como o senhor sem dúvida gostaria de ver o lugar antes que a luz acabe, podemos conversar a caminho de lá.

Um minuto depois, estávamos todos sentados num confortável landau, sacolejando pela pitoresca cidadezinha de Devonshire. O inspetor Gregory estava imerso no caso, e derramava um rio de comentários, que Holmes pontuava com uma pergunta ou interjeição ocasional. O Coronel Ross se recostara com os braços dobrados e o chapéu puxado sobre os olhos, enquanto eu ouvia com interesse o diálogo dos dois detetives. Gregory estava formulando sua teoria, que era quase exatamente a que Holmes previra no trem.

— A teia está bem fechada ao redor de Fitzroy Simpson — ele comentou —, e eu mesmo acredito que ele seja o culpado. Ao mesmo tempo, reconheço que as provas são puramente circunstanciais, e que algum novo desdobramento pode derrubá-las.

— E a faca de Straker?

— Praticamente chegamos à conclusão de que ele mesmo se feriu ao cair.

— Meu amigo, o Dr. Watson, sugeriu-me isso no caminho para cá. Se for verdade, depõe contra esse tal de Simpson.

— Sem dúvida. Ele não tinha uma faca, nem sinal de ferimentos. As provas contra ele certamente são muito fortes. Ele tinha um grande interesse no desaparecimento do favorito, está sob suspeita de ter intoxicado o cavalariço, sem dúvida saiu na tempestade, estava armado com uma bengala pesada, e seu lenço foi encontrado na mão da vítima. Acredito realmente que tenhamos o suficiente para levar o caso aos tribunais.

Holmes balançou a cabeça.

— Um advogado astuto destruiria tudo isso — ele disse. — Por que ele tiraria o cavalo do estábulo? Se queria feri-lo, não poderia fazê-lo ali mesmo? A cópia da chave foi encontrada com ele? Que boticário lhe vendeu o ópio em pó? Acima de tudo, onde ele, alguém estranho à região, poderia esconder um cavalo, ainda mais um cavalo como esse? Qual a explicação dele para o papel que queria que a criada entregasse ao cavalariço?

— Ele diz que era uma cédula de dez libras. A cédula foi encontrada em sua bolsa. Mas as outras dificuldades não são tão formidáveis quanto parecem. Ele não é estranho à região. Hospedou-se por duas vezes em Tavistock no verão. O ópio foi provavelmente trazido de Londres. A chave, depois de servir ao seu propósito, teria sido jogada longe. O cavalo pode estar no fundo de uma das valas ou das velhas minas do pantanal.

— O que ele diz sobre o lenço?

— Reconhece que é seu, e declara que o perdeu. Mas um novo elemento que pode explicar o fato de o cavalo ter sido tirado do estábulo foi introduzido no caso.

Holmes aguçou os ouvidos.

— Encontramos rastros que mostram que, na noite de segunda-feira, um grupo de ciganos acampou a menos de um quilômetro e meio do lugar onde o assassinato aconteceu. Na terça, eles haviam ido embora. Bem, presumindo que houvesse algum acordo entre Simpson e esses ciganos, ele não poderia estar levando o cavalo até eles quando foi alcançado, e eles não podem estar com o animal agora?

— Certamente é possível.

— O pantanal está sendo vasculhado à procura desses ciganos. Também examinei cada estábulo e galpão de Tavistock, e num raio de 16 quilômetros.

— Há outro haras de treinamento bem próximo, pelo que eu soube.

— Sim, e esse é um fator que realmente não devemos negligenciar. Como Desborough, o cavalo deles, era o segundo nas apostas, eles tinham interesse no desaparecimento do favorito. Silas Brown, o treinador, é conhecido por ter apostado altas quantias na corrida, e não era amigo do pobre Straker. Todavia, examinamos os estábulos, e não há nada que o conecte a este caso.

— E nada que conecte esse tal de Simpson aos interesses do haras Capleton?

— Nada mesmo.

Holmes voltou a se recostar na carruagem, e a conversação cessou. Alguns minutos depois, nosso cocheiro parou diante de uma bela casinha de tijolos vermelhos à beira da estrada, com calhas pronunciadas ao redor. A alguma distância, do outro lado de um cercado, ficava um longo galpão revestido de azulejos cinza. Em todas as outras direções, as curvas baixas do pantanal, tingidas de bronze pelas samambaias secas, se estendiam até o horizonte, interrompidas apenas pelos telhados de Tavistock, e por um aglomerado de casas a oeste, que marcavam o haras Capleton. Saímos todos, com exceção de Holmes, que continuava confortavelmente sentado, com os olhos fixos no céu à sua frente, completamente absorto em seus pensamentos. Foi só quando toquei seu braço que ele se levantou, com um sobressalto violento, e desceu da carruagem.

— Perdão — ele disse, virando-se para o Coronel Ross, que o olhava, algo surpreso. — Eu estava sonhando acordado. — Havia um brilho em seus olhos e uma empolgação contida em seus gestos que me convenciam, acostumado como eu estava às suas atitudes, de que ele tinha em mãos uma pista, embora eu não conseguisse imaginar onde a encontrara.

— Talvez prefira ir imediatamente para a cena do crime, Sr. Holmes? — perguntou Gregory.

— Acho que prefiro ficar aqui um pouco e resolver uma ou duas questões sobre detalhes. Straker foi trazido de volta para cá, presumo?

— Sim, jaz no andar de cima. O inquérito será amanhã.

— Ele estava a seu serviço havia alguns anos, Coronel Ross?

— Sempre o considerei um excelente empregado.

— Presumo que tenha feito um inventário do que ele trazia nos bolsos no momento de sua morte, inspetor?

— Os objetos estão na sala de estar, se quiser vê-los.

— Eu ficaria muito feliz.

Fomos todos para a sala e nos sentamos ao redor da mesa de centro, enquanto o inspetor abria uma caixinha de lata e derramava um pequeno amontoado de coisas na nossa frente. Havia uma caixa de fósforos, cinco centímetros de vela de sebo, um cachimbo de raiz de roseira ADP, uma bolsa de pele de foca com 15 gramas de tabaco Cavendish cortado bem grosso, um relógio de prata com corrente de ouro, cinco soberanos de ouro, um estojo de lápis de alumínio, alguns papéis e uma faca com cabo de marfim e lâmina delicada e inflexível, com a inscrição “Weiss & Co., Londres”.

— Esta é uma faca muito singular — disse Holmes, pegando-a e examinando-a minuciosamente. — Presumo, pelas manchas de sangue que vejo nela, que é a que foi encontrada na mão do falecido. Watson, esta faca certamente é da sua profissão?

— É o que chamamos de bisturi de catarata — eu disse.

— Imaginei. Uma lâmina muito delicada, criada para trabalhos muito delicados. Algo estranho de ser carregado por um homem numa expedição violenta, especialmente considerando que não pode ser fechada no bolso.

— A ponta era protegida por um disco de cortiça, que encontramos perto do corpo — disse o inspetor. — A esposa dele nos diz que a faca ficara sobre a penteadeira por alguns dias, e que ele a pegou ao sair do quarto. É uma péssima arma, mas talvez fosse a melhor que ele podia encontrar, no momento.

— Muito possível. E esses papéis?

— Três deles são recibos dos vendedores de feno. Um é uma

carta de instruções do Coronel Ross. Este outro é uma fatura de uma modista, no valor de 37 libras e 15 xelins, expedida por Madame Lesurier, da Bond Street, para William Darbyshire. A Sra. Straker diz que Darbyshire era amigo do marido, e que ocasionalmente suas cartas eram endereçadas para cá.

— A Madame Darbyshire tem um gosto um tanto caro — comentou Holmes, olhando para a fatura. — Vinte e dois guinéus é algo pesado para um único vestido. De qualquer forma, parece não haver mais nada a aprender, e agora podemos ir para o local do crime.

Quando saíamos da sala de estar, uma mulher que esperava no corredor deu um passo à frente e apoiou a mão na manga do inspetor. Seu rosto era ossudo, magro e ansioso; estampado com a impressão de algum horror recente.

— Já está com eles? Encontrou-os? — ela disse, ofegante.

— Não, Sra. Straker, mas o Sr. Holmes aqui veio de Londres para nos ajudar, e faremos todo o possível.

— Acho que nos conhecemos em Plymouth, numa recepção festiva, há pouco tempo, Sra. Straker — declarou Holmes.

— Não, senhor; está enganado.

— Céus; ora, eu poderia jurar que foi assim. A senhora usava um vestido de seda cor creme, com barra de penas de avestruz.

— Nunca tive um vestido assim, senhor — respondeu a senhora.

— Ah; isso encerra a questão — disse Holmes; e, desculpando-se, seguiu o inspetor para fora. Uma breve caminhada pelo pantanal nos levou até a depressão onde o corpo fora encontrado. Em sua beira estava o arbusto no qual a capa fora pendurada.

— Não havia vento naquela noite, pelo que sei — disse Holmes.

— Nenhum; mas chovia muito.

— Nesse caso, o sobretudo não foi jogado contra o arbusto pelo vento, mas colocado ali.

— Sim, foi deitado sobre o arbusto.

— O senhor me enche de interesse. Percebo que o chão está bastante pisoteado. Sem dúvida, muitos pés passaram por aqui desde a noite de segunda-feira.

— Um tapete foi colocado aqui ao lado, e todos ficamos em cima dele.

— Excelente.

— Nesta sacola, tenho uma das botas que Straker usou, um dos sapatos de Fitzroy Simpson e uma ferradura de Silver Blaze.

— Meu caro inspetor, o senhor se supera!

Holmes pegou a sacola e, descendo para dentro da depressão, empurrou o tapete para uma posição mais central. Então, deitando-se de bruços e apoiando o queixo nas mãos, estudou cuidadosamente a lama pisoteada diante de si.

— Olá! — ele disse de repente. — O que é isto?

Era um fósforo de cera, meio queimado, tão recoberto de lama que à primeira vista parecia uma lasquinha de madeira.

— Não sei como não vi isso — reclamou o inspetor, com uma expressão aborrecida.

— Estava invisível, enterrado na lama. Só o vi porque o estava procurando.

— O quê?! Esperava encontrá-lo?

— Achei que não seria improvável. — Ele tirou as botas da sacola e comparou as pegadas de cada uma delas com as marcas no chão. Então se arrastou para a borda da depressão e rastejou entre as samambaias e os arbustos.

— Infelizmente, não há outras pegadas — afirmou o inspetor. — Examinei o chão muito cuidadosamente num raio de cem metros.

— Deveras! — disse Holmes, levantando-se. — Não cometerei a impertinência de fazê-lo novamente, depois do que falou. Mas gostaria de fazer uma pequena caminhada pelo pantanal antes que escureça, para amanhã estar familiarizado com o terreno, e acho que colocarei a ferradura no bolso, para me dar sorte.

O Coronel Ross, que demonstrara alguns sinais de impaciência com o silencioso e sistemático método de trabalho do meu colega, olhou para o relógio.

— Gostaria que o senhor voltasse comigo, inspetor — ele disse. — Existem vários aspectos sobre os quais gostaria que me aconselhasse, especialmente se não devemos ao público a retirada do nosso cavalo da Copa.

— Certamente que não! — exclamou Holmes, decidido. — Eu deixaria o nome dele lá.

O coronel acenou com a cabeça.

— Fico muito feliz em ouvir sua opinião, senhor — ele respondeu. — Encontre-nos na casa do pobre Straker quando terminar sua caminhada, e poderemos voltar juntos de carruagem para Tavistock.

Ele se voltou novamente para o inspetor, enquanto Holmes e eu andávamos lentamente pelo pantanal. O sol começava a se pôr atrás dos estábulos de Capleton, e a longa encosta diante de nós estava tingida de dourado, escurecendo para marrons ricos e avermelhados nos quais as samambaias e os espinheiros refletiam a luz do entardecer. Mas as glórias da paisagem eram desperdiçadas pelo meu colega, que estava mergulhado em pensamentos profundos.

— É assim, Watson — ele disse finalmente. — Podemos deixar de lado a questão de quem matou John Straker, no momento, e limitar-nos a descobrir o que aconteceu com o cavalo. Bem, supondo que ele tenha fugido durante ou depois da tragédia, para onde poderia ter ido? O cavalo é uma criatura muito gregária. Abandonado à própria sorte, seu instinto seria voltar para King's Pyland ou se dirigir para Capleton. Por que sairia galopando pelo pantanal? Certamente já teria sido visto, a esta altura. E por que os ciganos o roubariam? Essa gente sempre some ao menor sinal de confusão, pois não quer ser amolada pela polícia. Eles não teriam como vender um cavalo desses. Correriam um grande risco e não ganhariam nada levando-o. Certamente isso está claro.

— Onde ele está, então?

— Já falei que ele deve ter ido para King's Pyland ou para Capleton. Não está em King's Pyland, portanto está em Capleton. Usemos isso como hipótese provisória e vejamos aonde nos leva. Esta parte do pantanal, como o inspetor comentou, é bem firme e seca. Mas ele baixa na direção de Capleton, e você pode ver daqui que há uma longa vala para aquele lado, que devia estar bastante úmida na noite de segunda-feira. Se nossa suposição estiver correta, o cavalo deve ter atravessado por ali, e aquele é o lugar onde devemos procurar seu rastro.

Estávamos andando rapidamente durante essa conversa, e alguns minutos mais nos levaram até a vala em questão. A pedido de Holmes, fui até a encosta da direita, e ele, para a da esquerda, mas eu não havia dado cinquenta passos quando o ouvi gritar e acenar para mim. O rastro de um cavalo estava bem delineado na terra fofa diante dele, e a ferradura que ele tirou do bolso se encaixava perfeitamente nas pegadas.

— Observe o valor da imaginação — disse Holmes. — Essa é a única qualidade que falta em Gregory. Imaginamos o que poderia ter acontecido, agimos com base na suposição e nos vemos justificados. Vamos proceder.

Atravessamos o fundo lodoso e passamos por uns quatrocentos metros de terra firme e seca. Novamente descemos uma encosta, e novamente encontramos o rastro. Depois o perdemos por oitocentos metros, mas o reencontramos mais uma vez bem perto de Capleton. Foi Holmes quem o viu primeiro, e ficou parado, apontando para ele, com uma expressão de triunfo no rosto. Pegadas humanas eram visíveis ao lado do rastro do cavalo.

— O cavalo estava sozinho antes — exclamei.

— Exatamente. Estava sozinho antes. Olá! O que é isto?

O rastro duplo virava abruptamente na direção de King's Pyland. Holmes assobiou, e ambos o seguimos. Seus olhos estavam no rastro, mas por acaso eu olhei um pouco para um lado e vi, para minha surpresa, os mesmos rastros voltando novamente na direção oposta.

— Ponto para você, Watson — disse Holmes quando lhe mostrei as pegadas. — Você nos poupou de uma longa caminhada que teria nos trazido de volta pelo mesmo caminho. Vamos seguir os rastros da volta.

Não precisamos ir muito longe. Eles terminavam na pavimentação asfáltica que levava aos portões do haras Capleton. Quando nos aproximamos, um cavalariço saiu de lá.

— Não queremos desocupados aqui — ele disse.

— Eu só queria fazer uma pergunta — afirmou Holmes, com o indicador e o polegar no bolso do colete. — Seria cedo demais para ver seu patrão, o Sr. Silas Brown, se eu aparecesse às 5h, amanhã de manhã?

— Deus o abençoe, senhor. Se alguém estiver acordado, será ele, pois é sempre o primeiro a se levantar. Mas aqui está ele, senhor, para responder pessoalmente as suas perguntas.

Não, senhor, não; perderei meu emprego se ele me vir pegando esse dinheiro. Depois, se quiser.

Enquanto Sherlock Holmes devolvia ao bolso a meia coroa que começara a tirar, um idoso de aspecto feroz saiu pelo portão, agitando um chicote de caça.

— O que é isto, Dawson? — ele gritou. — Nada de mexericos! Vá cuidar da sua vida! E vocês, que diabos querem aqui?

— Dez minutos de conversa com o senhor, meu bom homem — disse Holmes, com sua voz mais doce.

— Não tenho tempo para ficar conversando com qualquer poltrão. Não queremos estranhos aqui. Vá embora, ou terá um cachorro no seu encalço.

Holmes se curvou para a frente e sussurrou algo ao ouvido do treinador. Ele teve um violento sobressalto e corou até as têmporas.

— É mentira! — gritou. — Uma mentira infernal!

— Muito bem! Vamos falar disso aqui, em público, ou conversaremos em sua sala?

— Oh, podem entrar, se quiserem.

Holmes sorriu.

— Não levarei mais do que alguns minutos, Watson — ele disse. — Agora, Sr. Brown, estou totalmente à sua disposição.

Foram vinte minutos, e os vermelhos do crepúsculo haviam se tornado cinza antes que Holmes e o treinador reaparecessem. Nunca vi uma mudança como a que ocorreu em Silas Brown naquele curto período de tempo. Seu rosto estava pálido e sombrio, gotas de suor pontilhavam-lhe a testa, e suas mãos tremiam a ponto de fazer o chicote de caça balançar como um galho ao vento. Sua atitude valente e opressora também se fora, e ele se encolhia ao lado do meu colega como um cão perto de seu dono.

— Suas instruções serão seguidas. Tudo será feito — ele disse.

— Não pode haver nenhum erro — alertou Holmes, olhando ao seu redor. O outro se encolheu ao ver a ameaça em seus olhos.

— Oh, não, não haverá nenhum erro. Ele estará lá. Devo alterá-lo primeiro ou não?

Holmes pensou um pouco e então caiu na risada.

— Não, não altere — ele respondeu. — Escreverei para o senhor a respeito. Mas nada de truques, senão...

— Oh, pode confiar em mim, pode confiar em mim!

— Sim, acho que posso. Bem, terá notícias minhas amanhã. — Ele girou sobre os calcanhares, ignorando a mão trêmula que o outro lhe estendia, e partimos para King's Pyland.

— Raramente encontrei uma mistura mais perfeita de beligerância, covardia e dissimulação do que a desse Sr. Silas Brown — comentou Holmes, enquanto chafurdávamos no pantanal.

— Ele está com o cavalo, então?

— Tentou negar com violência, mas eu lhe descrevi tão exatamente suas ações naquela manhã que ele está convencido de que eu o vigiava. Naturalmente você observou o bico peculiarmente quadrado das pegadas, e que suas botas correspondiam exatamente a esse formato. Mais uma vez, é claro, nenhum subordinado ousaria fazer algo assim. Eu lhe descrevi como ao ser, de acordo com seu costume, o primeiro a se levantar, ele descobriu um cavalo estranho vagando pelo pantanal; como ele foi até lá, e seu assombro ao reconhecer, pela testa branca que dava ao favorito seu nome,* que o acaso colocara em suas mãos o único cavalo que poderia ganhar daquele no qual ele investira. Então descrevi como seu primeiro impulso fora levá-lo de volta a King's Pyland, mas o diabo lhe sugerira esconder o cavalo até o final da corrida, e ele o conduziu a Capleton e o escondera lá. Quando dei todos os detalhes, ele se rendeu, e só pensou em salvar a própria pele.

— Mas seu haras foi vasculhado.

— Oh, um velho ladrão de cavalos como ele tem muitos truques.

— Mas você não teme deixar o cavalo em seu poder agora, já que ele tem interesse em feri-lo?

— Caro colega, ele irá proteger o animal como a menina dos seus olhos. Sabe que sua única esperança de clemência é apresentá-lo são e salvo.

— O Coronel Ross não me parece o tipo de homem que demonstra muita clemência em qualquer situação.

— A questão não está nas mãos do Coronel Ross. Sigo meus próprios métodos, e informo tanto ou tão pouco

* *Silver Blaze* significa "clarão de prata". (N. T.)

quanto decido. Essa é a vantagem de ser extraoficial. Não sei se você observou, Watson, mas a atitude do coronel para comigo foi algo arrogante. Estou inclinado, agora, a divertir-me um pouco à sua custa. Não lhe diga nada sobre o cavalo.

— Certamente não diria sem que você permitisse.

— E, claro, tudo isso é um pormenor, em comparação com a questão de quem matou John Straker.

— E você se devotará a ela?

— Pelo contrário, ambos voltaremos para Londres com o trem noturno.

Fui fulminado pelas palavras do meu amigo. Estávamos havia poucas horas em Devonshire, e vê-lo abandonar uma investigação que começara de forma tão brilhante era assaz incompreensível para mim. Nem mais uma palavra pude tirar dele até voltarmos à casa do treinador. O coronel e o inspetor estavam à nossa espera na sala.

— Meu amigo e eu voltaremos para a cidade no expresso da meia-noite — disse Holmes. — Foi encantador poder respirar o belo ar de sua Dartmoor.

O inspetor abriu os olhos, e o lábio do coronel se contraiu num esgar de escárnio.

— Então perdeu as esperanças de prender o assassino do pobre Straker — ele disse.

Holmes deu de ombros.

— Isso certamente apresentaria graves dificuldades — ele retrucou. — Tenho grandes esperanças, no entanto, de que seu cavalo largará na terça-feira, e rogo que deixe seu jóquei preparado. Posso pedir uma fotografia do Sr. John Straker?

O inspetor pegou uma de um envelope que levava no bolso e a entregou.

— Meu caro Gregory, você antecipa todas as minhas necessidades. Se eu puder pedir que me esperem aqui um instante, gostaria de fazer uma pergunta à criada.

— Devo dizer que estou um tanto desapontado com nosso consultor londrino — disse o Coronel Ross, rispidamente, quando meu amigo saiu da sala. — Não sinto que tenhamos feito qualquer progresso desde que ele chegou.

— Pelo menos o senhor tem a garantia dele de que seu cavalo vai correr — eu comentei.

— Sim, tenho a garantia dele — disse o coronel, dando de ombros. — Preferiria ter o cavalo.

Eu estava para responder algo em defesa do meu amigo quando ele reapareceu na sala.

— Agora, cavalheiros — ele anunciou —, estou pronto para ir a Tavistock.

Quando entramos na carruagem, um dos rapazes do estábulo segurou a porta para nós. Uma ideia repentina pareceu ocorrer a Holmes, pois ele se curvou e tocou o braço do rapaz.

— Vocês têm algumas ovelhas no cercado — ele disse. — Quem cuida delas?

— Eu cuido, senhor.

— Notou algo estranho nelas ultimamente?

— Bem, senhor, nada muito importante; mas três delas começaram a mancar, senhor.

Pude ver que Holmes ficou extremamente contente, porque deu uma risadinha e esfregou as mãos.

— Uma chance ínfima, Watson; verdadeiramente ínfima! — ele afirmou, beliscando meu braço. — Gregory, recomendo que preste atenção nessa singular epidemia entre as ovelhas. Pode partir, cocheiro!

O Coronel Ross ainda estava com uma expressão que revelava a péssima opinião que ele formara sobre a habilidade do meu colega, mas vi, pelo rosto do inspetor, que sua atenção fora vivamente despertada.

— Considera isso importante? — ele perguntou.

— Desmedidamente.

— Há algum outro detalhe para o qual queira chamar minha atenção?

— O curioso incidente do cachorro à noite.

— O cachorro não fez nada à noite.

— Esse foi o curioso incidente — comentou Sherlock Holmes.

Quatro dias depois, Holmes e eu estávamos novamente no trem, a caminho de Winchester, para assistir à corrida da Copa Wessex. O Coronel Ross nos encontrou, conforme o combinado, na porta da estação, e nós seguimos em sua grande carruagem até a pista, do outro lado da cidade. Seu rosto estava sério, e seus modos, extremamente frios.

— Não vi nem sinal do meu cavalo — ele disse.

— Suponho que o reconheceria, se o visse? — indagou Holmes.

O coronel estava furioso.

— Frequento as pistas há vinte anos, e nunca me fizeram uma pergunta como essa — ele disse. — Até uma criança reconheceria Silver Blaze, com sua testa branca e a perna malhada.

— Como estão as apostas?

— Bem, essa é a parte curiosa. Ontem chegaram a 15 para 1, mas o prêmio foi ficando cada vez menor, até que agora mal se pode conseguir 3 para 1.

— Hum! — exclamou Holmes. — Alguém sabe de algo, isso está claro.

Quando a carruagem entrou no pátio vizinho à arquibancada, olhei para o cartaz para ver os concorrentes. Ele dizia o seguinte:

> Taça Wessex. 50 soberanos cada, com 1.000 soberanos adicionais para cavalos de 4 e 5 anos. Segundo lugar, 300 libras. Terceiro, 200 libras. Pista nova (2.600 metros).
>
> 1. The Negro, do Sr. Heath Newton (gorro vermelho, casaco cor canela).
> 2. Pugilist, do Coronel Wardlaw (gorro cor-de-rosa, casaco azul e preto).

3. Desborough, do Lorde Blackwater (gorro e mangas amarelos).
4. Silver Blaze, do Coronel Ross (gorro preto, casaco vermelho).
5. Iris, do Duque de Balmoral (listras amarelas e pretas).
6. Rasper, do Lorde Singleford (gorro roxo e mangas pretas).

— Dispensamos o outro cavalo e pusemos todas as nossas esperanças na sua palavra — disse o coronel. — Ora, o que é isso? Silver Blaze é o favorito?

— Cinco para quatro contra Silver Blaze! — rugia o balcão de apostas. — Cinco para quatro contra Silver Blaze! Cinco para quinze contra Desborough! Cinco para quatro nos outros!

— Lá estão os números — exclamei. — Os seis estão ali.

— Os seis! Então meu cavalo vai correr — afirmou o coronel, muito agitado. — Mas não o vejo. Minhas cores não passaram.

— Somente cinco passaram. Esse deve ser ele.

Enquanto eu falava, um poderoso cavalo baio saiu do recinto de pesagem e passou por nós a meio galope, com as bem conhecidas cores preta e vermelha do coronel às costas.

— Esse não é o meu cavalo — exclamou o proprietário. — Esse animal não tem um pelo branco no corpo. O que é isso que fez, Sr. Holmes?

— Ora, ora, vejamos como ele se sai — disse meu amigo, imperturbável. Por alguns minutos, ele olhou pelo meu binóculo. — Sensacional! Uma largada excelente! — exclamou de súbito. — Lá estão eles, vindo pela curva!

De nossa carruagem, tínhamos uma soberba visão da entrada da reta. Os seis cavalos estavam tão próximos que um tapete poderia cobri-los todos, mas, na metade da reta, o amarelo do haras Capleton abriu vantagem na frente. Antes que chegassem à nossa posição, porém, a energia de Desborough já acabara, e o cavalo do coronel, num derradeiro ímpeto, cruzou o disco final seis corpos à frente de seu rival, com Iris, do Duque de Balmoral, num distante terceiro lugar.

— Ganhei a corrida assim mesmo — gemeu o coronel, passando a mão sobre os olhos. — Confesso que não estou entendendo nada. Não acha que já fez mistério suficiente, Sr. Holmes?

— Certamente, coronel. O senhor saberá de tudo. Vamos todos nos aproximar e dar uma olhada no cavalo juntos. Aqui está ele — Holmes continuou, quando nos aproximamos do recinto de pesagem, onde somente proprietários e seus amigos eram admitidos. — Só precisa lavar seu focinho e sua pata com espírito de vinho para descobrir que é o bom e velho Silver Blaze de sempre.

— O senhor me deixa sem fôlego!

— Eu o encontrei nas mãos de um trapaceiro, e tomei a liberdade de fazê-lo correr com o aspecto em que me foi mandado.

— Meu caro, o senhor fez maravilhas. O cavalo parece estar em forma e saudável. Nunca correu melhor na vida. Devo-lhe mil desculpas por ter duvidado da sua habilidade. O senhor me prestou um enorme serviço recuperando meu cavalo. Far-me-ia outro maior ainda se pudesse pôr as mãos no assassino de John Straker.

— Já fiz isso — disse Holmes em voz baixa.

O coronel e eu o olhamos, assombrados.

— Você o pegou?! Onde está, então?

— Está aqui.

— Aqui?! Onde?

— Em minha companhia, no presente momento.

O coronel ficou rubro de raiva.

— Reconheço completamente que lhe devo obrigações, Sr. Holmes — ele disse —, mas só posso considerar uma piada de péssimo gosto, ou então um insulto, o que acaba de dizer.

Sherlock Holmes riu.

— Garanto que não associei o senhor com o crime, coronel — ele retrucou —; o verdadeiro assassino está bem atrás do senhor.

Ele avançou e pôs a mão no lustroso pescoço do puro-sangue.

— O cavalo! — exclamamos o coronel e eu.

— Sim, o cavalo. E sua culpa poderá ser reduzida se eu disser que foi legítima defesa, e que John Straker era um homem totalmente indigno de sua confiança. Mas ouço a sineta; e, como posso ganhar algum na próxima corrida, adiarei para um momento mais adequado a longa explicação.

Tínhamos o canto de um vagão Pullman para nós naquela noite, voltando para Londres, e posso dizer que a jornada pareceu curta para o Coronel Ross e para mim, ouvindo nosso colega narrar os fatos ocorridos no haras de treinamento Dartmoor, na segunda-feira à noite, e o modo como ele os desvendara.

— Confesso — ele disse — que todas as teorias que formulei a partir dos relatos dos jornais estavam completamente equivocadas. No entanto, havia indicações ali, embora tivessem sido encobertas por outros detalhes, que escondiam sua real importância. Fui para Devonshire convencido de que Fitzroy Simpson era o verdadeiro culpado, embora, é claro, eu visse que as provas contra ele de forma alguma eram completas.

"Foi quando eu estava na carruagem, no momento em que chegávamos à casa do treinador, que a imensa importância do cordeiro com *curry* se fez clara para mim. Vocês devem lembrar que eu estava distraído, e continuei sentado depois que todos já haviam descido. Estava mentalmente maravilhado, pensando como pude ignorar uma pista tão óbvia."

— Confesso — disse o coronel — que, mesmo agora, não vejo no que isso nos ajuda.

— Foi o primeiro elo da minha cadeia de raciocínio. O ópio em pó está longe de ser insípido. O sabor não é desagradável, mas é perceptível. Se fosse adicionado a qualquer prato comum, quem o comesse sem dúvida o detectaria, e provavelmente não continuaria comendo. O *curry* era exatamente o meio que disfarçaria esse sabor. Em nenhuma suposição possível esse desconhecido, Fitzroy Simpson, poderia ter feito a família do treinador usar *curry* naquela noite, e certamente seria uma coincidência demasiado monstruosa supor que ele resolvera aparecer com ópio em pó justo na noite em que, por acaso, seria servido um prato que disfarçaria o seu sabor. Isso é impensável. Portanto, Simpson está eliminado do caso, e nossa atenção se concentra em Straker e sua esposa, as únicas duas pessoas que poderiam ter escolhido cordeiro com *curry* como o cardápio daquele jantar. O ópio foi adicionado depois que o prato foi reservado para o cavalariço, já que os outros jantaram a mesma comida sem sofrer nenhum efeito. Qual deles, então, teve acesso ao prato sem que a criada o visse?

"Antes de decidir essa questão, eu havia entendido a importância do silêncio do cachorro, pois uma inferência verdadeira invariavelmente sugere outras. O incidente com Simpson me revelara que um cachorro era mantido no estábulo, e, no entanto, embora alguém tivesse entrado e tirado de lá um cavalo, ele não ladrara o suficiente para acordar os dois rapazes no depósito. Obviamente, o visitante da meia-noite era alguém que o cão conhecia bem.

"Eu já estava convencido, ou quase convencido, de que

John Straker fora para o estábulo na calada da noite e levara Silver Blaze. Com que propósito? Algum fim desonesto, obviamente, senão por que ele doparia seu próprio cavalariço? No entanto, eu não conseguia descobrir o motivo. Já houve casos, antes deste, em que treinadores garantiram grandes quantias apostando contra seus próprios cavalos, por intermédio de agentes, e depois impedindo de maneira fraudulenta que os animais ganhassem. Às vezes é um jóquei que retarda o cavalo. Às vezes é algum meio mais seguro e sutil. Qual seria, neste caso? Eu esperava que o conteúdo de seus bolsos pudesse me ajudar a formar uma conclusão.

"E ajudou. Vocês devem se lembrar da peculiar faca que foi encontrada na mão do falecido, uma faca que certamente nenhum homem em seu juízo perfeito usaria como arma. Era, como o Dr. Watson nos contou, um tipo de lâmina usado nas cirurgias mais delicadas que a medicina conhece. E teria sido usada numa cirurgia delicada naquela noite. O senhor deve saber, com sua ampla experiência nas corridas, Coronel Ross, que é possível fazer um corte superficial nos tendões da coxa de um cavalo, e fazê-lo de forma subcutânea, para não deixar absolutamente nenhuma marca. Um cavalo assim tratado desenvolveria um leve coxear que seria atribuído ao excesso de esforço nos exercícios ou a um toque de reumatismo, mas nunca a um ato criminoso."

— Vilão! Canalha! — gritou o coronel.

— Aqui temos a explicação do motivo de John Straker

querer levar o cavalo para o pantanal. Uma criatura tão vivaz certamente teria perturbado o mais pesado dos sonos ao sentir a lâmina. Era absolutamente necessário fazê-lo ao ar livre.

— Eu estava cego! — exclamou o coronel. — Naturalmente, era por isso que ele precisava da vela, e riscou o fósforo.

— Sem dúvida. Mas, ao examinar seus pertences, tive a sorte de descobrir não apenas o método do crime, mas até mesmo seus motivos. Como homem mundano, coronel, o senhor sabe que ninguém carrega no bolso faturas que pertencem a outras pessoas. A maioria de nós já tem dificuldade para pagar as próprias. Imediatamente concluí que Straker estava levando uma vida dupla, e mantinha uma segunda relação. A natureza da fatura mostrava que havia uma dama no caso, e com gostos caros. Por mais liberal que o senhor seja com seus empregados, não se espera que algum deles possa gastar vinte guinéus num vestido para a esposa. Questionei a Sra. Straker sobre o vestido, sem que ela percebesse, e, depois de me convencer de que a indumentária jamais chegara às mãos dela, anotei o endereço da modista, e imaginei que, visitando-a e lhe mostrando a fotografia de Straker, revelaria facilmente que Darbyshire não passava de um mito.

"Desse momento em diante, tudo ficou claro. Straker levou o cavalo para uma depressão, onde a chama de sua vela seria invisível. Simpson, ao fugir, derrubou seu lenço, e Straker o pegou, pensando, talvez, em usá-lo para atar a perna do animal. Ao chegar à depressão, ele ficou atrás do cavalo e riscou um fósforo, mas a criatura, assustada com o clarão repentino, e sentindo, com o estranho instinto dos animais, que algum mal lhe seria feito, desferiu um coice, e a ferradura de aço atingiu Straker em cheio na testa. Ele já havia, apesar da chuva, tirado o sobretudo para realizar sua delicada tarefa, e assim, ao cair, sua faca cortou-lhe a coxa. Esclareci tudo?"

— Maravilhoso! — exclamou o coronel. — Maravilhoso! É como se o senhor estivesse lá!

— Minha última teoria tinha, confesso, uma ínfima chance de acerto. Imaginei que um homem tão astuto como Straker não tentaria esse delicado corte do tendão sem antes praticar um pouco. No que ele poderia praticar? Meus olhos pousaram nas ovelhas, e fiz uma pergunta que, um tanto para minha surpresa, mostrou que minha suposição estava correta.

— Deixou tudo perfeitamente claro, Sr. Holmes.

— Quando voltei para Londres, visitei a modista, que reconheceu Straker como um freguês excelente, chamado Darbyshire, que tinha uma esposa muito impetuosa e com um forte pendor para vestidos caros. Não tenho dúvidas de que essa mulher o mergulhara até as orelhas em dívidas, levando-o assim a esse plano miserável.

— O senhor só não explicou uma coisa — exclamou o coronel. — Onde estava o cavalo?

— Ah, ele fugiu, e foi cuidado por um de seus vizinhos. Acho que devemos anistiá-lo. Esta é Clapham Junction, se não me engano, e chegaremos a Victoria em menos de dez minutos. Se quiser fumar um charuto em nossos aposentos, coronel, ficarei feliz em fornecer quaisquer outros detalhes que possam lhe interessar.

dois

O ROSTO AMARELO

Ao publicar estes breves esboços, baseados nos numerosos casos em que os dons singulares do meu colega me tornaram ouvinte, e eventualmente participante, em algum estranho drama, é natural que eu me detenha mais nos seus sucessos do que nos fracassos. E isso nem tanto em nome da sua reputação, pois na verdade era quando ele se via desesperado que sua energia e sua versatilidade eram mais admiráveis, mas porque onde ele fracassava, frequentemente, ninguém mais tinha êxito, e a história ficava para sempre sem conclusão. De vez em quando, todavia, acontecia que, mesmo depois de ele errar, a verdade ainda era descoberta. Tenho anotações de uma meia dúzia de casos desse tipo, entre os quais o da segunda mancha e aquele que me apresto a narrar agora são os que apresentam as características de maior interesse.

Sherlock Holmes era um homem que raramente se exercitava só pelo exercício. Poucos homens eram capazes de maiores esforços musculares, e ele era, sem dúvida, um dos melhores pugilistas de seu peso que eu já vi; mas Holmes encarava o esforço físico sem propósito como um desperdício de energia, e raramente se movimentava, a não ser quando houvesse algum objetivo profissional a ser atingido. Nessas ocasiões, ele era absolutamente invencível e incansável. Conseguir manter-se em forma em tais circunstâncias era notável, mas seu regime era normalmente dos mais espartanos, e seus hábitos, simples, beirando a austeridade. À parte o uso ocasional de cocaína, ele não tinha vícios, e só recorria à droga como forma de protesto contra a monotonia da existência, quando os casos eram escassos e os jornais, desinteressantes.

Um dia, no início da primavera, ele relaxara a ponto de sair para caminhar comigo no parque, onde os primeiros tímidos botões verdes estavam assomando nos olmos, e os brotos grudentos das castanhas apenas começavam a abrir suas folhas de cinco pontas. Por duas horas vagamos juntos, em silêncio a maior parte do tempo, como condiz a dois homens que se conhecem intimamente. Eram quase 17h quando voltamos mais uma vez para a Baker Street.

— Perdão, senhor — disse nosso pajem, ao abrir a porta —; um cavalheiro esteve aqui perguntando pelo senhor.

Holmes me olhou rancorosamente.

— É nisso que dá fazer caminhadas à tarde! — ele reclamou. — Esse cavalheiro já foi embora, então?

— Sim, senhor.

— Você não pediu que ele entrasse?

— Sim, senhor; ele entrou.

— Quanto tempo esperou?

— Meia hora, senhor. Estava muito agitado, senhor, andando de um lado para o outro, pisando duro, o tempo todo que esteve aqui. Eu estava esperando perto da porta, senhor, e podia ouvi-lo. Finalmente, ele saiu no corredor e gritou: "Esse homem não vai chegar nunca?" Exatamente essas palavras, senhor. "O senhor só precisa esperar um pouco mais", eu disse. "Então vou esperar ao ar livre, pois me sinto sufocar", ele disse. "Volto logo." E com isso saiu, e nada do que eu falei o segurou aqui.

— Bem, bem, você fez o melhor que pôde — afirmou Holmes quando entramos na nossa sala. — Mas estou muito aborrecido, Watson. Eu estava precisando muito de um caso, e, pela impaciência do homem, esse parecia ser importante. Olá! Não é nosso cachimbo sobre a mesa! Ele deve tê-lo esquecido. Um belo cachimbo de roseira, com um bom bocal longo, do material que os tabaqueiros chamam de âmbar. Gostaria de saber quantos bocais de âmbar verdadeiro existem em Londres. Há quem diga que uma mosca dentro dele é um sinal. Ora, a colocação de moscas falsas dentro do âmbar falso tornou-se uma especialização do ramo. Bem, ele devia estar bastante perturbado para esquecer um cachimbo que evidentemente estima tanto.

— Como sabe que ele o estima? — perguntei.

— Bem, calculo o custo original do cachimbo em 17 xelins e 6 *pence*. Ele foi, veja bem, reparado duas vezes: uma na haste de madeira e outra no âmbar. Cada um desses consertos, feito, como pode observar, com lâminas de prata, deve ter custado mais do que o valor do cachimbo todo. O homem deve estimá-lo muito para preferir remendá-lo a comprar outro novo com o mesmo dinheiro.

— Mais alguma coisa? — perguntei, porque Holmes estava revirando o cachimbo nas mãos e olhando-o de sua forma peculiar e pensativa.

Ele o levantou e bateu nele com seu indicador longo e magro, como faria um professor exibindo um osso numa aula.

— Cachimbos são, ocasionalmente, de extraordinário interesse — ele disse. — Nada tem mais individualidade, à parte, talvez, relógios e cadarços. As indicações aqui, no entanto, não são muito pronunciadas, nem muito importantes. O proprietário é obviamente musculoso, canhoto, tem dentes excelentes, é descuidado e não precisa economizar.

Meu amigo despejou as informações de forma bem casual, mas vi que ele me olhava de soslaio, para ver se eu acompanhava seu raciocínio.

— Você acha que um homem que fuma um cachimbo de 7 xelins está bem de vida — ironizei.

— Isto é um misto de tabaco Grosvenor, que custa 8 *pence* a onça — Holmes respondeu, batendo um pouco dele na palma da mão. — Como ele poderia comprar um fumo excelente por metade desse preço, significa que não precisa economizar.

— E os outros detalhes?

— Ele costuma acender o cachimbo em lanternas e bicos de gás. Você pode ver que está bem chamuscado só de um lado. Naturalmente, um fósforo não poderia ter feito isso. Por que alguém seguraria um fósforo na lateral do cachimbo? Mas você não consegue acendê-lo numa lanterna sem chamuscar o bojo. E só o lado direito está chamuscado. Disso deduzo que ele seja canhoto. Segure seu cachimbo perto da lanterna e veja quão naturalmente você, sendo destro, encosta o lado esquerdo na chama. Pode encostar o outro lado alguma vez, mas não com frequência. Este foi sempre segurado assim. E ele mordia o âmbar. Só um sujeito musculoso e cheio de energia, e com boa dentição, faria isso. Mas, se não me engano, ouço-o subindo a escada, portanto teremos algo mais interessante do que seu cachimbo para estudar.

Um instante depois nossa porta se abriu, e um jovem alto entrou na sala. Vestia-se bem, mas discretamente, trajando um terno cinza-escuro, e carregava um chapelão marrom nas mãos. Eu lhe daria uns 30 anos, embora ele fosse, na verdade, alguns anos mais velho.

— Perdão — ele disse, com certo embaraço —; suponho que deveria ter batido na porta. Sim, claro que eu deveria ter batido. O fato é que estou um pouco alterado, e os senhores vão ter que me desculpar. — Ele passou a mão na testa como um homem que está meio zonzo, e então desabou, mais do que se sentou, numa poltrona.

— Posso ver que não dorme há uma ou duas noites — observou Holmes, à sua maneira natural e simpática. — Isso irrita os nervos de um homem mais do que o trabalho, e até mais do que o prazer. Permite-me perguntar como posso ajudar?

— Queria seus conselhos, senhor. Não sei o que fazer, e minha vida toda parece estar desmoronando.

— Quer me empregar como detetive consultor?

— Não apenas isso. Quero sua opinião como homem judicioso, como homem mundano. Quero saber o que devo fazer a seguir. Peço a Deus que o senhor possa me dizer.

Ele falava em pequenos borbotões bruscos, e me parecia que só falar já fosse doloroso para ele, e que sua vontade estivesse refreando seus ímpetos o tempo todo.

— É um assunto muito delicado — ele disse. — Ninguém gosta de falar de seus assuntos domésticos com estranhos. Parece pavoroso discutir a conduta da minha própria esposa com dois homens que nunca vi antes. É horrível ter que fazê-lo. Mas cheguei ao fim da linha, e preciso de conselhos.

— Meu caro Sr. Grant Munro... — Holmes começou.

Nosso visitante saltou de sua poltrona.

— O quê?! — ele gritou. — Sabe meu nome?

— Se quiser se manter incógnito — recomendou Holmes, sorrindo —, sugiro que pare de escrever seu nome no forro do seu chapéu, ou então que vire a parte de cima dele para a pessoa com a qual está falando. Eu ia dizer que meu amigo e eu já ouvimos muitos segredos estranhos nesta sala, e que tivemos a sorte de trazer paz a muitas almas perturbadas. Acredito que possamos fazer o mesmo pelo senhor. Posso rogar, pois o tempo talvez se revele importante, que me forneça os fatos do seu caso sem mais delongas?

Nosso visitante passou mais uma vez a mão na testa, como se achasse isso tremendamente difícil. Em cada gesto e expressão, eu via que ele era um homem reservado e controlado, com um toque de orgulho em sua natureza, mais afeito a esconder suas mágoas do que a revelá-las. Então, de repente, com um gesto feroz de sua mão fechada, como alguém que joga a própria reserva ao vento, ele começou.

— Os fatos são os seguintes, Sr. Holmes — começou ele. — Sou casado há três anos. Durante esse tempo, minha esposa e eu nos amamos mais ternamente e vivemos mais felizes do que qualquer outro casal. Não tivemos uma única diferença, nem uma só, em pensamentos, palavras ou ações. E agora, desde a última segunda-feira, subitamente uma barreira se ergueu entre nós, e descubro que há algo em sua vida e em seus pensamentos de que sei tão pouco quanto se ela fosse uma mulher que passa por mim na rua. Tornamo-nos estranhos, e eu quero saber por quê.

"Agora, há uma coisa para a qual quero chamar sua atenção antes de prosseguir, Sr. Holmes: Effie me ama. Não se engane quanto a isso. Ela me ama com todo o seu coração e alma, e jamais tanto quanto agora. Sei disso. Sinto isso. Não quero discutir isso. Um homem pode perceber facilmente quando uma mulher o ama. Mas há esse segredo entre nós, e não poderemos mais ser os mesmos até que ele seja esclarecido."

— Por favor, vamos aos fatos, Sr. Munro — disse Holmes, com alguma impaciência.

— Vou contar o que sei sobre a história de Effie. Ela era viúva quando a conheci, embora bem jovem, apenas 25 anos. Seu nome, então, era Sra. Hebron. Ela partiu para a América quando era mais nova e morou na cidade de Atlanta, onde se casou com esse Hebron, advogado com uma boa prática. Tiveram apenas uma filha, mas houve um grave surto de febre amarela no lugar, e tanto o marido quanto a filha morreram da doença. Vi o atestado de óbito dele. Isso a fez desgostar da América, e ela voltou para morar com uma tia solteirona em Pinner, Middlesex. Posso mencionar que seu marido a deixou numa situação financeira confortável, e que ela herdou um capital de cerca de 4.500 libras, tão bem investidas por ele que rendiam uma média de 7%. Ela estava havia apenas seis meses em Pinner quando a conheci; nós nos apaixonamos e nos casamos algumas semanas depois.

"Sou comerciante de lúpulos, e, como minha renda é de umas 700 ou 800 libras, vimo-nos em boa situação, e alugamos uma bela casa em Norbury por 80 libras ao ano. Nossa casinha era bem rural, considerando quão próxima da cidade estava. Havia um hotel e duas casas pouco acima, só um chalé do outro lado do campo diante da nossa, e mais nenhuma casa até chegar a meio caminho da estação. Eu ia para a cidade a negócios em certas épocas, mas no verão tinha menos afazeres, e então, em nossa casa no campo, minha esposa e eu éramos tão felizes quanto poderíamos desejar. Estou dizendo que jamais houve uma sombra entre nós, até este maldito negócio começar.

"Há outra coisa que preciso contar antes de prosseguir. Quando nos casamos, minha esposa passou todas as suas propriedades para o meu nome — um tanto contra a minha vontade, pois eu achava que seria constrangedor se meus negócios fossem mal. De qualquer forma, ela quis assim, e assim foi feito. Bem, umas seis semanas atrás, ela me procurou.

"'Jack', ela disse, 'quando você tomou meu dinheiro, disse que, se um dia eu quisesse algum, bastaria pedir.'

"'É claro', respondi, 'ele é todo seu.'

"'Bem', ela falou, 'quero cem libras.'

"Fiquei um tanto abalado com isso, já que imaginava que ela desejasse simplesmente um vestido novo ou algo do tipo.

"'Para quê, meu Deus?', perguntei.

"'Oh', ela respondeu em seu tom brincalhão, 'você disse que era apenas meu tesoureiro, e tesoureiros nunca fazem perguntas, você sabe.'

"'Se você quer mesmo, é claro que terá o dinheiro', concluí.

"'Oh, sim, quero mesmo.'

"'E não quer me contar por que precisa dele?'

"'Algum dia, talvez; apenas não agora, Jack.'

"Assim, tive de me contentar com isso, embora fosse a primeira vez que havia qualquer segredo entre nós. Preenchi um cheque para ela e não pensei mais no assunto. Pode não ter nada a ver com o que aconteceu depois, mas achei que seria certo mencioná-lo.

"Bem, acabei de dizer que há um chalé perto da nossa casa. Existe só um campo entre nós, mas para chegar lá é preciso ir pela estrada e entrar numa travessa. Depois dela, há um belo bosque de pinheiros escoceses, e eu gostava muito de passear por lá, pois árvores são sempre muito amigáveis. O chalé estava vazio havia oito meses, e era uma pena, porque era um lindo sobrado, com uma varanda à moda antiga e tufos de madressilva em volta. Muitas vezes fiquei ali, imaginando que belo lar ele poderia ser.

"Pois na tarde de segunda-feira passada eu estava passeando por lá quando encontrei uma carroça vazia subindo a travessa, e vi uma pilha de tapetes e objetos espalhados no gramado diante da porta. Estava claro que o chalé finalmente havia sido alugado. Passei por ele e depois parei, como alguém sem nada para fazer pararia, corri os olhos pelo lugar e fiquei imaginando como seriam as pessoas que vinham morar tão perto de nós. E, enquanto olhava, subitamente me dei conta de que um vulto me observava de uma das janelas do segundo andar.

"Não sei o que aquele rosto tinha, Sr. Holmes, mas pareceu fazer um calafrio correr pelas minhas costas. Eu estava um pouco distante, por isso não reconheci seus traços, mas havia algo artificial e inumano naquele rosto. Foi a impressão que tive, e me adiantei rapidamente para ver mais de perto a pessoa que estava me espiando. Mas, quando fiz isso, o rosto desapareceu de repente, tão de repente que pareceu ter sido puxado para a escuridão do quarto. Fiquei cinco minutos ali, pensando no acontecido e tentando analisar minhas impressões. Eu não saberia dizer se o rosto era de um homem ou de uma mulher. Estava longe demais para saber. Mas sua cor foi o que mais me impressionou. Era um amarelo lívido e cadavérico, e com um quê de posado e rígido na expressão, o que era estarrecedoramente antinatural. Fiquei tão perturbado que decidi conhecer melhor os novos moradores do chalé. Aproximei-me e bati à porta, que imediatamente foi aberta por uma mulher alta e magra, com um rosto duro e fechado.

"'O que o senhor deseja?', ela perguntou, com um sotaque do norte.

"'Sou seu vizinho, moro ali', eu disse, acenando para a minha casa. 'Vi que vocês acabaram de se mudar, então pensei que, se eu puder ajudar em qualquer...'

"'Sim, chamaremos o senhor quando precisarmos', ela replicou, e fechou a porta na minha cara. Aborrecido com aquela recusa grosseira, virei as costas e voltei para casa. A noite toda, embora eu tentasse pensar em outras coisas, minha mente voltava para a aparição na janela e a falta de educação da mulher. Decidi não dizer nada sobre o primeiro fato para minha esposa, pois ela é uma mulher nervosa e tensa, e eu não queria que ela compartilhasse a impressão desagradável que aquilo produzira em mim. Comentei, no entanto, antes de dormir, que o chalé agora estava ocupado, ao que ela nada respondeu.

"Normalmente, meu sono é bem pesado. É motivo constante de gracejos em família o fato de que nada me acorda durante a noite; no entanto, por algum motivo, naquela noite em particular, fosse ou não pela ligeira agitação produzida por minha pequena aventura, não sei, meu sono estava muito mais leve do que de costume. Meio mergulhado em sonhos, tive a vaga consciência de que algo se passava no quarto, e gradualmente fui percebendo que minha esposa se vestira e estava pondo sua capa e sua touca. Meus lábios se abriram para murmurar algumas palavras sonolentas de surpresa ou reproche àquela preparação intempestiva, quando de repente meus olhos semicerrados pousaram em seu rosto, iluminado à luz da vela, e o assombro me calou. Seu semblante exibia uma expressão que eu jamais vira, que eu a julgava incapaz de assumir. Ela estava mortalmente pálida, respirando rapidamente, lançando olhares furtivos à cama enquanto abotoava a capa, para ver se me acordara. Então, achando que eu ainda dormia, ela saiu do quarto sem fazer barulho, e, um instante depois, ouvi estalos que só podiam ser das dobradiças da porta da rua. Sentei-me na cama e bati com os nós dos dedos na cabeceira, para verificar se realmente estava acordado. Então peguei meu relógio sob o travesseiro. Eram três da manhã. O que, em nome de Deus, minha esposa poderia ir fazer numa estrada rural às três da manhã?

"Fiquei uns vinte minutos revirando o acontecido na mente e tentando encontrar alguma possível explicação. Quanto mais eu pensava, mais extraordinário e inexplicável aquilo parecia. Ainda estava intrigado com o fato quando ouvi a porta se fechando suavemente, e os passos dela subindo a escada.

"'Onde diabos você esteve, Effie?', perguntei quando ela entrou.

"Ela teve um sobressalto violento e emitiu uma espécie de grito ofegante quando falei, e aquele grito e o sobressalto me perturbaram mais do que todo o resto, porque havia neles alguma culpa indescritível. Minha esposa sempre foi uma mulher de natureza franca e aberta, e me dava arrepios vê-la entrando sorrateiramente em seu próprio quarto, e gritando e se encolhendo quando seu marido lhe falava.

"'Está acordado, Jack?', ela exclamou, com uma risada nervosa. 'Ora, pensei que nada pudesse acordar você.'

"'Onde você esteve?', perguntei, mais rispidamente.

"'Não admira que esteja surpreso', ela disse, e eu podia ver que seus dedos tremiam enquanto desabotoava a capa. 'Ora, não me lembro de jamais ter feito algo assim na minha vida. O fato é que me senti sufocar, e fiquei completamente ansiosa por um pouco de ar fresco. Achei que fosse desmaiar se não saísse. Fiquei na porta por alguns minutos, e agora voltei ao normal.'

"Durante todo o tempo que ela levou para me contar essa história, não olhou uma só vez na minha direção, e sua voz estava bem diferente do tom habitual. Era evidente, para mim, que o que ela dizia era falso. Não falei nada em resposta, mas virei o rosto para a parede, enojado, com a mente cheia de mil dúvidas e suspeitas venenosas. O que minha esposa estava escondendo de mim? Onde ela estivera durante aquela estranha expedição? Senti que não teria paz até descobrir, no entanto me recusava a perguntar de novo, depois de sua primeira resposta falsa. O resto da madrugada me revirei e rolei na cama, tecendo teoria atrás de teoria, cada uma mais improvável do que a anterior.

"Eu precisava ir à cidade naquele dia, mas estava perturbado demais para conseguir prestar atenção nos meus negócios. Minha esposa parecia tão agitada quanto eu, e eu percebia, pelos breves olhares inquisidores que me dirigia constantemente, que ela entendera que eu não acreditara em sua resposta, e que ela não sabia o que fazer. Mal trocamos uma palavra durante o desjejum, e imediatamente depois saí para caminhar, para pensar no caso respirando o ar fresco da manhã.

"Fui até o Palácio de Cristal, passei uma hora ali, e estava de volta a Norbury às 13h. Por acaso, meu itinerário me fez passar pelo chalé, e parei por um instante para olhar as janelas e ver se conseguia vislumbrar o estranho rosto que me observara no dia anterior. Enquanto eu estava parado ali, imagine minha surpresa, Sr. Holmes, quando a porta se abriu de repente e minha esposa saiu!

"Fiquei embasbacado pelo assombro ao vê-la, mas minhas emoções não se comparavam àquelas que se manifestaram em seu rosto quando nossos olhares se cruzaram. Ela pareceu, por um instante, querer recuar novamente para dentro da casa, e então, vendo quanto era inútil qualquer dissimulação, adiantou-se, com o rosto muito pálido e olhos assustados que destoavam do sorriso em seus lábios.

"'Oh, Jack', ela disse, 'só entrei para ver se nossos novos vizinhos precisavam de alguma ajuda. Por que me olha assim, Jack? Está zangado comigo?'

"'Então', perguntei, 'foi para cá que você veio no meio da noite?'

"'O que quer dizer?', ela exclamou.

"'Você veio para cá. Tenho certeza. Quem é essa gente que você precisa visitar num horário daqueles?'

"'Não estive aqui antes.'

"'Como pode me dizer o que você sabe ser falso?', exclamei. 'Até sua voz muda quando fala. Quando na vida guardei algum segredo de você? Vou entrar neste chalé e desvendar isso de uma vez por todas.'

"'Não, não, Jack, pelo amor de Deus!', ela gemeu, tomada de incontrolável emoção. Então, quando me aproximei da porta, ela segurou minha manga e me puxou de volta com uma força convulsiva.

"'Imploro que não faça isso, Jack', exclamou. 'Juro que contarei tudo um dia, mas nada além de sofrimento resultará de você entrar neste chalé.' Então, quando tentei me desvencilhar, ela se agarrou a mim, numa súplica frenética.

"'Confie em mim, Jack!', ela gritou. 'Confie em mim, só desta vez. Não vai se arrepender. Você sabe que eu jamais guardaria um segredo de você se não fosse pelo seu próprio bem. Nossas vidas dependem disso. Se você voltar para casa comigo, tudo ficará bem. Se você forçar a entrada neste chalé, estará tudo acabado entre nós.'

"Havia tamanha sinceridade, tamanho desespero em sua atitude, que suas palavras me detiveram, e fiquei parado, irresoluto, diante da porta.

"'Confiarei em você com uma condição, e somente com esta condição', eu disse finalmente. 'Somente se este mistério acabar agora. Fique à vontade para guardar seu segredo, mas precisa me prometer que não haverá mais visitas noturnas, nem nada mais feito sem meu conhecimento. Estou disposto a esquecer o que se passou, desde que me prometa que não se repetirá no futuro.'

"'Eu tinha certeza de que você confiaria em mim', ela exultou, com um profundo suspiro de alívio. 'Será como você deseja. Venha, oh, venha comigo para casa.' Ainda me puxando pela manga, ela me afastou do chalé. Enquanto nos afastávamos, olhei para trás, e lá estava aquele rosto amarelo e lívido nos olhando da janela do andar de cima. Que ligação poderia haver entre aquela criatura e minha esposa? Ou como a mulher áspera e grosseira que eu vira no dia anterior estaria conectada a ela? Era um estranho quebra-cabeça, e eu sabia que minha mente jamais teria paz enquanto eu não o resolvesse.

"Por dois dias depois disso fiquei em casa, e minha mulher pareceu cumprir lealmente nosso acordo, pois, até onde eu sabia, nunca pôs o pé fora de casa. No terceiro dia, no entanto, tive várias provas de que sua promessa solene não bastou para afastá-la daquela influência secreta que a atraía para longe de seu marido e de seu dever.

"Eu havia ido à cidade naquele dia, mas voltei no trem das 14h40, em vez de no das 15h36, que era meu trem habitual. Quando entrei em casa, a criada correu para a sala com uma expressão assustada.

"'Onde está a sua patroa?', perguntei.

"'Acho que saiu para caminhar', ela respondeu.

"Minha mente instantaneamente se encheu de suspeitas. Corri para o andar superior para me certificar de que ela não estava em casa. Ao fazer isso, olhei casualmente por uma das janelas, e vi a criada com quem acabara de falar correndo pelo campo na direção do chalé. Então, é claro, entendi exatamente o que tudo aquilo significava. Minha esposa fora para lá e pedira que a serviçal a chamasse caso eu voltasse. Tinindo de raiva, corri escada abaixo e me precipitei pelo campo, determinado a encerrar a questão de vez e para sempre. Vi minha esposa e a criada voltando apressadamente pela travessa, mas não parei para falar com elas. No chalé residia o segredo que lançava uma sombra sobre a minha vida. Jurei que, fosse o que fosse, não seria mais um segredo. Nem bati à porta quando lá cheguei, mas girei a maçaneta e irrompi no corredor.

“Tudo estava parado e silencioso no térreo. Na cozinha, uma chaleira apitava no fogo, e um grande gato preto dormia enrolado numa cesta, mas não havia sinal da mulher que eu vira antes. Corri para o outro cômodo, mas ele estava igualmente deserto. Então subi a escada correndo, somente para encontrar mais dois cômodos vazios e abandonados no andar superior. Não havia vivalma na casa toda. A mobília e os retratos eram do tipo mais comum e vulgar, menos no cômodo da janela na qual eu vira o estranho rosto. Aquele era confortável e elegante, e todas as minhas suspeitas se elevaram numa chama feroz e amarga quando vi que sobre a moldura da lareira havia uma cópia de uma fotografia de corpo inteiro da minha esposa, que havia sido tirada a pedido meu havia apenas três meses.

“Fiquei lá o suficiente para me certificar de que a casa estava absolutamente vazia. Então saí, sentindo um peso no coração que eu jamais experimentara antes. Minha esposa apareceu na sala quando entrei em casa, mas eu estava magoado e furioso demais para falar com ela, e, empurrando-a, dirigi-me ao meu escritório. Ela me seguiu, porém, antes que eu pudesse fechar a porta.

"'Lamento ter quebrado minha promessa, Jack', ela disse, 'mas, se você conhecesse todas as circunstâncias, tenho certeza de que me perdoaria.'

"'Conte-me tudo, então', pedi.

"'Não posso, Jack, não posso', ela exclamou.

"'Enquanto não me contar quem estava morando naquele chalé, e para quem você deu aquela fotografia, não poderá haver nenhuma confiança entre nós', anunciei, e, desvencilhando-me dela, saí de casa. Isso foi ontem, Sr. Holmes, e não a vejo desde então, nem soube mais nada sobre esse estranho caso. É a primeira sombra que surge entre nós, e me abalou tanto que não sei qual a melhor coisa a fazer. Subitamente, esta manhã, ocorreu-me que o senhor seria o homem certo para me aconselhar, por isso corri para cá, e me coloco sem reservas em suas mãos. Se houver algum detalhe que não esclareci o suficiente, por favor, interrogue-me a respeito. Mas, acima de tudo, diga-me logo o que fazer, pois esta agonia é maior do que posso suportar."

Holmes e eu ouvíramos com o maior interesse esse extraordinário depoimento, que fora proferido à maneira sobressaltada e intermitente de um homem que está sob a influência de emoções extremas. Meu colega ficou em silêncio por algum tempo, com o queixo apoiado na mão, perdido em pensamentos.

— Diga-me — ele finalmente falou —, poderia jurar que era o rosto de um homem que o senhor viu na janela?

— Todas as vezes que o vi, estava afastado dele, por isso me é impossível dizer.

— Ele parece, todavia, ter causado uma impressão desagradável.

— Parecia ser de uma cor artificial e ter uma estranha rigidez nas feições. Quando me aproximei, ele desapareceu bruscamente.

— Há quanto tempo sua esposa lhe pediu cem libras?

— Quase dois meses.

— Já viu alguma fotografia do seu primeiro marido?

— Não; houve um grande incêndio em Atlanta pouco depois de sua morte, e todos os seus documentos foram destruídos.

— No entanto, ela tinha um atestado de óbito. O senhor disse que o viu?

— Sim, ela obteve uma cópia depois do incêndio.

— O senhor já encontrou alguém que a conhecia na América?

— Não.

— Alguma vez ela falou de voltar a visitar o lugar?

— Não.

— Ou de receber cartas de lá?

— Que eu saiba, não.

— Obrigado. Gostaria de pensar um pouco no assunto, agora. Se o chalé estiver permanentemente deserto, agora, poderemos ter alguma dificuldade; se, por outro lado, como acho mais provável, os ocupantes foram avisados de sua chegada e saíram antes que o senhor entrasse lá ontem, então podem já estar de volta, e esclareceremos tudo facilmente. Aconselho, portanto, que volte para Norbury e examine novamente as janelas do chalé. Se tiver motivos para crer que ele está habitado, não tente forçar a entrada, mas envie um telegrama para meu amigo e eu. Estaremos com o senhor uma hora depois de receber o aviso, e então, em pouco tempo, chegaremos à solução deste caso.

— E se ele ainda estiver vazio?

— Nesse caso, irei para lá amanhã e conversaremos a respeito. Adeus, e, acima de tudo, não se preocupe enquanto não tiver certeza de que há motivos para tanto.

— Temo que seja algo muito ruim, Watson — disse meu colega ao voltar, depois de levar o Sr. Grant Munro até a porta. — O que você acha?

— Parece feio — respondi.

— Sim. Envolve chantagem, a não ser que eu esteja muito enganado.

— E quem seria o chantagista?

— Bem, deve ser essa criatura que mora no único cômodo confortável do lugar, e que tem a fotografia da mulher sobre a lareira. Juro, Watson, que há algo de muito atraente nesse rosto lívido na janela, e que eu não perderia este caso por nada no mundo.

— Você tem uma teoria?

— Sim, uma teoria provisória. Mas ficarei surpreso se ela não se confirmar. O primeiro marido dessa mulher está naquele chalé.

— Por que acha isso?

— De que outra forma explicar sua ansiedade frenética para que o segundo não entrasse lá? Os fatos, como eu os interpreto, são mais ou menos os seguintes: essa mulher se casou na América. Seu marido desenvolveu algumas qualidades detestáveis, ou talvez devamos dizer que contraiu alguma doença repugnante, tornando-se um leproso ou um imbecil. Ela finalmente fugiu dele, voltou para a Inglaterra, mudou seu nome e começou o que achou que seria uma nova vida. Estava casada havia três anos e considerava sua posição bastante segura — por ter mostrado ao marido o atestado de óbito de algum homem cujo sobrenome ela adotara — quando, de repente, seu paradeiro foi descoberto pelo primeiro marido, ou, podemos supor, por alguma mulher inescrupulosa que se associara ao inválido. Os dois escrevem para a esposa, ameaçando aparecer e denunciá-la. Ela pede cem libras e consegue suborná-los. Eles vêm assim mesmo, e, quando o marido menciona casualmente para a esposa que há recém-chegados no chalé, de alguma forma ela sabe que são seus perseguidores. Ela espera o marido dormir e corre para lá a fim de tentar persuadi-los a deixá-la em paz. Sem sucesso, ela volta na manhã seguinte, e seu marido a encontra, como nos contou, saindo do chalé. Ela promete, então, não voltar mais lá, mas, dois dias depois, a esperança de se livrar daqueles vizinhos asquerosos fica forte demais, e ela faz mais uma tentativa, levando consigo a fotografia, que provavelmente lhe fora exigida. No meio desse colóquio, a criada entra correndo para avisar que o patrão voltou, ao que a esposa, sabendo que ele iria direto para o chalé, leva apressadamente os ocupantes até a porta dos fundos, provavelmente para o bosque de pinheiros próximo dali que foi mencionado. Dessa forma, ele encontra o lugar abandonado. Ficarei muito surpreso, porém, se ainda estiver assim quando ele o observar esta noite. O que acha de minha teoria?

— São apenas suposições.

— Mas ao menos cobrem todos os fatos. Quando novos fatos que não forem cobertos por ela vierem ao nosso conhecimento, teremos tempo suficiente para reconsiderá-la. Não podemos fazer mais nada até recebermos uma mensagem do nosso amigo em Norbury.

Mas não tivemos que esperar muito por ela. Chegou assim que terminamos nosso chá. "O chalé ainda está ocupado", dizia. "Vi novamente o rosto na janela. Vou encontrá-los no trem das 19h, e não farei nada enquanto não chegarem."

Ele estava esperando na plataforma quando desembarcamos, e podíamos ver, à luz dos lampiões da estação, que estava muito pálido, e tremendo de agitação.

— Eles ainda estão lá, Sr. Holmes — disse, apertando com força o braço do meu amigo. — Vi luzes no chalé quando desci. Agora vamos resolver isso de uma vez por todas.

— Qual o seu plano, então? — perguntou Holmes, andando pela estrada escura e arborizada.

— Vou forçar a entrada e ver pessoalmente quem está na casa. Quero que os senhores estejam lá como testemunhas.

— Está mesmo determinado a fazer isso, apesar do aviso de sua esposa de que não deve resolver o mistério?

— Sim, estou determinado.

— Bem, acho que o senhor tem razão. Qualquer verdade é melhor do que a dúvida indefinida. É melhor irmos logo. É claro que, do ponto de vista legal, estamos definitivamente agindo errado; mas acho que vale a pena.

Era uma noite muito escura, e uma chuva fina começou a cair quando saímos da estrada para uma travessa estreita, esburacada, com sebes de ambos os lados. O Sr. Grant Munro ia impacientemente à frente, de qualquer forma, e nós nos equilibrávamos atrás dele o melhor que podíamos.

— Lá estão as luzes da minha casa — ele resmungou, apontando para um brilho entre as árvores —, e aqui está o chalé no qual vou entrar.

Dobramos uma esquina na travessa enquanto ele falava, e lá estava a casa, ao nosso lado. Uma nesga amarela recortada na fachada preta revelava que a porta não estava totalmente fechada, e uma janela no andar de cima estava bem iluminada. Enquanto olhávamos, um vulto escuro se moveu atrás da persiana.

— Lá está a criatura! — exclamou Grant Munro. — Podem ver que há alguém lá. Agora sigam-me, e logo saberemos de tudo.

Nós nos aproximamos da porta, mas subitamente uma mulher apareceu das sombras e parou sob a luz dourada da lâmpada. Eu não podia ver seu rosto na escuridão, mas seus braços estavam estendidos em atitude súplice.

— Pelo amor de Deus, não, Jack! — ela exclamou. — Eu tinha um pressentimento de que você viria esta noite. Pense melhor, querido! Confie em mim de novo, e não se arrependerá.

— Já confiei em você demais, Effie — ele retrucou, ríspido. — Solte-me! Preciso passar por você. Meus amigos e eu vamos esclarecer esse assunto de uma vez por todas! — Ele a empurrou para o lado e nós o seguimos de perto. Quando ele escancarou a porta, uma senhora correu ao seu encontro e tentou barrar sua passagem, mas ele a empurrou para trás; um instante depois, estávamos todos subindo a escada. Grant Munro invadiu o quarto iluminado do andar de cima, e nós entramos no seu encalço.

Era um aposento aconchegante e bem mobiliado, com duas velas ardendo sobre a mesa e mais duas sobre a lareira. No canto, encurvada sobre uma escrivaninha, o que parecia uma garotinha estava sentada. Seu rosto estava virado para o outro lado, mas pude ver que ela usava vestido vermelho e longas luvas brancas. Quando ela se virou na nossa direção, dei um grito de surpresa e horror. O rosto que ela nos apresentou tinha um estranho tom lívido, e seus traços eram absolutamente despidos de qualquer expressão. Um instante depois, o mistério foi explicado. Holmes, com uma risada, passou a mão por trás da orelha da criança e soltou uma máscara de sua catadura, revelando uma negrinha preta como o carvão, com todos os dentes brancos à mostra, divertindo-se com nossas expressões de assombro. Caí na risada, contagiado por sua alegria; mas Grant Munro ficou olhando fixamente, com a mão na garganta.

— Meu Deus! — ele gritou. — Qual pode ser o significado de tudo isso?

— Vou contar o significado — exclamou a dama, entrando no quarto com um rosto altivo e decidido. — Você me forçou, contrariando meu juízo, a lhe contar, e agora ambos precisamos agir o melhor que pudermos. Meu marido morreu em Atlanta. Minha filha sobreviveu.

— Sua filha!

Ela puxou um grande medalhão de prata do peito.

— Você nunca o viu aberto.

— Achei que ele nem abrisse.

Ela apertou um botão, e a frente do medalhão se abriu. Dentro havia o retrato de um homem, de traços formosos e inteligentes, mas inconfundivelmente marcados por sua ascendência africana.

— Este é John Hebron, de Atlanta — disse a dama —, e nunca conheci homem mais nobre. Cortei os vínculos com minha raça para me casar com ele; mas nunca, enquanto ele viveu, me arrependi por um instante sequer. Para nosso infortúnio, a única filha que tivemos puxou mais ao seu povo do que ao meu. Isso acontece frequentemente em uniões assim, e a pequena Lucy é até mais escura do que o pai. Mas, escura ou clara, ela é minha queridinha, a menina dos olhos da mãe. — A criaturinha correu, ao ouvir suas palavras, e afundou o rosto no vestido da mulher.

— Quando a deixei na América — ela continuou —, foi só porque sua saúde era fraca, e a mudança poderia ter-lhe feito mal. Ela ficou aos cuidados de uma escocesa leal que fora nossa criada. Nem por um instante sonhei em renegá-la como filha. Mas, quando o acaso pôs você no meu caminho, Jack, e aprendi a amá-lo, tive medo de lhe contar sobre a minha filha. Deus me perdoe, temi perder você, e não tive coragem de contar. Tive que escolher entre vocês, e, na minha fraqueza, afastei-me da minha garotinha. Por três anos guardei de você o segredo da existência dela, mas recebia notícias da babá, e sabia que tudo estava bem com ela. Por fim, no entanto, sobreveio uma vontade irresistível de ver a criança mais uma vez. Lutei contra ela, mas em vão. Embora eu soubesse do perigo, resolvi trazê-la para cá, ainda que apenas por algumas semanas. Mandei cem libras para a babá e lhe dei instruções sobre este chalé, para que ela pudesse chegar como uma vizinha, sem que eu parecesse ter qualquer ligação com ela. Levei minhas precauções ao extremo de mandar manter a criança dentro de casa durante o dia, e cobrir seu rostinho e suas mãos para que, ainda que alguém a visse na janela, não surgissem mexericos sobre uma criança negra na vizinhança.

Se eu fosse menos cautelosa, poderia ter sido mais sábia, mas enlouquecia-me o medo de que você descobrisse a verdade.

"Foi você quem me contou primeiro que o chalé estava ocupado. Eu deveria ter esperado amanhecer, mas não consegui dormir com a empolgação, e assim, finalmente, saí às escondidas, sabendo quão difícil era acordar você. Mas você me viu sair, e esse foi o início dos meus problemas. No dia seguinte, você tinha meu segredo à sua mercê, mas nobremente evitou fazer uso de sua vantagem. Três dias depois, porém, a babá e a criança mal tiveram tempo de fugir pela porta dos fundos quando você entrou pela da frente. E, esta noite, você finalmente descobriu tudo, e eu lhe pergunto: o que será de nós, da minha filha e de mim?" — Ela uniu as mãos e esperou por uma resposta.

Passaram-se dois longos minutos antes que Grant Munro rompesse o silêncio, e, quando sua resposta veio, foi uma que adoro lembrar. Ele levantou a criancinha, beijou-a, e então, ainda carregando-a, estendeu a outra mão para a esposa, dirigindo-se para a porta.

— Podemos falar a respeito mais confortavelmente em casa — ele disse. — Não sou um homem muito bom, Effie, mas acho que ainda sou melhor do que você acredita que eu seja.

Holmes e eu os seguimos pela travessa, e meu amigo me puxou pela manga quando saímos.

— Acho — ele observou — que seremos mais úteis em Londres do que em Norbury.

Nem mais uma palavra sobre o caso ele disse até tarde naquela noite, quando estava se dirigindo, com a vela acesa, para o seu quarto.

— Watson — ele disse —, se um dia você notar que estou confiando demais nos meus poderes, ou me dedicando a um caso menos do que ele merece, por gentileza, sussurre "Norbury" ao meu ouvido, e eu ficarei infinitamente grato.

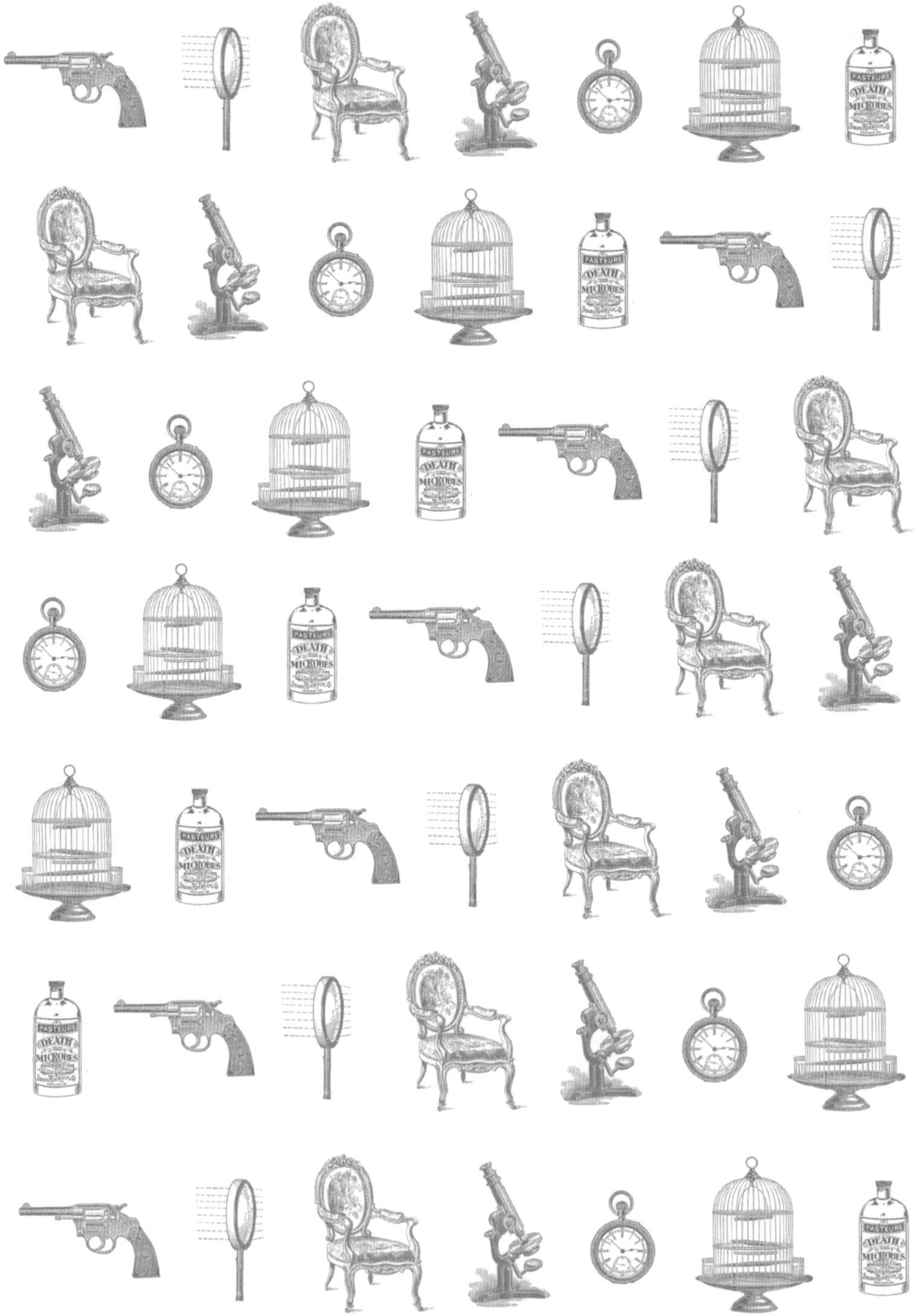
PASTEURS
DEATH
MICROBES

três

O CORRETOR DE AÇÕES

Logo depois do meu casamento, comprei uma clínica no distrito de Paddington. O velho Sr. Farquhar, de quem a comprei, tivera no passado uma excelente prática de clínico-geral, mas sua idade, e um mal da natureza da dança-de-são-guido, do qual ele sofria, em muito a depauperaram. O público, previsivelmente, segue o princípio de que aquele que pretende curar os outros precisa ser saudável, e encara com desconfiança os poderes curativos de alguém cujo caso está fora do alcance de seus próprios remédios. Assim, à medida que meu predecessor enfraquecia, sua prática declinava, até que, quando a comprei dele, reduzira-se de 1.200 para pouco mais de 300 ao ano. Eu tinha confiança, porém, em minha juventude e energia, e estava convencido de que em poucos anos a carteira de pacientes estaria mais próspera do que nunca.

Por três meses, depois de assumir a prática, o trabalho me manteve muito atarefado, e pouco vi meu amigo Sherlock Holmes, pois estava ocupado demais para visitar a Baker Street, e ele raramente ia a qualquer lugar, exceto em sua atividade profissional. Fiquei surpreso, portanto, quando, numa manhã de junho em que eu lia o *British Medical Journal* após o desjejum, ouvi o toque da campainha, seguido pelos tons altos, algo estridentes, da voz de meu velho camarada.

— Ah, meu caro Watson — ele disse, entrando na sala —, estou encantado em vê-lo. Imagino que a Sra. Watson tenha se recuperado completamente de todas as pequenas emoções relacionadas com nossa aventura do "Signo dos Quatro"?

— Obrigado, ambos estamos muito bem — respondi, apertando calorosamente sua mão.

— E espero, também — ele continuou, sentando-se na cadeira de balanço —, que as preocupações da prática médica não tenham obliterado por completo o interesse que você costumava ter por nossos probleminhas dedutivos.

— Pelo contrário — retruquei —; noite passada mesmo eu estava consultando minhas antigas anotações e classificando alguns dos nossos resultados passados.

— Acredito que não considera sua coleção encerrada?

— De modo algum. Nada me agradaria mais do que ter mais algumas experiências como aquelas.

— Hoje, por exemplo?

— Sim, hoje, se você quiser.

— E mesmo tendo que ir até Birmingham?

— Certamente, se você desejar.

— E a prática?

— Atendo os pacientes do meu vizinho quando ele viaja. Ele está sempre disposto a trabalhar para retribuir.

— Ha! Nada poderia ser melhor — disse Holmes, recostando-se na cadeira e me olhando intensamente sob as pálpebras semicerradas. — Percebo que você andou adoentado recentemente. Os resfriados de verão são sempre um pouco exaustivos.

— Fiquei em casa com uma febre severa por três dias semana passada. Pensei, porém, que já não tivesse nem sinal dela.

— E não tem. Parece admiravelmente robusto.

— Como, então, sabia dela?

— Caro colega, você conhece meus métodos.

— Deduziu isso, então?

— Claro.

— Como?

— Por seus chinelos.

Olhei para baixo, para os chinelos novos de verniz que estava usando.

— Como diabos... — comecei, mas Holmes respondeu minha pergunta antes que ela fosse formulada.

— Seus chinelos são novos — ele disse. — Você não deve tê-los usado mais do que algumas semanas. As solas que está exibindo neste momento para mim estão levemente chamuscadas. Por um momento pensei que poderiam ter-se molhado e queimado ao secar. Mas perto do meio da sola há um adesivo redondo de papel com a marca da sapataria. A umidade, naturalmente, o teria removido. Você, portanto, esteve sentado com os pés estendidos na direção do fogo, algo que dificilmente faria, mesmo num mês de junho tão chuvoso como este, se estivesse saudável.

Como todos os raciocínios de Holmes, este parecia a própria simplicidade depois de explicado. Ele leu o pensamento em meu semblante, e seu sorriso tingiu-se de amargura.

— Temo que minhas explicações me desvalorizem — ele disse. — Resultados sem causa são muito mais impressionantes. Pronto para ir a Birmingham, então?

— Certamente. Qual é o caso?

— Você ouvirá tudo no trem. Meu cliente está lá fora, numa carruagem de quatro rodas. Você pode vir já?

— Num instante. — Escrevi um bilhete para o meu vizinho, subi para explicar o assunto à minha esposa e juntei-me a Holmes diante da porta.

— Seu vizinho é médico? — ele disse, acenando para a placa de bronze.

— Sim, ele comprou uma clínica, como eu.

— Uma clínica antiga?

— Da mesma idade que a minha. Ambas funcionavam aqui desde que as casas foram construídas.

— Ah, então você ficou com a melhor das duas.

— Acho que sim. Mas como você sabe?

— Pelos degraus, meu rapaz. Os seus estão sete centímetros mais gastos que os dele. Bem, este cavalheiro no táxi é o meu cliente, o Sr. Hall Pycroft. Permita-me apresentá-lo. Açoite o cavalo, cocheiro, pois temos tempo apenas para pegar o nosso trem.

O homem que eu estava encarando era um jovem robusto e de compleição fresca, com um rosto franco e honesto e um ralo bigode louro bem definido. Ele usava uma cartola muito lustrosa e um elegante terno preto, sóbrio, que o fazia parecer o que ele era — um jovem esperto e urbano, da classe que foi rotulada de *cockney*, mas que nos dá nossos melhores regimentos voluntários, e que produz mais ótimos atletas e desportistas do que qualquer outra população destas ilhas. Seu rosto redondo e avermelhado era naturalmente cheio de alegria, mas os cantos de sua boca me pareciam puxados para baixo, num pesar semicômico. No entanto, só quando estávamos todos aboletados num vagão de primeira classe, e já avançando em nossa jornada para Birmingham, pude saber qual era o problema que o levara até Sherlock Holmes.

— Agora temos uma viagem ininterrupta de setenta minutos — Holmes comentou. — Quero, Sr. Hall Pycroft, que conte ao meu amigo sua assaz interessante experiência, exatamente como a contou para mim, ou com mais detalhes, se possível. Ser-me-á útil ouvir a sequência dos acontecimentos novamente. É um caso, Watson, que pode provar ter algo especial, ou pode provar não ser nada, mas que no mínimo apresenta aquelas características incomuns e espantosas que lhe são tão caras quanto são a mim. Agora, Sr. Pycroft, não o interromperei mais.

Nosso jovem colega me encarou com um brilho nos olhos.

— O pior da história — ele disse — é que me revelo um tremendo tolo. Claro que tudo pode dar certo no final, e não acho que eu poderia ter agido diferente; mas, se perdi meu emprego e não ganhar nada em troca, sentirei o quanto fui miolo mole. Não sou muito bom em contar histórias, Dr. Watson, mas comigo é assim.

"Eu trabalhava na Coxon e Woodhouse, em Draper's Gardens, mas eles quebraram a cara no início da primavera com o empréstimo venezuelano, como sem dúvida os senhores devem lembrar, e os rendimentos foram péssimos. Eu estava com eles havia cinco anos, e o velho Coxon me elogiou muito quando veio a borrasca; mas, é claro, nós, os corretores, fomos todos demitidos, os 27. Tentei aqui e tentei ali, mas havia muitos outros camaradas na mesma situação que eu, e a coisa ficou feia por muito tempo. Eu ganhava três libras por semana na Coxon, e tinha poupado umas 70, mas logo abri um rombo nesse dinheiro e saí pelo outro lado. Eu estava no fim da linha nos últimos dias, e mal tinha selos para responder aos anúncios ou envelopes onde grudá-los. Gastei minhas botas subindo escadas de escritórios, e parecia mais distante do que nunca de arranjar outro emprego.

"Finalmente, vi que havia uma vaga na Mawson e Williams, a grande corretora de ações da Lombard Street.

Ouso dizer que os senhores não devem entender muito de economia, mas posso lhes informar que esta é a empresa mais rica de Londres. O anúncio devia ser respondido unicamente por carta. Mandei minha carta de recomendação e minha proposta, mas sem a menor esperança de conseguir o emprego. Veio a resposta, em seguida, dizendo que, se eu pudesse comparecer na segunda-feira seguinte, poderia assumir minhas novas funções imediatamente, contanto que minha aparência fosse satisfatória. Ninguém sabe como funcionam essas coisas. Há quem diga que o gerente apenas enfia a mão num monte de cartas e puxa a primeira que pega. De qualquer forma, a sorte me abençoou daquela vez, e acho que nem quero sentir felicidade maior na vida. Eles pagavam uma libra a mais por semana, e o trabalho era praticamente o mesmo da Coxon.

"E agora vem a parte esquisita do negócio. Eu estava morando no caminho de Hampstead — Potter's Terrace, 17, era o endereço. Bem, eu estava lá fumando, naquela tarde, depois ter recebido a promessa do emprego, quando minha senhoria chegou trazendo um cartão que dizia 'Arthur Pinner, agente financeiro'. Eu nunca ouvira esse nome antes, e nem imaginava o que ele queria comigo, mas, claro, pedi que ela o mandasse subir. E ele entrou — um homem de estatura mediana, cabelo, olhos e barba pretos, com o nariz um tanto lustroso. Parecia alerta e falava rapidamente, como alguém que sabe o valor do tempo.

"'É o Sr. Hall Pycroft, creio eu?', ele disse.

"'Sim, senhor', respondi, e empurrei uma cadeira em sua direção.

"'Que trabalhava na Coxon e Woodhouse?'

"'Sim, senhor.'

"'E agora é funcionário da Mawson.'

"'Exato.'

"'Bem', ele começou, 'acontece que ouvi algumas histórias realmente extraordinárias sobre a sua habilidade financeira. Lembra-se de Parker, que era gerente na Coxon? Ele não para de falar do senhor.'

"Naturalmente, fiquei feliz ao ouvir aquilo. Sempre fui bem esperto no escritório, mas nem sonhava que falavam assim de mim na cidade.

"'O senhor tem boa memória?', ele perguntou.

"'Satisfatória', respondi, modestamente.

"'Manteve-se informado sobre o mercado enquanto esteve desempregado?'

"'Sim; leio o boletim da bolsa de valores toda manhã.'

"'Ora, isso demonstra aplicação de verdade!', ele exclamou. 'É o modo de prosperar! Não se importará com um teste, certo? Deixe-me ver! Quanto estão valendo as Ayrshires?'

"'De 106 e um quarto a 105 e sete oitavos.'

"'E a New Zealand Consolidated?'

"'104.'

"'E a British Broken Hills?'

"'De 7 a 7,6.'

"'Maravilhoso!', ele exclamou, erguendo as mãos. 'Isso confirma tudo o que ouvi. Meu rapaz, meu rapaz, é bom demais para ser corretor da Mawson!'

"Essa reação me assombrou um pouco, como podem imaginar. 'Bem', eu disse, 'outras pessoas não parecem pensar tudo isso de mim, Sr. Pinner. Foi muito difícil conseguir esse emprego, e fiquei feliz em obtê-lo.'

"'Ora, homem, deveria erguer-se acima dele. Não está na esfera adequada. Agora vou dizer como vejo as coisas. O que tenho para oferecer é bem pouco, em vista da sua habilidade, mas, comparado com a Mawson, é como a luz contra a escuridão. Deixe-me ver! Quando vai começar na Mawson?'

"'Segunda-feira.'

"'Ha! Ha! Eu arriscaria apostar que o senhor não irá para lá coisa nenhuma.'

"'Não irei para a Mawson?'

"'Não, senhor. Nesse dia, o senhor será o gerente financeiro da Companhia Limitada Franco-Interiorana de Cerâmica, com 134 filiais nas cidades e aldeias da França, sem contar uma em Bruxelas e outra em São Remo.'

"Aquilo me deixou sem fôlego. 'Nunca ouvi falar dela', eu disse.

"'Provavelmente não. Foi mantida em absoluto segredo, pois o capital era todo privado, e é algo bom demais para se revelar ao público. Meu irmão, Harry Pinner, é vendedor, e entrou para o conselho depois de ser promovido a diretor operacional. Ele sabia que eu estava aqui e pediu que eu encontrasse alguém bom e barato — um jovem audacioso, cheio de energia. Parker falou do senhor, e isso me trouxe aqui hoje. Só podemos lhe oferecer umas míseras quinhentas libras, para começar.'

"'Quinhentas libras ao ano!', eu gritei.

"'Somente isso, para começar, mas o senhor terá uma comissão à parte de 1% sobre todas as transações fechadas por seus representantes, e dou minha palavra de que isso renderá mais do que o seu salário.'

"'Mas eu não entendo nada de cerâmica.'

"'Ora, ora, meu rapaz; entende de números.'

"Minha cabeça zumbia, e eu mal conseguia ficar quieto na cadeira. Mas subitamente a dúvida me bafejou.

"'Vou ser sincero com o senhor', eu disse. 'A Mawson me paga só duzentas libras, mas é algo garantido. Agora, realmente, sei tão pouco a respeito da sua empresa que...'

"'Ah, esperto, esperto!', ele exclamou, numa espécie de êxtase de aprovação. 'O senhor é o homem certo para nós! Não se deixa levar por qualquer conversa, e está coberto de razão. Aqui está uma cédula de cem libras; se o senhor achar que poderemos trabalhar juntos, fique à vontade para embolsá-la como adiantamento do seu salário.'

"'É muito generoso', observei. 'Quando assumirei minhas novas funções?'

"'Esteja em Birmingham amanhã, às 13h', ele pediu. 'Tenho um bilhete no bolso que o senhor levará para o meu irmão. Vai encontrá-lo na Corporation Street, 126B, onde ficam os escritórios temporários da empresa. Naturalmente, ele precisa confirmar sua contratação, mas, cá entre nós, acho que vai dar tudo certo.'

"'Realmente, nem sei como agradecer, Sr. Pinner', declarei.

"'Não é preciso, meu rapaz. Só está recebendo o que merece. Há uma ou duas coisinhas, meras formalidades, que preciso combinar com o senhor. Tem um pedaço de papel ao seu lado. Por gentileza, escreva nele: "Estou completamente disposto a trabalhar como gerente financeiro da Companhia Limitada Franco-Interiorana de Cerâmica, por um salário de no mínimo 500 libras."'

"Fiz o que ele pediu e guardei o papel no bolso.

"'Há mais um detalhe', ele continuou. 'O que pretende fazer a respeito da Mawson?'

"Em minha euforia, eu havia esquecido completamente da Mawson.

"'Escreverei renunciando ao cargo', respondi.

"'Exatamente o que não quero que faça. Tive uma acalorada discussão sobre o senhor com o gerente da Mawson. Eu tinha ido lá perguntar sobre o senhor, e ele foi muito ofensivo — acusou-me de querer roubá-lo da firma, esse tipo de coisa. Finalmente, perdi a paciência. "Se querem bons funcionários, deveriam pagar um bom salário", desabafei. "Ele prefere nosso pequeno salário, e não o seu grande", ele retrucou. "Aposto cinco xelins", eu disse, "que, quando ele ouvir minha oferta, vocês não terão mais notícias dele." "Fechado!", ele concluiu. "Nós o tiramos da sarjeta, e ele não vai nos abandonar tão facilmente." Estas foram suas palavras exatas.'

"'Canalha desavergonhado!', exclamei. 'Eu nunca o vi na vida. Por que deveria ter alguma consideração por ele? Certamente não lhe escreverei, se o senhor prefere que não escreva.'

"'Ótimo! Está prometido, então', ele comemorou, levantando-se. 'Bem, estou encantado por ter encontrado alguém tão bom para o meu irmão. Aqui está o seu adiantamento de cem libras, e aqui está a carta. Anote o endereço: Corporation Street, 126B, e lembre-se de que sua visita é amanhã, às 13h. Boa noite, espero que tenha toda a sorte que merece!'

"Isso foi tudo o que conversamos, até onde consigo me lembrar. Pode imaginar, Dr. Watson, como fiquei feliz com esse extraordinário golpe de sorte. Passei metade da noite acordado, felicitando-me por minha ventura, e no dia seguinte parti para Birmingham com um trem que me permitiria chegar bem adiantado à visita. Levei minhas coisas para um hotel na New Street e me dirigi ao endereço que me fora dado.

"Eu estava quinze minutos adiantado, mas achei que isso não faria diferença. O número 126B era um corredor entre duas grandes lojas, desembocando numa escada de pedra em caracol que dava acesso a vários cubículos, alugados como escritórios para empresas ou profissionais liberais. Os nomes dos ocupantes estavam pintados ao pé do muro, mas não havia nenhuma Companhia Limitada Franco-Interiorana de Cerâmica. Fiquei parado ali por alguns minutos, desanimado, perguntando-me se a coisa toda não seria uma fraude elaborada, quando um homem se aproximou e me dirigiu a palavra. Era muito parecido com o sujeito que eu vira na noite anterior, a mesma fisionomia e voz, mas tinha a barba feita e seu cabelo era mais claro.

"'É o Sr. Hall Pycroft?', ele perguntou.

"'Sim', eu disse.

"'Ah! Eu estava à sua espera, mas está um pouco adiantado. Recebi um bilhete do meu irmão hoje de manhã, e ele não poupou elogios ao senhor.'

"'Eu estava justamente procurando o seu escritório quando o senhor chegou.'

"'Ainda não pintaram o nosso nome, pois só alugamos estas instalações temporárias semana passada. Suba comigo e conversaremos.'

"Eu o segui até o fim de uma escada muito alta, e ali, bem embaixo do telhado, ficavam duas saletas vazias e empoeiradas, sem tapetes ou cortinas, para dentro das quais ele me conduziu. Eu imaginara um grande escritório, com mesas lustrosas e fileiras de funcionários, como estava acostumado, e ouso dizer que fiquei fitando fixamente as duas cadeiras e a mesinha que, junto com um livro-caixa e um cesto de lixo, compunham toda a mobília.

"'Não fique desanimado, Sr. Pycroft', disse meu novo conhecido, vendo minha expressão abatida. 'Roma não foi feita num dia, e nós temos muito dinheiro nos financiando, embora ainda não ostentemos muito nos escritórios. Por gentileza, sente-se e deixe-me ver sua carta.'

"Eu a entreguei e ele a leu meticulosamente.

"'O senhor parece ter causado uma forte impressão no meu irmão Arthur', ele afirmou, 'e sei que ele é um juiz de caráter muito severo. É parcial a Londres, sabe, e eu a Birmingham, mas dessa vez seguirei o conselho dele. Pode se considerar definitivamente contratado.'

"'Quais são as minhas tarefas?', perguntei.

"'Futuramente, chefiará o grande depósito de Paris, que inundará as lojas de 134 representantes na França com cerâmica inglesa. A compra será realizada em uma semana, e, enquanto isso, o senhor ficará aqui em Birmingham e se fará útil.'

"'Como?'

"Em resposta, ele puxou um grande livro vermelho de uma gaveta.

"'Este é um catálogo de Paris', ele explicou, 'com os nomes e profissões das pessoas. Quero que o leve para casa e anote todos os revendedores de cerâmica e seus endereços. Ser-me-á muito útil ter esses dados.'

"'Mas devem existir catálogos classificados', sugeri.

"'Nenhum confiável. O sistema que usam é diferente do nosso. Persista nisso e entregue-me as listas na segunda-feira ao meio-dia. Bom dia, Sr. Pycroft; se continuar a revelar zelo e inteligência, verá que a empresa será uma boa empregadora.'

"Voltei para o hotel com o livrão debaixo do braço e sentimentos muito conflitantes no peito. Por um lado, eu definitivamente estava empregado e tinha cem libras no bolso; por outro, a aparência dos escritórios, a ausência do nome no muro e outros detalhes evidentes para um homem de negócios haviam deixado má impressão quanto à solidez dos meus empregadores. Todavia, fosse o que fosse, eu tinha o dinheiro, por isso pus mãos à obra. O domingo todo trabalhei duro, mas na segunda-feira só havia chegado à letra H. Procurei meu empregador, encontrei-o na mesma sala depauperada, e ele mandou que eu continuasse trabalhando até quarta-feira e então voltasse. Na quarta-feira eu ainda não havia terminado, por isso labutei até sexta — isto é, ontem. Então levei o resultado ao Sr. Harry Pinner.

"'Muito obrigado', ele disse. 'Temo ter subestimado a dificuldade da tarefa. Esta lista será de grande valia para mim.'

"'Levou algum tempo', eu disse.

"'E agora', ele acrescentou, 'quero que o senhor faça uma lista das lojas de móveis, porque todas elas vendem artigos de cerâmica.'

"'Muito bem.'

"'E pode voltar amanhã às sete e me informar como está indo. Não se esforce demais. Algumas horas no Salão Musical Day's à noite não lhe farão mal, depois de tanto trabalho.'

Ele riu ao falar, e vi, com espanto, que seu segundo dente da esquerda fora muito mal obturado com ouro."

Sherlock Holmes esfregou as mãos, deliciado, e eu olhei assombrado para nosso cliente.

— Pode parecer surpreso, Dr. Watson, mas é assim — ele disse. — Quando conversava com o outro camarada em Londres, e ele riu por eu não procurar a Mawson, notei casualmente que seu dente fora obturado de forma idêntica. O brilho do ouro, nos dois casos, chamou minha atenção, sabe? Quando juntei isso com a voz e a fisionomia idênticas, e as únicas diferenças em coisas que poderiam ser alteradas com uma navalha ou uma peruca, não tive dúvidas de que era o mesmo homem. Naturalmente, espera-se que dois irmãos se pareçam, mas não que tenham o mesmo dente obturado da mesma maneira. Ele me dispensou com uma reverência e me vi na rua, mal sabendo se estava de pé ou deitado. Voltei para o hotel, enfiei a cabeça numa gamela de água fria e tentei refletir. Por que ele me mandara de Londres a Birmingham; por que chegara lá antes de mim; e por que escrevera uma carta de si para si mesmo? Tudo aquilo era demais para mim, eu não conseguia entender nada. E então, de súbito, ocorreu-me que o que era escuro para mim poderia ser muito claro para o Sr. Sherlock Holmes. Eu tinha o tempo exato de ir para a cidade com o trem noturno, ir vê-lo hoje de manhã e trazer os senhores de volta comigo para Birmingham.

Houve uma pausa depois que o corretor de ações concluiu sua surpreendente experiência. Então Sherlock Holmes me olhou de lado, refestelando-se nas almofadas com uma expressão comprazida, porém crítica, como um enólogo que acabasse de tomar o primeiro gole de um vinho da safra do cometa*.

— Bastante bom, Watson, não acha? — ele disse. — Há detalhes no caso que me agradam. Acho que você concordará comigo que uma conversa com o Sr. Arthur Harry Pinner nas instalações temporárias da Companhia Limitada Franco-Interiorana de Cerâmica será uma experiência deveras interessante para nós dois.

— Mas como vamos conseguir isso? — perguntei.

— Oh, é fácil — respondeu Hall Pycroft, alegremente. — Vocês são dois amigos meus à procura de emprego, e o que poderia ser mais natural do que levar os dois para conhecer o diretor operacional?

— Exatamente! É claro! — concordou Holmes. — Gostaria de deitar os olhos nesse cavalheiro e ver se consigo entender o seu joguinho. Que qualidades o senhor tem, meu amigo, que poderiam tornar seus serviços tão valiosos? Ou será possível que...? — Ele começou a mordiscar as unhas e dirigir à janela o olhar vazio, e não conseguimos tirar dele mais uma palavra até chegarmos à New Street.

---

* Acredita-se que a safra de 1811, ano em que um grande cometa cruzou os céus da Europa, tenha sido uma das melhores de todos os tempos. (N. E.)

Às 19h, estávamos andando, nós três, pela Corporation Street, rumo aos escritórios da empresa.

— Não adianta nada chegarmos antes da hora — disse o nosso cliente. — Ele só vem para me ver, aparentemente, pois o lugar sempre fica deserto até o horário que ele marca.

— Isso é sugestivo — comentou Holmes.

— Por Jove, eu falei! — exclamou o corretor. — É ele, andando ali à nossa frente.

Ele apontou para um homenzinho louro e bem-vestido que caminhava apressadamente do outro lado da rua. Nós o vimos olhar para um menino que apregoava a última edição do jornal vespertino e, correndo entre os táxis e bondes, ir comprar um exemplar. Então, com o jornal na mão, desapareceu numa porta.

— Lá vai ele! — exclamou Hall Pycroft. — Aquele lugar onde ele entrou são os escritórios da empresa. Venham comigo e arranjarei o encontro da maneira mais tranquila possível.

Seguindo sua deixa, subimos cinco andares, até que nos encontramos perto de uma porta semiaberta, na qual nosso cliente bateu. Uma voz pediu que entrássemos, e adentramos uma sala nua e sem mobília, como Hall Pycroft a descrevera. À única mesa sentava-se o homem que víramos na rua, com o jornal vespertino aberto diante de si, e, quando ele olhou para nós, pareceu-me jamais ter visto um rosto com tamanhas marcas de pesar, e de algo além do pesar — um horror que poucos homens enfrentam na vida. Sua testa brilhava com a transpiração, suas bochechas tinham a palidez apagada e mortiça da barriga de um peixe, e seus olhos estavam arregalados. Ele olhava para seu funcionário como se não o reconhecesse, e pude ver, pelo assombro estampado no rosto de nosso guia, que aquela de maneira alguma era a aparência habitual de seu empregador.

— Parece doente, Sr. Pinner! — ele exclamou.

— De fato, não estou muito bem — respondeu o outro, fazendo esforços óbvios para se controlar, e lambendo os lábios ressecados antes de falar. — Quem são esses cavalheiros que o senhor trouxe?

— Um é o Sr. Harris, de Bermondsey, e o outro é o Sr. Price, desta cidade — disse o corretor, casualmente. — São amigos meus, cavalheiros experientes, mas estão desempregados há um tempinho, e esperavam que talvez o senhor pudesse encontrar uma vaga para eles na empresa.

— É bem possível! Bem possível! — retrucou o Sr. Pinner, com um sorriso medonho. — Sim, não tenho dúvida de que conseguiremos fazer algo pelos senhores. Qual a sua especialidade, Sr. Harris?

— Sou contador — disse Holmes.

— Ah, sim, queremos algo do tipo. E o Sr. Price?

— Sou corretor — eu afirmei.

— Tenho muita esperança de que a empresa conseguirá acomodá-los. Informarei assim que chegarmos a alguma conclusão. E agora rogo que vão embora. Pelo amor de Deus, deixem-me em paz!

Estas últimas palavras foram disparadas como se o autocontrole que ele evidentemente estava exercendo tivesse abrupta e completamente se esgotado. Holmes e eu nos entreolhamos, e Hall Pycroft deu um passo em direção à mesa.

— Está esquecendo, Sr. Pinner, que vim aqui a seu pedido, para receber instruções — ele disse.

— Certamente, Sr. Pycroft, certamente — o outro respondeu, em tom mais calmo. — Pode esperar aqui um momento, e não há motivo para que seus amigos não possam esperar com o senhor. Estarei inteiramente ao seu dispor daqui a três minutos, se puder abusar tanto da sua paciência. — Ele se levantou com ar muito cortês e, fazendo uma reverência, passou por uma porta do outro lado da sala, que fechou atrás de si.

— E agora? — cochichou Holmes. — Ele está tentando fugir?

— Impossível — respondeu Pycroft.

— Por quê?

— Aquela porta leva a uma sala interna.

— Não tem saída?

— Nenhuma.

— Está mobiliada?

— Estava vazia ontem.

— Então o que, em nome de Deus, ele pode estar fazendo lá? Há algo que não entendo em seu comportamento. Nunca vi um homem mais tomado pelo terror. O que pode tê-lo feito tremer tanto?

— Ele desconfia de que somos detetives — sugeri.

— É isso — exclamou Pycroft.

Holmes balançou a cabeça.

— Ele não empalideceu. Já *estava* pálido quando entramos na sala — ele completou. — Será possível que...?

Suas palavras foram interrompidas por um tamborilar agudo vindo da porta interna.

— Por que diabos ele está batendo na sua própria porta? — perguntou o corretor.

Novamente, e muito mais alto, ouviu-se o tamborilar. Todos olhamos para a porta fechada, cheios de expectativa. Virando-me para Holmes, vi seu rosto ficar rígido, e ele se curvou para a frente, intensamente agitado. Ato contínuo, ouvimos um gargarejar sufocado e batidas fortes na madeira. Holmes saltou para o outro lado da sala e empurrou a porta. Estava trancada por dentro. Seguindo seu exemplo, jogamos todo o nosso peso sobre ela. Uma dobradiça cedeu, depois a outra, e a porta desabou com estrondo. Passando por cima dela, entramos na sala interna.

Estava vazia.

Mas só por um momento ficamos perplexos. Num canto, o canto mais próximo da sala de onde viéramos, havia uma segunda porta. Holmes saltou sobre ela e a abriu. Um casaco e um sobretudo estavam jogados no chão, e de um gancho atrás da porta, com os suspensórios amarrados no pescoço, o diretor operacional da Companhia Limitada Franco-Interiorana de Cerâmica pendia, enforcado. Seus joelhos estavam dobrados, sua cabeça pendurada num ângulo pavoroso em relação ao corpo, e os calcanhares batendo na porta produziam o ruído que interrompera nossa conversa. Imediatamente o segurei pela cintura e o levantei, enquanto Holmes e Mycroft desamarravam as tiras elásticas que desapareceram dentro das dobras lívidas da sua pele. Depois o carregamos para a outra sala, onde ele se estendeu, com o rosto branco como cal, inflando os lábios arroxeados a cada expiração — um pavoroso destroço do homem que era apenas cinco minutos antes.

— O que acha do estado dele, Watson? — perguntou Holmes.

Curvei-me sobre ele e o examinei. Seus batimentos cardíacos eram fracos e intermitentes, mas sua respiração ficava mais profunda, e um leve tremor das pálpebras revelava uma estreita faixa branca dos globos oculares.

— Ele se safou por pouco — eu disse —, mas vai viver. Abram aquela janela e me tragam a jarra d'água. — Afrouxei seu colarinho, derramei a água fria em seu rosto e levantei e abaixei seus braços até que ele inspirou um longo e natural hausto de ar.

— É só questão de tempo, agora — declarei, afastando-me dele.

Holmes ficou ao lado da mesa, com as mãos afundadas nos bolsos da calça e o queixo apoiado no peito.

— Acho melhor chamar a polícia, agora — ele recomendou —, no entanto, confesso que gostaria de expor-lhes o caso completo quando chegassem.

— Para mim, é tudo um mistério — exclamou Pycroft, coçando a cabeça. — Por que motivo queriam me trazer para cá, e então...

— Bah! Tudo isso está bem claro — disse Holmes, impaciente. — É esse último ato dele.

— O senhor entende o resto, então?

— Acho que é bastante óbvio. O que você diz, Watson?

Dei de ombros.

— Devo confessar que estou perdido — confessei.

— Oh, mas é claro que os acontecimentos, inicialmente, só apontam para uma conclusão possível.

— O que deduz deles?

— Bem, o caso todo gira ao redor de duas coisas. A primeira é fazer Pycroft escrever uma declaração de que começou a trabalhar para essa empresa absurda. Não veem quanto isso é sugestivo?

— Infelizmente, não entendi.

— Bem, por que queriam que ele fizesse isso? Não por uma questão administrativa, já que esses acordos em geral são verbais, e não havia nenhum motivo administrativo para tornar essa instância uma exceção. Não vê, meu jovem amigo, que eles estavam ansiosos para obter uma amostra da sua caligrafia, e não tinham outra maneira de fazê-lo?

— E por quê?

— Exatamente. Por quê? Quando respondermos a isso, teremos feito algum progresso com nosso probleminha. Por quê? Só existe um motivo adequado. Alguém queria aprender a imitar a sua letra, e antes precisava de uma amostra dela. E agora, passando à segunda coisa, descobrimos que uma joga luz sobre a outra. Essa coisa é o pedido, feito por Pinner, de que o senhor não se demitisse de seu cargo, deixando o gerente daquela importante empresa na expectativa de que um Sr. Hall Pycroft, que ele jamais vira, entrasse em seu escritório na segunda-feira de manhã.

— Meu Deus! — exclamou nosso cliente. — Eu fui cego como uma toupeira!

— Agora o senhor entende a escrita a mão. Supondo que alguém se apresentasse no seu lugar e escrevesse com uma letra completamente diferente daquela de sua carta candidatando-se à vaga, naturalmente a farsa acabaria ali. Mas, nesse ínterim, o bandido aprendeu a imitar o senhor, e o emprego dele, portanto, lhe foi garantido, pois imagino que ninguém naquele escritório jamais tenha posto os olhos no senhor.

— Ninguém — gemeu Hall Pycroft.

— Muito bem. Naturalmente, era da maior importância evitar que o senhor quisesse trabalhar ali, e também impedir que entrasse em contato com qualquer um que pudesse lhe informar que sua duplicata estava trabalhando no escritório da Mawson. Para tanto, deram-lhe um generoso adiantamento do seu salário e o relegaram ao interior, onde lhe passaram trabalho suficiente para evitar que voltasse a Londres, onde poderia ter acabado com a farsa. Tudo isso está bastante claro.

— Mas por que o homem precisou fingir ser seu próprio irmão?

— Bem, isso também está bastante claro. Evidentemente, só duas pessoas participavam do golpe. A outra está representando o senhor no escritório. Este sujeito agia como seu contratante, e então descobriu que não poderia encontrar alguém para interpretar o seu novo patrão sem admitir uma terceira pessoa em seu plano. Isso ele não estava nem um pouco disposto a fazer. Por isso mudou sua aparência o máximo que pôde, e confiou que a semelhança, que o senhor não deixaria de notar, seria atribuída ao parentesco. Se não fosse pelo feliz acaso da obturação de ouro, sua desconfiança provavelmente jamais teria sido despertada.

Hall Pycroft agitou os punhos cerrados no ar.

— Bom Deus! — ele exclamou. — Enquanto eu era enganado dessa forma, o que esse outro Hall Pycroft andou fazendo na Mawson? O que devemos fazer, Sr. Holmes? Diga-me o que fazer!

— Precisamos enviar um telegrama à Mawson.

— A firma fecha ao meio-dia aos sábados.

— Não importa; deve haver algum porteiro ou atendente...

— Ah, sim, eles mantêm um vigia permanente por causa do valor das garantias que conservam. Lembro de ter ouvido falar disso na cidade.

— Muito bem, vamos telegrafar para ele, ver se tudo está bem, e se um corretor com seu nome está trabalhando lá. Isso está bastante claro, mas o que não está tão claro é por que, ao nos ver, um dos bandidos imediatamente correu para a sala ao lado e se enforcou.

— O jornal! — gemeu uma voz atrás de nós. O homem estava sentado, pálido e transfigurado, com a consciência voltando ao olhar, esfregando com as mãos o largo vergão vermelho ainda visível em volta do seu pescoço.

— O jornal! É claro! — gritou Holmes, num paroxismo de empolgação. — Como fui idiota! Dei tanta importância à nossa visita que o jornal nem me passou pela cabeça. Certamente o segredo está ali. — Ele abriu o jornal sobre a mesa, e um grito de triunfo irrompeu-lhe dos lábios.

— Veja isto, Watson — ele exclamou. — É um jornal de Londres, a primeira edição do *Evening Standard.* Aqui está o que queremos. Veja a manchete "Crime na Cidade. Assassinato na Mawson e Williams. Tentativa Gigantesca de Roubo; Captura do Criminoso". Vamos, Watson, estamos todos igualmente ansiosos para ouvir; portanto, por gentileza, leia em voz alta para nós.

Pela posição no jornal, parecia ter sido o acontecimento mais importante da cidade, e o relato dizia o seguinte:

> Uma tentativa desesperada de roubo, culminando na morte de um homem e na captura do criminoso, aconteceu hoje à tarde na cidade. Já há algum tempo a Mawson e Williams, a famosa instituição financeira, é

depositária de garantias que alcançam, somadas, uma quantia consideravelmente superior a um milhão de libras esterlinas. Tanta consciência tinha o gerente da responsabilidade que sobre ele recaía em consequência dos grandes interesses em jogo que cofres do tipo mais moderno foram utilizados, e um vigia armado guardava o edifício dia e noite. Aparentemente, semana passada, um novo corretor, chamado Hall Pycroft, foi contratado pela firma. Essa pessoa parece não ser ninguém menos que Beddington, o famoso falsário e arrombador, que, junto com seu irmão, foi recentemente libertado após concluir cinco anos de detenção. De alguma maneira, que ainda não ficou clara, ele conseguiu assumir, usando um nome falso, o emprego no escritório, que utilizou para obter moldes das várias fechaduras e ganhar um conhecimento completo da posição da sala de valores e dos cofres.

É costume na Mawson os corretores encerrarem o expediente ao meio-dia, aos sábados. O Sargento Tuson, da polícia da capital, ficou um tanto surpreso, portanto, ao ver um cavalheiro com uma bolsa de lona descendo os degraus às 13h20. Desconfiando do seu comportamento, o sargento seguiu o homem, e, com a ajuda do policial Pollock, após uma resistência desesperada, logrou detê-lo. Imediatamente ficou claro que um roubo ousado e gigantesco havia sido cometido. Quase cem mil libras

> em títulos ferroviários norte-americanos, juntamente com uma grande quantidade de bônus de mineradoras e outras empresas, foram descobertas na bolsa. Ao examinar o local, o corpo do desventurado vigia foi encontrado, dobrado e jogado num dos cofres maiores, onde não teria sido descoberto até segunda-feira de manhã, se não fosse pela pronta ação do Sargento Tuson. O crânio do homem fora esmagado com um golpe de atiçador, desferido por trás. Não restava dúvida de que Beddington conseguira entrar fingindo ter esquecido algo em sua sala, e, depois de assassinar o vigia, saqueara rapidamente o cofre maior, fugindo em seguida com o fruto de sua pilhagem. Seu irmão, que costuma trabalhar com ele, não participou neste golpe, até onde pôde ser averiguado no momento, embora a polícia esteja fazendo vigorosas investigações sobre seu paradeiro.

— Bem, podemos poupar um pouco de trabalho à polícia nessa parte — disse Holmes, olhando para a figura abatida, encolhida perto da janela. — A natureza humana é uma mistura estranha, Watson. Você vê que até um vilão e assassino pode inspirar tamanha afeição que seu irmão recorre ao suicídio quando fica sabendo que seu pescoço está a prêmio. De qualquer forma, não temos escolha quanto ao que fazer agora. O doutor e eu ficaremos de guarda, Sr. Pycroft, se fizer a gentileza de sair e chamar a polícia.

quatro

O GLORIA SCOTT

— Tenho alguns papéis aqui — disse meu amigo Sherlock Holmes, numa noite de inverno, quando estávamos sentados de ambos os lados da lareira — que acho realmente, Watson, que valeria a pena você olhar. São os documentos do extraordinário caso do *Gloria Scott*, e esta é a mensagem que matou de horror o juiz de paz Trevor quando ele a leu.

Ele tirara de uma gaveta um pequeno cilindro desbotado e, desamarrando a fita, me entregou um curto bilhete rabiscado em meia folha de papel cinza.

"O que era jogo para alguns acabou fazendo sucesso", ele dizia. "Hudson tinha faisões; contou que quase tudo se perdeu. Fuja desse prejuízo assim: conserve aqueles que caçar, se puder."

Quando ergui o olhar depois de ler essa mensagem enigmática, vi Holmes rindo da expressão no meu rosto.

— Você parece um pouco intrigado — ele disse.

— Não entendo como uma mensagem como esta poderia inspirar horror. Para mim, parece apenas grotesca, mais nada.

— Provavelmente. Mas a verdade é que o leitor, que era um belo ancião robusto, foi derrubado por ela como se tivesse levado uma coronhada.

— Você desperta a minha curiosidade — falei. — Mas por que disse agora há pouco que havia motivos muito particulares para que eu estudasse esse caso?

— Porque foi o primeiro no qual trabalhei.

Muitas vezes eu tentara saber do meu colega por que ele decidira dedicar-se à pesquisa criminal, mas nunca antes o abordara quando estava num humor comunicativo. Agora ele ergueu o corpo da poltrona e espalhou os documentos sobre os joelhos. Então acendeu o cachimbo e ficou algum tempo fumando e revirando as folhas.

— Você nunca me ouviu falar de Victor Trevor? — ele perguntou. — Foi o único amigo que fiz durante os dois anos em que estudei na faculdade. Nunca fui muito sociável, Watson, preferindo sempre ficar em meus aposentos e exercitar meus metodozinhos mentais, por isso não me misturava muito com os rapazes da minha classe. À parte a esgrima e o boxe, eu tinha poucos pendores atléticos, e minha linha de estudo era bem distinta daquela dos meus colegas, de modo que não tínhamos nenhum ponto de contato. Trevor era o único homem que eu conhecia, e, mesmo assim, apenas acidentalmente, porque uma manhã, quando eu estava indo à capela, seu *bull terrier* mordeu meu calcanhar e não soltou mais.

"Era uma forma prosaica de começar uma amizade, porém foi eficaz. Fiquei imobilizado por dez dias, mas Trevor sempre vinha ver como eu estava. De início, era só um minuto de conversa, mas logo suas visitas se prolongaram, e, antes do final do semestre, tornamo-nos grandes amigos. Ele era um sujeito bonachão e impetuoso, cheio de espírito e energia, o oposto exato de mim na maioria dos aspectos; mas tínhamos alguns interesses em comum, e, quando descobri que ele era tão sem amigos quanto eu, isso selou nossa união. Finalmente, ele me convidou a ir à casa de seu pai em Donnithorpe, Norfolk, e aceitei sua hospitalidade por um mês durante as férias longas.

"O velho Trevor era, evidentemente, um homem de certa riqueza e consideração, juiz de paz e proprietário de terras. Donnithorpe é uma aldeiazinha um pouco ao norte de Langmere, na região das Broads. A casa era uma construção de tijolos antiquada, ampla e com vigas de carvalho, com uma bela alameda ladeada por tílias até a entrada. Os pântanos eram ótimos para a caça de patos selvagens, extraordinariamente bons para a pesca, havia uma biblioteca pequena, porém seleta, herdada, pelo que entendi, de um ocupante anterior, e uma cozinheira tolerável; portanto, só alguém absurdamente exigente não passaria um mês agradável ali.

"Trevor pai era viúvo, e meu amigo era seu filho único. Eu soube que ele tivera uma filha, mas ela morrera de difteria enquanto visitava Birmingham. O pai me interessava extremamente. Era um homem de pouca cultura, mas de considerável força bruta, tanto física quanto mentalmente. Mal conhecia qualquer livro, mas viajara longe, visitara boa parte do mundo e se lembrava de tudo o que aprendera. Pessoalmente, era um homem corpulento e robusto, com o cabelo grisalho e desgrenhado, o rosto bronzeado e castigado pelas intempéries, e olhos azuis penetrantes a ponto de parecerem ferozes. No entanto, ele tinha a reputação de ser gentil e caridoso, e era conhecido pela leniência de seus veredictos no tribunal.

"Uma noite, logo depois da minha chegada, estávamos tomando um cálice de vinho do Porto após o jantar quando o jovem Trevor começou a falar sobre os hábitos de observação e inferência que eu já havia transformado num sistema, embora ainda não tivesse entendido o papel que eles desempenhariam na minha vida. O velho, evidentemente, achou que o filho estivesse exagerando em sua descrição de uma ou duas façanhas triviais que eu realizara.

"'Bem, Sr. Holmes', ele disse, rindo bem-humorado. 'Sou excelente material, se puder deduzir algo de mim.'

"'Temo que não haja muito', respondi. 'Eu poderia sugerir que o senhor sofreu o medo de algum ataque pessoal nos últimos doze meses.'

"O riso desapareceu de seus lábios e ele me olhou com grande surpresa.

"'Ora, isso é verdade mesmo', ele disse. 'Sabe, Victor', virando-se para seu filho, 'quando desmantelamos aquele bando de caçadores ilegais, eles juraram nos apunhalar; e Sir Edward Holly, de fato, foi atacado. Estou sempre em guarda, desde então, embora não faça ideia de como o senhor saiba disso.'

"'O senhor tem uma bengala muito bonita', respondi. 'Pela inscrição, observei que não a possui há mais de um ano. Mas deu-se ao trabalho de perfurar o cabo dela e derramar chumbo derretido no buraco, para transformá-la numa arma formidável. Imaginei que não tomaria tais precauções a menos que temesse algum perigo.'

"'Mais alguma coisa?', ele perguntou, sorrindo.

"'O senhor lutou muito boxe na sua juventude.'

"'Certo de novo. Como sabia? Meu nariz é um pouco torto?'

"'Não', eu disse. 'São suas orelhas. Têm o típico achatamento e inchaço que marca o boxeador.'

"'Mais alguma coisa?'

"'O senhor cavou muito, a julgar pelos seus calos.'

"'Fiz toda a minha fortuna nas minas de ouro.'

"'E esteve na Nova Zelândia.'

"'Certo novamente.'

"'Visitou o Japão.'

"'Verdade absoluta.'

"'E teve um relacionamento muito próximo com alguém cujas iniciais eram J. A., a quem depois ficou ansioso para esquecer completamente.'

"O Sr. Trevor se levantou devagar, pregou seus grandes olhos azuis em mim com uma expressão estranha, tresloucada, e então caiu de cara sobre as cascas de noz espalhadas na toalha de mesa, desmaiado.

"Você pode imaginar, Watson, quanto seu filho e eu ficamos chocados. Seu ataque não durou muito, porém, pois, quando desabotoamos seu colarinho e borrifamos em seu rosto água de uma das lavandas, ele emitiu um ou dois gemidos e se sentou.

"'Ah, rapazes', ele disse, forçando um sorriso, 'espero não tê-los assustado. Por mais que eu pareça forte, tenho um ponto fraco no coração, e não é preciso muito para me derrubar. Não sei como faz isso, Sr. Holmes, mas me parece que todos os detetives da vida real e da imaginação seriam como crianças em suas mãos. Esse é o seu caminho na vida, senhor, e pode aceitar a palavra de um homem que conhece um pouco do mundo.'

"E aquela recomendação, com a exagerada estimativa de minha habilidade que a prefaciou, foi, se quiser acreditar em mim, Watson, a primeira coisa que me fez sentir que aquilo que até aquele momento eu considerara o mais trivial passatempo poderia ser transformado numa profissão. Naquele instante, no entanto, eu estava preocupado demais com o mal súbito do meu anfitrião para pensar em qualquer outra coisa.

"'Espero não ter dito nada que o magoasse', falei.

"'Bem, o senhor certamente tocou num nervo exposto. Posso perguntar como sabe, e quanto sabe?' Ele falava agora em um tom um pouco zombeteiro, mas uma expressão de terror ainda persistia no fundo de seus olhos.

"'É a coisa mais simples do mundo', eu disse. 'Quando o senhor arregaçou as mangas para puxar o peixe para o barco, vi que as iniciais "J. A." haviam sido tatuadas na dobra do seu cotovelo. As letras ainda eram legíveis, mas estava perfeitamente claro, por sua aparência borrada e pelas manchas na pele ao redor delas, que esforços haviam sido feitos para obliterá-las. Era óbvio, então, que aquelas iniciais foram um dia muito familiares para o senhor, e que mais tarde desejou esquecê-las.'

"'Que olho o senhor tem!', ele exclamou, com um suspiro de alívio. 'É exatamente como disse. Mas não falaremos disso. De todos os fantasmas, aqueles de nossas antigas amantes são os piores. Venha para o salão de bilhar e fumemos um charuto em silêncio.'

"Daquele dia em diante, em meio a toda a sua cordialidade, sempre havia a sombra de uma suspeita na atitude do Sr. Trevor para comigo. Até seu filho comentou a respeito. 'Você deu tamanho susto no velho', o rapaz disse, 'que ele nunca mais vai ter certeza do que você sabe e do que não sabe.' Ele não queria demonstrar, tenho certeza, mas o fato estava tão gravado em sua mente que transparecia em cada ação sua. Finalmente, convenci-me de tal maneira de que eu estava lhe causando desconforto que encurtei minha visita. Exatamente na véspera, porém, da minha partida, aconteceu um incidente que, na sequência, provou ser importante.

"Estávamos sentados no gramado, em cadeiras de jardim, nós três, aquecendo-nos ao sol e admirando o panorama das Broads, quando uma criada saiu para avisar que havia um homem à porta que queria ver o Sr. Trevor.

"'Qual o nome dele?', perguntou o meu anfitrião.

"'Ele não disse.'

"'O que ele quer, então?'

"'Disse que o senhor o conhece, e que só deseja conversar por um momento.'

"'Traga-o aqui.' Um instante depois, apareceu um sujeitinho ressecado, de gestos encolhidos e andar trôpego. Usava um casaco aberto, com uma mancha de alcatrão na manga, camisa xadrez vermelha e preta, calça de lona e botas pesadas bem gastas. Seu rosto era magro, tostado e matreiro, com um eterno sorriso que revelava uma fileira irregular de dentes amarelos, e suas mãos enrugadas estavam semicerradas de uma maneira que é característica dos marinheiros. Enquanto ele avançava gingando pela grama, ouvi o Sr. Trevor fazer um ruído como o de um soluço com a garganta e, saltando de sua cadeira, correr para dentro da casa. Voltou um momento depois, e senti um forte cheiro de *brandy* quando ele passou por mim.

"'E então, bom homem', ele disse. 'O que posso fazer por você?'

"O marinheiro ficou a encará-lo com os olhos apertados, e com o mesmo sorriso aberto no rosto.

"'Não me reconhece?', ele perguntou.

"'Ora, céus, se não é Hudson!', disse o Sr. Trevor, com tom de surpresa.

"'Hudson mesmo, senhor', confirmou o marujo. 'Ora, faz mais de trinta anos que o vi pela última vez. Aí está o senhor em sua casa, e eu ainda procurando comida no barril do convés.'

"'Calma, você verá que não esqueci os velhos tempos', exclamou o Sr. Trevor, e, indo até o marinheiro, disse-lhe algo em voz baixa. 'Vá para a cozinha', continuou em voz alta, 'e terá comida e bebida. Não tenho dúvida de que encontrarei uma ocupação para você.'

"'Obrigado, senhor', disse o marujo, tocando a testa. 'Acabo de desembarcar de dois anos numa traineira de oito nós, com poucos tripulantes, ainda por cima, e preciso descansar. Pensei em procurar o Sr. Beddoes ou o senhor.'

"'Ah!', exclamou Trevor. 'Você sabe onde o Sr. Beddoes está?'

"'Bom Deus, senhor, sei onde todos os meus velhos amigos estão', disse o camarada, com um sorriso sinistro, e se arrastou atrás da criada, rumo à cozinha. O Sr. Trevor resmungou alguma coisa para nós sobre ter sido companheiro de viagem do homem ao voltar para as minas, e então, deixando-nos no jardim, entrou em casa. Uma hora depois, quando entramos, nós o encontramos caindo de bêbado no sofá da sala de jantar. Todo o incidente deixou uma péssima impressão em minha mente, e não lamentei, no dia seguinte, deixar Donnithorpe para trás, pois sentia que minha presença devia ser motivo de constrangimento para meu amigo.

"Tudo isso aconteceu durante o primeiro mês das férias longas. Subi para meus aposentos em Londres, onde passei sete semanas trabalhando em alguns experimentos de química orgânica. Um dia, porém, quando o outono já ia avançado e as férias chegavam ao fim, recebi um telegrama do meu amigo implorando que eu voltasse para Donnithorpe, e dizendo que ele precisava muito dos meus conselhos e da minha ajuda. Naturalmente, larguei tudo e parti para o norte mais uma vez.

"Ele veio me encontrar com a charrete na estação, e vi imediatamente que os últimos dois meses haviam sido muito difíceis para ele. Emagrecera e se descuidara, e perdera o comportamento ruidoso e alegre que o tornava notável.

"'O velho está morrendo', foram as primeiras palavras que ele disse.

"'Impossível!', exclamei. 'O que aconteceu?'

"'Apoplexia. Colapso nervoso. Esteve à beira da morte o dia todo. Duvido que o encontremos vivo.'

"Eu fiquei, como você pode imaginar, Watson, horrorizado com aquela notícia inesperada.

"'O que o causou?', perguntei.

"'Ah, essa é a questão. Suba e conversaremos no caminho. Lembra-se daquele sujeito que apareceu uma noite antes que você partisse?'

"'Perfeitamente.'

"'Sabe quem foi que deixamos entrar em casa naquele dia?'

"'Não faço ideia.'

"'Era o diabo, Holmes!', ele exclamou.

"Olhei para ele, assombrado.

"'Sim, o diabo em pessoa. Não tivemos uma hora de paz desde então — uma só. O velho nunca mais se recuperou daquela noite, e agora a vida foi arrancada de seu corpo e seu coração está partido, tudo graças àquele maldito Hudson.'

"'Que poder ele tinha, então?'

"'Ah, isso é o que eu pagaria caro para saber. O gentil, caridoso, bom velho! Como pode ter caído nas garras de um rufião daqueles? Mas fico tão feliz que você tenha vindo, Holmes. Confio muito no seu raciocínio e discrição, e sei que me aconselhará a seguir o melhor caminho.'

"Estávamos rodando pela branca e plana estrada rural, com a longa extensão das Broads diante de nós, brilhando à luz avermelhada do sol poente. De um arvoredo à nossa esquerda, eu já podia divisar as altas chaminés e o mastro de bandeira que marcavam a moradia do juiz.

"'Meu pai contratou o sujeito como jardineiro', disse meu colega, 'e então, como se isso não o satisfizesse, ele foi promovido a mordomo. A casa parecia estar à sua mercê, e ele zanzava e fazia o que bem entendesse nela. As criadas se queixavam de suas bebedeiras e de seu linguajar chulo. Então meu pai aumentou os salários de todos para compensá-los pelo aborrecimento. O camarada pegava o barco e o melhor fuzil de meu pai e promovia festinhas de caça. E tudo isso com uma expressão tão zombeteira, irônica, insolente, que eu o teria derrubado vinte vezes se ele fosse da minha idade. Estou dizendo, Holmes, tenho precisado me controlar todo esse tempo, e agora estou me perguntando se não teria sido mais sensato ceder um pouco mais aos meus ímpetos.

"'Bem, as coisas foram de mal a pior para nós, e esse animal do Hudson se tornou cada vez mais intrometido, até que finalmente, um dia, quando ele deu alguma resposta insolente ao meu pai na minha presença, eu o agarrei pelos ombros e o expulsei da sala. Ele se afastou com o rosto lívido e dois olhos peçonhentos que endereçavam mais ameaças do que sua língua seria capaz. Não sei o que se passou entre meu pobre pai e ele, depois disso, mas meu pai me procurou no dia seguinte e perguntou se eu me incomodaria em pedir desculpas a Hudson. Recusei, como você pode imaginar, e perguntei ao meu pai como ele podia permitir que aquele miserável tomasse tantas liberdades com ele e com sua casa.

"'"Ah, meu rapaz", ele disse, "falar é muito fácil, mas você não sabe em que posição me encontro. Mas saberá, Victor. Farei com que saiba, haja o que houver! Você não pensaria mal de seu pobre pai, pensaria, rapaz?" Ele estava muito comovido, e se trancou no escritório o dia todo, onde eu podia ver pela janela que ele escrevia sofregamente.

"'Naquela noite, houve o que me pareceu ser uma grande libertação, pois Hudson disse que iria nos deixar. Ele foi até a sala de jantar, onde estávamos após a refeição, e anunciou sua intenção com a voz rouca de um homem meio ébrio.

"'"Estou farto de Norfolk", ele disse. "Vou procurar o Sr. Beddoes, em Hampshire. Ouso dizer que ele ficará tão feliz em me ver quanto o senhor ficou."

"'"Você não está partindo ressentido, Hudson, eu espero", disse meu pai, com uma mansidão que fazia meu sangue ferver.

"'"Ninguém me pediu desculpas", ele disse em tom agastado, olhando na minha direção.

"'"Victor, você reconhece que tratou este valoroso sujeito um tanto rudemente?", disse meu pai, virando-se para mim.

"'"Pelo contrário, acho que nós dois demonstramos uma paciência extraordinária com ele", respondi.

"'"Ah, você acha, é?", ele rosnou. "Muito bem, meu caro. Isso veremos!" Ele se arrastou para fora da sala, e meia hora depois saiu da casa, deixando meu pai num nervosismo deplorável. Noite após noite, eu o ouvia andando pelo quarto, e foi quando ele estava recuperando a confiança que o golpe finalmente o atingiu.'

"'E como?', perguntei ansiosamente.

"'Da forma mais extraordinária. Uma carta chegou para o meu pai na noite de ontem, com carimbo de Fordingbridge. Meu pai a leu, bateu as duas mãos na cabeça e começou a correr pela sala em pequenos círculos, como um homem que tivesse sido privado de sua lucidez. Quando finalmente o puxei para o sofá, sua boca e suas pálpebras estavam repuxadas para um lado, e percebi que ele sofrera um derrame. O Dr. Fordham veio imediatamente e nós o pusemos na cama; mas a paralisia se espalhou, ele não mostrou mais nenhum sinal de recobrar a consciência, e acho que não o encontraremos vivo.'

"'Você me deixa horrorizado, Trevor!', exclamei. 'O que, então, poderia haver nessa carta para causar um resultado tão pavoroso?'

"'Nada. Essa é a parte inexplicável. A mensagem era absurda e trivial. Ah, meu Deus, aconteceu o que eu temia!'

"Enquanto ele falava, fazíamos a curva da avenida, e vimos, à luz fraca do crepúsculo, que todas as venezianas da casa estavam fechadas. Quando corremos para a porta, o rosto do meu amigo contorcido de dor, um cavalheiro de preto saiu dela.

"'Quando aconteceu, doutor?', perguntou Trevor.

"'Quase imediatamente depois que o senhor partiu.'

"'Ele recobrou a consciência?'

"'Por um instante, antes do fim.'

"'Alguma mensagem para mim?'

"'Somente que os papéis estão na gaveta do fundo do armário japonês.'

"Meu amigo subiu com o médico para o aposento da morte, enquanto fiquei no escritório, revirando o caso todo em minha mente várias vezes, e me sentindo soturno como nunca antes em minha vida. Qual era o passado de Trevor pai: pugilista, viajante e garimpeiro; e como ele se colocara em poder desse marinheiro de rosto azedo? Por que, também, ele desmaiaria à menção das iniciais semiapagadas em seu braço, e morreria de susto ao receber uma carta de Fordingbridge? Então lembrei que Fordinbridge ficava em Hampshire, e que esse Sr. Beddoes, que o marinheiro fora visitar, e presumivelmente chantagear também, conforme disseram, morava em Hampshire. A carta, então, poderia ter vindo de Hudson, o marinheiro, anunciando que ele traíra o segredo acusador que parecia existir, ou poderia ter vindo de Beddoes, avisando um velho confederado que tal traição era iminente. Até aí, tudo parecia bastante claro. Mas, então, como podia essa carta ser trivial e grotesca, como a descrevera o filho? Ele deve tê-la lido mal. Nesse caso, devia ter sido usado um daqueles engenhosos códigos secretos que significam uma coisa enquanto parecem significar outra. Eu precisava ver a carta. Se houvesse um significado oculto nela, eu estava confiante de que poderia extraí-lo. Por uma hora fiquei ponderando sobre isso na penumbra, até que finalmente uma criada em lágrimas trouxe uma lanterna, e seguindo-a de perto chegou meu amigo Trevor, pálido, porém controlado, com estes mesmos papéis, que estão sobre meus joelhos, em suas mãos. Ele se sentou na minha frente, puxou a lanterna para a beirada da mesa e me entregou um curto bilhete rabiscado, como você vê, numa única folha de papel cinza. 'O que era jogo para alguns acabou fazendo sucesso', dizia. 'Hudson tinha faisões; contou que quase tudo se perdeu. Fuja desse prejuízo assim: conserve aqueles que caçar, se puder.'

"Ouso dizer que minha expressão era tão estupefata quanto a sua agora há pouco, depois que li o bilhete pela primeira vez. Então eu o reli muito cuidadosamente. Era óbvio que, como eu supusera, alguma mensagem oculta devia estar enterrada naquela estranha combinação de palavras. Ou será que havia um significado previamente combinado para expressões como 'conserve' e 'faisões'? Tal significado seria arbitrário, e não poderia ser deduzido de forma alguma. No entanto, eu relutava em acreditar que esse fosse o caso, e a presença da palavra 'Hudson' parecia demonstrar que o assunto da mensagem era o que eu imaginava, e que ela vinha de Beddoes, não do marinheiro. Tentei lê-la de trás para diante, mas a combinação "puder se caçar" não era encorajadora. Depois tentei palavras alternadas, mas nem "o era para", nem "que jogo alguns" prometiam elucidar o significado. Então, num instante, a chave do enigma caiu nas minhas mãos, e vi que uma a cada três palavras, começando com a primeira, formavam uma mensagem que poderia levar o velho Trevor ao desespero.

"Era curto e direto o aviso, como então o li para o meu colega:

"'O jogo acabou. Hudson contou tudo. Fuja assim que puder.'

"Victor Trevor afundou o rosto nas mãos trêmulas. 'Acho que deve ser isso', ele disse. 'É pior do que a morte, porque significa a desgraça também. Mas qual o significado dessas referências a "caçar" e "faisões"?'

"'Não significa nada para a mensagem, mas poderia significar muito, para nós, se não tivéssemos outros meios de descobrir o remetente. Veja que ele começou escrevendo "O... jogo... acabou", e assim por diante. Depois precisava, para usar o código preestabelecido, preencher cada espaço com duas palavras. Ele naturalmente usaria as primeiras palavras que lhe vinham à mente, e, se há tantas que fazem referência à caça entre elas, pode ter quase certeza de que ele era apaixonado por caça ou interessado na criação de aves. Você sabe alguma coisa sobre esse Beddoes?'

"'Ora, agora que você mencionou isso', ele disse, 'lembro que meu pobre pai costumava ser convidado por ele para caçar em suas reservas todo outono.'

"'Então, sem dúvida, foi ele quem mandou o bilhete', eu disse. 'Só nos resta descobrir que segredo o marinheiro Hudson parece ter segurado sobre a cabeça desses dois homens ricos e respeitados.'

"'Ai de mim, Holmes, temo que ele seja cheio de pecado e vergonha!', exclamou meu amigo. 'Mas não terei segredos para você. Aqui está a declaração escrita por meu pai quando ele soube que o perigo de Hudson se tornara iminente. Encontrei-a no armário japonês, como ele contou ao médico.

Pegue-a e leia-a para mim, pois não tenho nem força nem coragem para fazê-lo.'

"Estes são os próprios papéis, Watson, que ele me entregou, e vou lê-los para você como os li no velho escritório para ele naquela noite. Estão endossados no envelope, como vê, 'Alguns particulares da viagem da embarcação *Gloria Scott*, de sua partida de Falmouth em 8 de outubro de 1855 à sua destruição na latitude norte 15º 20', longitude oeste 25º 14', em 6 de novembro.' Está na forma de uma carta, e diz o seguinte:

"'Meu caro, caro filho, agora que a iminente desgraça começa a escurecer os últimos anos da minha vida, posso escrever com toda a verdade e honestidade que não é o terror da lei, não é a perda da minha posição na cidade, nem minha decadência aos olhos de todos aqueles que me conheceram o que me corta o coração; mas é pensar que você deva corar de vergonha de mim — você, que me ama, e que raramente, espero, teve motivos para deixar de me respeitar. Mas, se vier o golpe que sempre me ameaçou, então quero que leia isto, para que saiba diretamente de mim até que ponto tenho culpa. Por outro lado, se tudo correr bem (que o bom Deus Todo-Poderoso assim permita!), então, se por acaso este papel não for destruído e cair em suas mãos, rogo por tudo o que você considera sagrado, pela memória da sua finada mãe e pelo amor que existiu entre nós, que o lance ao fogo e nunca mais pense nele.

"'Se, então, seus olhos continuam a ler esta linha, é porque já fui desmascarado e arrancado de meu lar, ou, o que é mais provável — pois você sabe que meu coração é fraco —, jazo com meus lábios selados para sempre na morte. Em qualquer um dos casos, o tempo do segredo já passou, e cada palavra que direi agora é a verdade nua e crua; e isso eu juro em nome da minha esperança de misericórdia.

"'Meu nome, caro rapaz, não é Trevor. Eu era James Armitage na juventude, e você pode entender agora o choque que foi, para mim, algumas semanas atrás, quando seu amigo da faculdade usou comigo palavras que pareciam insinuar que ele desvendara meu segredo. Foi como Armitage que fui trabalhar num banco londrino, e como Armitage fui condenado por infringir as leis do meu país, e sentenciado à deportação. Não me julgue duramente demais, rapaz. Era uma assim chamada dívida de honra que eu precisava pagar, e usei dinheiro que não era meu para fazê-lo, na certeza de que conseguiria devolvê-lo antes que houvesse qualquer possibilidade de que dessem pela falta dele. Mas o pior dos azares me perseguia. O dinheiro com o qual eu contava nunca chegou às minhas mãos, e um exame prematuro das contas expôs a minha falta. O caso poderia ter sido tratado com leniência, mas há trinta anos as leis eram administradas de forma mais dura do que agora, e, no meu 21º aniversário, me vi acorrentado como um criminoso, com 37 outros condenados, no porão do navio *Gloria Scott*, rumo à Austrália.

"'O ano era 1855, a Guerra da Crimeia estava no auge, e a maior parte dos velhos navios de prisioneiros havia sido usada para transportar tropas no Mar Negro. O governo foi obrigado, portanto, a usar embarcações menores e menos adequadas para deportar seus prisioneiros. O *Gloria Scott* era utilizado no comércio de chá chinês, mas era uma embarcação antiquada, pesada, larga, e os novos veleiros rápidos a aposentaram. Era um barco de 500 toneladas, e, além dos 38 prisioneiros, carregava 26 tripulantes, 18 soldados, um capitão, três imediatos, um médico, um capelão e quatro vigias. Quase cem almas estavam nele, no total, quando zarpamos de Falmouth.

"'As divisões entre as celas dos presos, em vez de serem de carvalho maciço, como de costume nos navios de prisioneiros, eram bastante finas e frágeis. O homem na cela contígua à minha, do lado da popa, era alguém que eu notara particularmente quando fomos levados pelo cais. Era um jovem de rosto claro e imberbe, nariz longo e fino e queixo um tanto forte. Ele andava de cabeça bem erguida, com um ar de insolência, e era, acima de tudo, notável por sua altura extraordinária. Acho que a cabeça de nenhum de nós chegaria aos seus ombros, e tenho certeza de que ele não devia medir menos de dois metros. Era estranho, entre tantos rostos tristes e cansados, ver um tão cheio de energia e determinação. Vê-lo foi, para mim, como fogo em meio a uma tempestade de gelo. Fiquei feliz, portanto, ao descobrir que ele era meu vizinho, e mais feliz ainda quando, no meio da noite, ouvi um sussurro perto do meu ouvido, e descobri que ele conseguira abrir um buraco na tábua que nos separava.

""“Olá, amigo!”, disse ele. “Qual é o seu nome e por que você está aqui?”

"‘Respondi e, por minha vez, perguntei com quem eu estava falando.

""“Sou Jack Prendergast”, ele disse, “e, juro por Deus, você ainda vai abençoar meu nome.”

"‘Lembrei-me de ter ouvido falar do caso dele, pois ele causara imensa sensação em todo o país, antes da minha prisão. Ele era um homem de boa família e grande habilidade, mas incurável em seus maus hábitos, que obtivera, por meio de um engenhoso sistema de fraude, altas quantias dos principais comerciantes de Londres.

""“Ha, ha! Você se lembra do meu caso!”, ele disse com orgulho.

""“Muito bem, na verdade.”

""“Então talvez se lembre de algo estranho nele.”

""“O quê?”

""“Eu tinha quase um quarto de milhão, não tinha?”

""“Era o que diziam.”

""“Mas nada foi recuperado, certo?”

""“Não.”

""“Bem, onde você imagina que o restante tenha ido parar?”, ele perguntou.

"""Não faço ideia", eu disse.

"""Bem aqui, entre meu indicador e meu polegar", ele exclamou. "Por Deus, tenho mais libras em meu nome do que você tem cabelos na cabeça. E quando você tem dinheiro, meu filho, e sabe como usá-lo e espalhá-lo, pode fazer *qualquer coisa*! Agora, você não acha que um homem capaz de fazer qualquer coisa vai gastar os fundilhos das calças sentado no porão fedorento do caixão velho infestado de ratos e baratas que é este navio mercante chinês? Não, senhor, um homem assim sabe se cuidar, e cuidar dos seus camaradas. Pode apostar nisso! Fique perto dele e pode ter certeza de que ele o ajudará."

"'Esse era seu jeito de falar, e a princípio achei que não significasse nada; mas com o tempo, depois de me pôr à prova e me fazer jurar segredo com toda a solenidade possível, ele deu a entender que realmente havia um complô para assumir o comando do navio. Uma dúzia dos prisioneiros preparara o plano antes de subir a bordo: Prendergast era o líder, e seu dinheiro era o motivador.

"""Tive um comparsa", ele disse "um raro homem bom, tão confiável quanto um cavalo velho. Ele tem dinheiro, tem, sim, e onde acha que ele está, neste momento? Ora, é o capelão deste navio — o capelão, imagine só! Embarcou de casaco preto, documentos em ordem, e dinheiro suficiente em sua caixa para comprar a barca toda, da quilha até o convés. A tripulação é dele de corpo e alma. Ele os comprou no atacado, com desconto, e fez isso antes que fossem contratados. Também são dele dois dos vigias e Mercer, o segundo imediato, e ele compraria até o capitão, se achasse que valeria a pena."

"'"O que devemos fazer, então?", perguntei.

"'"O que você acha?", ele disse. "Deixar os casacos de alguns desses soldados até mais vermelhos do que o alfaiate os fez."

"'"Mas eles estão armados", repliquei.

"'"Nós também estaremos, meu rapaz. Há um par de pistolas para cada um de nós, e, se não pudermos tomar este navio com a tripulação nos apoiando, é melhor que nos mandem para um internato de moças. Fale com seu camarada da esquerda esta noite, e veja se ele é de confiança."

"'Fiz isso, e descobri que meu outro vizinho era um jovem numa situação bem parecida com a minha, um falsário. Seu nome era Evans, mas depois ele o mudou, como eu, e agora é um homem rico e próspero no sul da Inglaterra. Ele estava totalmente disposto a se unir à conspiração, como o único meio de nos salvarmos, e, antes de atravessarmos a baía, só dois dos prisioneiros não sabiam do segredo. Um deles tinha a mente fraca e não ousamos confiar nele, e o outro sofria de icterícia e não seria de nenhuma utilidade para nós.

"'Desde o início, não houve realmente nada que nos impedisse de tomar posse do navio. A tripulação era um bando de rufiões, especialmente selecionados para esse trabalho. O falso capelão entrava na nossa cela para nos exortar, carregando uma bolsa preta supostamente cheia de hinários; e vinha com tanta frequência que no terceiro dia cada um de nós tinha, guardados no pé da cama, um formão, duas pistolas, meio quilo de pólvora e vinte balas. Dois dos vigias eram homens de Prendergast, e o segundo imediato era o seu braço direito. O capitão, os dois imediatos, dois vigias, o tenente Martin, seus 18 soldados e o médico eram todos os que estavam contra nós. No entanto, por mais seguro que fosse, decidimos não negligenciar nenhuma precaução, e fazer nosso ataque de surpresa, à noite. Ele aconteceu, todavia, mais rapidamente do que esperávamos, e desta forma:

"'Uma noite, lá pela terceira semana depois da nossa partida, o médico viera ver um dos prisioneiros, que estava doente, e, ao pôr a mão sobre o pé do seu catre, sentiu o volume das pistolas. Se tivesse ficado quieto, ele poderia ter desbaratado todo o plano; mas era um sujeitinho nervoso, por isso deu um grito de surpresa e ficou tão pálido que o prisioneiro percebeu num instante o que estava acontecendo e o agarrou. Ele foi amordaçado e amarrado na cama antes de conseguir dar o alarme. O médico havia destrancado a porta que dava para o convés, e nós saímos por ela em tropel. As duas sentinelas foram baleadas, bem como um cabo que viera correndo para ver o que estava acontecendo. Havia mais dois soldados na porta da cabine onde dormiam, e seus mosquetes pareciam estar descarregados, porque eles não atiraram em nós, e foram mortos enquanto tentavam atarraxar as baionetas. Então entramos na cabine do capitão, mas, quando empurramos a porta, veio uma explosão lá de dentro, e lá estava ele com a cabeça sobre o mapa do Atlântico, que era afixado no tampo da mesa, enquanto o capelão estava de pé, empunhando uma pistola fumegante, ao seu lado. Os dois imediatos haviam sido capturados pela tripulação, e a coisa toda parecia ter sido decidida.

"'A cabine dos soldados ficava perto da do capitão, e nós entramos nela e desabamos sobre os sofás, todos falando ao mesmo tempo, pois estávamos enlouquecidos pela sensação de sermos novamente livres. Havia armários ao redor, e Wilson, o falso capelão, arrombou um e tirou dele uma dúzia de garrafas de xerez marrom. Quebramos os gargalos das garrafas, derramamos o líquido em pequenos copos e estávamos a entorná-los quando, num instante, sem aviso, o estrondo de mosquetes chegou aos nossos ouvidos, e o salão ficou tão cheio de fumaça que não conseguíamos enxergar o outro lado da mesa. Quando a fumaça clareou, o lugar estava um caos. Wilson e mais oito se estrebuchavam no chão, e o sangue e o xerez sobre aquela mesa ainda me dão náuseas quando penso neles. Ficamos tão intimidados por aquela visão que acho que teríamos desistido da empreitada se não fosse por Prendergast. Ele urrou como um touro e correu para a porta, com todos os sobreviventes em seu encalço. Saímos, e na popa estavam o tenente e dez de seus homens. As claraboias sobre a mesa do salão estavam entreabertas, e eles haviam atirado em nós pelas frestas. Nós os alcançamos antes que pudessem recarregar as armas, e eles lutaram como homens, mas estávamos em maior número; em cinco minutos, tudo estava acabado. Meu Deus! Já houve um matadouro como aquele navio? Prendergast parecia um demônio em fúria, pegava os soldados como se fossem crianças e os jogava no mar, vivos ou mortos. Havia um sargento horrivelmente ferido, mas que continuou nadando por um tempo surpreendente, até que alguém, por misericórdia, estourou-lhe os miolos. Quando a luta acabou, não restava um só dos nossos inimigos além dos vigias, os imediatos e o médico.

"'Foi por causa deles que a grande discussão começou. Muitos entre nós já estavam felizes em reconquistar a liberdade, mas não desejavam ter assassinatos na consciência. Uma coisa era abater os soldados de mosquete nas mãos, outra era vê-los sendo mortos a sangue-frio. Oito de nós, cinco prisioneiros e três marinheiros, disseram que não compactuariam com isso. Mas não havia como demover Prendergast e os que estavam com ele. Nossa única oportunidade de segurança consistia em completar o serviço, Prendergast dizia, e ele não deixaria uma língua viva para tagarelar num banco das testemunhas. Nós oito quase tivemos o mesmo fim dos homens capturados, mas finalmente ele disse que, se quiséssemos, poderíamos pegar um bote e ir embora. Aceitamos a oferta, pois já estávamos enojados com toda aquela matança, e percebíamos que haveria coisa pior antes que acabasse. Cada uma de nós recebeu um uniforme de marinheiro, um barril de água, dois tambores, um de carne-seca e outro de biscoitos, e uma bússola. Prendergast nos jogou um mapa, disse que éramos marinheiros naufragados cujo navio afundara na latitude 15º norte e longitude 25º oeste, cortou o proiz e nos deixou partir.

"'E agora vem a parte mais surpreendente da minha história, querido filho. Os marinheiros haviam recolhido a verga mais baixa do mastro de proa durante o levante, mas agora, enquanto partíamos, eles a desfraldaram novamente e, como soprava um vento leve do nordeste, a embarcação começou a se afastar lentamente de nós. Nosso bote subia e descia sobre as ondas longas e calmas, e Evans e eu, que éramos os mais instruídos do grupo, estávamos tentando calcular nossa posição e planejando para que costa seguir. Era uma boa pergunta, já que Cabo Verde estava a uns 800 quilômetros ao nosso norte, e a costa africana, cerca de 1.300 quilômetros a leste. No geral, como o vento estava vindo do norte, achamos que Serra Leoa seria o melhor, e apontamos nessa direção, com o navio, naquele momento, quase sumindo no horizonte a estibordo. De repente, quando olhamos para ele, vimos uma densa nuvem negra de fumaça saindo da embarcação e pairando como uma árvore monstruosa no horizonte. Alguns segundos depois, um estrondo como o de um trovão atingiu nossos ouvidos, e, quando a fumaça se dissipou, não havia nem sinal do *Gloria Scott*. Imediatamente viramos o bote novamente e remamos com todas as forças para o lugar onde a névoa, ainda pairando sobre a água, marcava o local da catástrofe.

"'Uma longa hora passou antes que o alcançássemos, e de início tememos ter chegado tarde demais para salvar alguém. Um bote despedaçado e vários caixotes e fragmentos de mastros subindo e descendo sobre as ondas nos mostravam onde o navio afundara, mas não havia nenhum sinal de vida, e já havíamos perdido a esperança e virado o bote quando ouvimos um pedido de ajuda, e vimos, a alguma distância, um destroço com um homem deitado sobre ele. Quando o puxamos a bordo, ele provou ser um jovem marinheiro chamado Hudson, tão queimado e exausto que, até a manhã seguinte, foi incapaz de nos contar o que acontecera.

"'Aparentemente, depois que partimos, Prendergast e seu bando procederam à execução dos cinco prisioneiros restantes: os dois vigias foram baleados e jogados ao mar, e também o terceiro imediato. Prendergast, então, desceu para a coberta, e com suas próprias mãos degolou o desventurado médico. Só restava o primeiro imediato, que era um homem ousado e ativo. Quando ele viu o prisioneiro se aproximando, empunhando a faca ensanguentada — desvencilhara-se das amarras, que de alguma forma conseguira afrouxar — e correndo pelo convés, enfiou-se no porão de popa.

"'Uma dúzia de prisioneiros que desceram com suas

pistolas o encontraram com uma caixa de fósforos na mão, sentado sobre um barril de pólvora aberto, um dos cem que havia a bordo, e jurando que explodiria tudo se fosse maltratado de qualquer forma. Um instante depois, a explosão aconteceu, embora Hudson achasse que ela fora causada pela bala perdida de um dos prisioneiros, e não pelo fósforo do imediato. Fosse qual fosse a causa, foi o fim do *Gloria Scott* e da corja que dele se apossara.

"'Essa, em poucas palavras, caro rapaz, é a história desse terrível caso no qual me envolvi. No dia seguinte, fomos resgatados pelo brigue *Hotspur*, a caminho da Austrália, cujo capitão não achou difícil acreditar que fôssemos sobreviventes de um navio de passageiros que afundara. O navio de prisioneiros *Gloria Scott* foi dado pelo almirantado como perdido no mar, e nenhuma palavra jamais transpirou sobre seu verdadeiro destino. Depois de uma excelente viagem, o *Hotspur* nos deixou em Sydney, onde Evans e eu mudamos nossos nomes e fomos para os garimpos, nos quais, entre as multidões reunidas ali, de todas as nacionalidades, não foi difícil perder nossas antigas identidades.

"'O resto eu não preciso contar. Prosperamos, viajamos, voltamos como ricos colonos à Inglaterra e compramos propriedades rurais. Por mais de vinte anos, levamos vidas sossegadas e úteis, e esperávamos que nosso passado ficasse sepultado para sempre. Imagine, então, meus sentimentos quando, no marinheiro que nos procurou, reconheci instantaneamente o homem que recolhêramos dos destroços! Ele nos localizara de alguma forma, e estava determinado a viver dos nossos temores. Você entenderá, agora, por que eu tentava ficar em paz com ele, e de alguma forma será solidário ao pavor que me acomete, agora que ele passou de mim à sua outra vítima, com ameaças na ponta da língua.'

"Embaixo está escrito, numa letra tão trêmula que mal é legível: 'Beddoes escreveu em código para dizer que H. contou tudo. Senhor amado, tenha piedade de nós!'.

"Essa foi a narrativa que li naquela noite para o jovem Trevor, e eu acho, Watson, que, dadas as circunstâncias, ela foi dramática. O bom camarada ficou arrasado e foi se refugiar nas plantações de chá do Terai, onde ouvi dizer que ele está bem. Quanto ao marinheiro e a Beddoes, nunca mais se soube de nenhum dos dois depois do dia em que a carta com o aviso foi escrita. Ambos desapareceram total e completamente. Nenhuma queixa foi feita à polícia, o que indica que Beddoes confundiu uma ameaça com um ato. Hudson fora visto perambulando, e a polícia acredita que ele tenha dado cabo de Beddoes e fugido. Quanto a mim, acredito que a verdade seja exatamente o contrário. Acho que o mais provável seja que Beddoes, levado ao desespero, e acreditando-se já traído, tenha se vingado de Hudson e fugido do país com todo o dinheiro em que pôde pôr as mãos. Esses são os fatos do caso, doutor, e, se eles forem de qualquer utilidade para a sua coleção, certamente eu os ponho de bom grado à sua disposição."

cinco

O RITUAL DOS MUSGRAVE

Uma anomalia que muitas vezes me impressionava na personalidade do meu amigo Sherlock Holmes era que, embora em seus métodos mentais ele fosse o espécime humano mais organizado e metódico, e também afetasse certa discreta sobriedade ao se vestir, ele era, apesar disso, em seus hábitos pessoais, um dos mais desordeiros homens que já causaram o desespero de um colega de moradia. Não que eu mesmo seja minimamente convencional. O trabalho rústico no Afeganistão, agravando uma disposição boêmia natural, tornou-me ligeiramente mais relapso do que conviria a um homem de medicina. Mas eu tenho um limite, e, quando vejo um homem que guarda seus charutos no postigo do carvão, seu tabaco na ponta de uma chinela persa e sua correspondência não lida espetada bem no meio da moldura da lareira com um canivete, então começo a me considerar virtuoso. Sempre acreditei, além disso, que a prática de tiro deveria ser um passatempo exercido unicamente ao ar livre; quando Holmes, num dos seus estranhos humores, se sentava numa poltrona com o dedo no gatilho e cem cartuchos Boxer e procedia a adornar a parede em frente com um patriótico V. R. feito de buracos de bala, eu sentia com convicção que isso não melhorava nem a atmosfera, nem a aparência de nossa sala.

Nossos aposentos estavam sempre cheios de produtos químicos e relíquias criminais que tinham a mania de se meter em cantos improváveis e aparecer na manteigueira, ou em lugares até menos desejáveis. Mas sua papelada era a minha grande cruz. Ele tinha horror a destruir documentos, especialmente aqueles relacionados a seus casos passados, mas somente a cada um ou dois anos reunia forças para etiquetá-los e organizá-los, pois, como já mencionei em alguma parte destas incoerentes memórias, as explosões de energia passional durante as quais ele realizava as notáveis façanhas às quais seu nome é associado eram seguidas por reações de letargia em que ele se espraiava entre seu violino e seus livros, mal se movendo, exceto para passar do sofá à mesa. Assim, mês após mês, os papéis se acumulavam, até que cada canto da sala ficava ocupado por pilhas de manuscritos que não deveriam em hipótese alguma ser queimados, e que não podiam ser guardados a não ser pelo seu proprietário.

Numa noite de inverno, quando nos sentávamos junto à lareira, ousei sugerir-lhe que, como ele terminara de colar recortes em seu álbum, poderia empregar as duas horas seguintes para tornar nossa sala um pouco mais habitável. Ele não podia negar a justiça do meu pedido, por isso, com uma expressão um tanto contrariada, foi para o seu quarto, de onde voltou em seguida puxando uma grande caixa de metal atrás de si. Ele a colocou no meio da sala e, agachando-se sobre um banco diante dela, abriu a tampa. Eu podia ver que um terço dela já estava preenchido por pilhas de papéis amarrados com fita vermelha em vários maços.

— Já há muitos casos aqui, Watson — ele disse, me encarando com malícia no olhar. — Acho que, se você soubesse tudo o que tenho nesta caixa, iria me pedir para tirar alguns dela, em vez de guardar outros.

— São registros de seus primeiros trabalhos, então? — perguntei. — Muitas vezes desejei ter anotações sobre esses casos.

— Sim, meu rapaz; estes foram todos concluídos prematuramente, antes que meu biógrafo aparecesse para me glorificar. — Ele pegou um maço após o outro de forma delicada, carinhosa. — Nem todos são sucessos, Watson — ele disse —, mas há alguns probleminhas interessantes entre eles. Aqui está o registro dos assassinatos Tarleton, o caso de Vamberry, o comerciante de vinhos, a aventura da velha russa e o singular caso da muleta de alumínio, bem como um relato completo sobre Ricoletti, o do pé de madeira, e sua abominável esposa. E aqui, ah, sim! Este é realmente algo um tanto incomum.

Ele enfiou o braço no fundo da caixa e tirou uma caixinha de madeira com tampa deslizante, do tipo onde se guardam brinquedos. De dentro dela, tirou um pedaço de papel amassado, uma velha chave de latão, um pino de madeira com um novelo de linha preso a ele e três discos de metal enferrujado.

— Bem, meu rapaz, o que acha de tudo isto? — ele perguntou, sorrindo da minha expressão.

— É uma coleção curiosa.

— Muito curiosa, e você achará ainda mais curiosa a história que a cerca.

— Essas relíquias têm uma história, então?

— A tal ponto que elas *são* a história.

— O que quer dizer?

Sherlock Holmes pegou-as uma por uma e as dispôs na beirada da mesa. Então se sentou novamente na poltrona e as examinou com um brilho de satisfação nos olhos.

— Esses objetos — ele disse — são tudo o que resta para me lembrar do episódio do Ritual dos Musgrave.

Eu já o ouvira mencionar o caso mais de uma vez, embora nunca tivesse conseguido ouvir os detalhes.

— Ficaria feliz — eu declarei — se você me fizesse um relato desse caso.

— E deixar a desordem como está? — ele exclamou, com malícia. — Seu amor à organização não é tão resistente, no fim das contas, Watson. Mas ficaria feliz se você acrescentasse este caso aos seus anais, porque há aspectos nele que o tornam bastante único nos arquivos criminais deste ou, creio eu, qualquer outro país. Uma coletânea de minhas insignificantes realizações certamente ficaria incompleta se não contivesse nenhum relato deste caso tão peculiar.

"Você deve lembrar como o caso do *Gloria Scott*, e minha conversa com o desventurado sujeito cujo destino relatei, foi a primeira coisa que chamou minha atenção para a profissão que se tornou o trabalho da minha vida. Você me vê agora, quando meu nome já se tornou conhecido em toda parte, e quando sou geralmente reconhecido tanto pelo público quanto pela polícia oficial como a última instância a recorrer em casos duvidosos. Mesmo quando você me conheceu, na época do caso que você imortalizou em 'Um Estudo em Vermelho', eu já havia estabelecido uma prática considerável, ainda que nem tão lucrativa. Pode perceber, então, quão difícil achei, de início, e quanto tempo tive de esperar antes de conseguir fazer qualquer progresso.

"Quando cheguei pela primeira vez a Londres, aluguei aposentos na Montague Street, na esquina do Museu Britânico, e lá eu aguardava, preenchendo meu demasiado abundante tempo livre estudando todos os ramos da ciência que poderiam me tornar mais eficiente. De vez em quando me apareciam casos, principalmente por meio da apresentação de velhos colegas de escola, pois, durante meus últimos anos na universidade, ali falava-se muito de mim e dos meus métodos. O terceiro desses casos foi o do Ritual dos Musgrave, e é ao interesse que foi despertado por aquela peculiar sequência de acontecimentos, e às grandes questões que provaram estar em jogo, que remeto meu primeiro grande passo rumo à posição que agora ocupo.

"Reginald Musgrave estudara na mesma faculdade que eu, e eu o conhecia superficialmente. Ele não era muito popular entre os alunos de graduação, embora sempre me parecesse que aquilo que os outros atribuíam à soberba era na verdade uma tentativa de disfarçar uma extrema desconfiança natural. Na aparência, era um homem de tipo incrivelmente aristocrático, magro, de nariz empinado e olhos grandes, com modos lânguidos e no entanto corteses. Era, de fato, herdeiro de uma das famílias mais antigas do império, embora seu lado da família fosse o mais recente, que se separara dos Musgrave do Norte em algum momento do século XVI e se estabelecera no oeste de Sussex, onde a propriedade de Hurlstone é, talvez, o mais antigo prédio habitado do condado. Algo de sua terra natal parecia aderir ao homem, e eu jamais olhei para seu rosto pálido e sagaz, ou para a postura de sua cabeça, sem associá-lo a arcos cinzentos, janelas de duas folhas e todas as veneráveis ruínas de uma propriedade feudal. De vez em quando, trocávamos algumas palavras, e lembro que mais de uma vez ele manifestara grande interesse pelos meus métodos de observação e inferência.

"Por quatro anos eu não soube nada dele, até que uma manhã ele entrou nos meus aposentos em Montague Street. Ele pouco mudara, estava vestido como um jovem atento à moda — sempre fora um tanto dândi —, e conservava a mesma atitude discreta e suave que o distinguia anteriormente.

"'Como vai você, Musgrave?', perguntei, depois de um cordial aperto de mão.

"'Você deve ter ouvido falar da morte do meu pobre pai', ele disse. 'Ele se foi há cerca de dois anos. Desde então eu, é claro, precisei administrar as propriedades de Hurlstone, e, como sou também membro do meu distrito, minha vida anda bastante ocupada; mas entendo, Holmes, que você está dedicando a fins práticos aqueles poderes com os quais costumava nos assombrar.'

"'Sim', concordei, 'comecei a viver do meu intelecto.'

"'Fico encantado em saber, porque seus conselhos, no momento, ser-me-iam inestimáveis. Aconteceram umas coisas muito estranhas em Hurlstone, e a polícia não conseguiu esclarecer em nada o caso. É realmente um negócio deveras extraordinário e inexplicável.'

"Você pode imaginar com que sofreguidão eu o ouvia, Watson, pois exatamente a chance pela qual eu suspirara durante tantos meses de inação parecia estar ao meu alcance. Do fundo do meu coração eu acreditava que poderia lograr êxito onde outros haviam falhado, e agora tinha a oportunidade de me pôr à prova.

— Por favor, dê-me os detalhes — exclamei.

— Reginald Musgrave sentou-se na minha frente e acendeu o cigarro que lhe ofereci.

"'Você precisa saber', ele disse, 'que, embora eu seja solteiro, preciso manter uma criadagem considerável em Hurlstone, porque o lugar é antigo e imenso, e requer muitos cuidados. Tenho uma reserva de caça também, e, nos meses da caça às aves, costumo receber convidados, de modo que não seria bom ter serviçais insuficientes. Ao todo são oito criadas, a cozinheira, o mordomo, dois lacaios e um pajem. O jardim e os estábulos, é claro, têm seus próprios serviçais.

"'Desses criados, aquele que estava mais tempo a nosso serviço era Brunton, o mordomo. Ele era um jovem professor desempregado quando foi admitido por meu pai, mas era um homem de grande energia e caráter, e logo se tornou realmente indispensável na propriedade. Robusto e atraente, com uma testa esplêndida, mesmo estando conosco há vinte anos, não deve ter mais do que 40, agora. Com suas qualidades pessoais e dons extraordinários — pois fala vários idiomas e toca quase qualquer instrumento —, é maravilhoso que se satisfaça por tanto tempo num cargo assim, mas suponho que ele se sinta à vontade, e lhe faltem energias para fazer mudanças. O mordomo de Hurlstone é sempre algo que é lembrado por todos que nos visitam.

"'Mas esse modelo de homem tem uma falha. É uma espécie de Don Juan, e você pode imaginar que, para um homem como ele, não seja difícil desempenhar esse papel num tranquilo distrito rural.

"'Quando era casado, não havia problemas, mas, desde que enviuvou, só tivemos problemas com ele. Alguns meses atrás, estávamos na esperança de que ele iria sossegar de novo, já que ficara noivo de Rachel Howells, nossa segunda criada, mas desde então ele já se livrou dela e se engraçou com Janet Tregellis, a filha do caseiro da reserva. Rachel, que é uma excelente garota, mas com um exaltado temperamento galês, teve uma crise aguda de febre cerebral, e anda pela casa, agora — ou andava, até ontem —, como uma pálida sombra do que era. Esse foi nosso primeiro drama em Hurlstone, mas um segundo surgiu para tirá-lo de nossa mente, e foi prefaciado pela desgraça e demissão do mordomo Brunton.

"'Foi assim que aconteceu. Como eu disse, o homem era inteligente, e essa mesma inteligência causou sua ruína, porque parecia levar a uma insaciável curiosidade sobre coisas que não lhe diziam minimamente respeito. Eu não fazia ideia dos extremos a que isso o levaria, até que um incidente dos mais triviais me abriu os olhos.

"'Eu já disse que a mansão é imensa. Uma noite, semana passada — na noite de quinta-feira, para ser mais exato —, percebi que não conseguia dormir, por ter tolamente tomado uma xícara de forte *café noir* após o jantar. Depois de lutar contra a insônia até as duas da manhã, senti que a batalha estava perdida, então me levantei e acendi a vela, com a intenção de continuar a leitura de um romance que eu começara. O livro, porém, ficara no salão de bilhar, por isso vesti meu robe e saí para pegá-lo.

"'Para chegar ao salão de bilhar, eu precisava descer um lance de escadas, depois passar diante do corredor que levava à biblioteca e à sala das armas. Pode imaginar minha surpresa quando, ao olhar no corredor, vi o brilho de uma luz vindo da porta aberta da biblioteca. Eu mesmo apagara a lâmpada e fechara a porta antes de me deitar. Naturalmente, a primeira coisa em que pensei foram ladrões. Os corredores de Hurlstone têm paredes ricamente decoradas com troféus de velhas armas. De uma delas peguei um machado de batalha, e então, deixando a vela para trás, avancei pé ante pé pelo corredor e espiei pela porta aberta.

"'Brunton, o mordomo, estava na biblioteca. Estava sentado, totalmente vestido, numa espreguiçadeira, com uma tira de papel que parecia um mapa sobre os joelhos, e a testa afundada na mão, perdido em pensamentos. Fiquei parado, mudo de assombro, olhando-o da escuridão. Uma pequena lamparina na beirada da mesa emitia uma luz fraca, que bastava para me revelar que ele estava totalmente vestido. De repente, enquanto eu observava, ele se levantou da poltrona e, indo até uma escrivaninha ao lado, destrancou-a e puxou uma das gavetas. Dela tirou um papel, e, voltando ao seu assento, ele o abriu perto da lamparina na borda da mesa e começou a estudá-lo com atenção. Minha indignação com esse calmo exame de nossos documentos familiares me abalou tanto que dei um passo à frente, e Brunton, erguendo os olhos, me viu parado na porta. Ele saltou de pé, com o rosto lívido de medo, e enfiou no colete o suposto mapa que estava estudando originalmente.

"'Então!', eu disse. 'É assim que você retribui a confiança que depositamos em você! Amanhã deixará o cargo.'

"'Ele fez uma reverência com o ar de um homem totalmente esmagado e passou por mim sem dizer uma palavra. A lamparina ainda estava sobre a mesa, e, à sua luz, verifiquei qual era o papel que Brunton tirara da escrivaninha. Para minha surpresa, não era nada de qualquer importância, mas apenas uma cópia das perguntas e respostas na singular tradição antiga chamada de Ritual dos Musgrave. É uma espécie de cerimônia peculiar da nossa família, que cada Musgrave há séculos realiza ao atingir a idade adulta — algo de interesse particular, e talvez de certa pequena importância para um arqueólogo, como nossos brasões e divisas, mas sem qualquer uso prático.'

"'É melhor falarmos mais desse papel depois', eu disse.

"'Se você acha necessário', ele respondeu, algo hesitante. 'Continuando meu depoimento, todavia, voltei a trancar a escrivaninha, usando a chave que Brunton deixara, e me virei para ir embora, quando então fiquei surpreso ao descobrir que o mordomo retornara, e estava na minha frente.

"'"Sr. Musgrave", ele exclamou, com voz roufenha de emoção, "não posso suportar a desgraça, senhor. Sempre tive um orgulho acima de minha posição social, e a desgraça me mataria. Meu sangue estará em suas mãos, senhor — estará mesmo —, se me levar ao desespero. Se não pode manter-me empregado depois do que aconteceu, então, pelo amor de Deus, deixe-me de sobreaviso para partir daqui a um mês, como se fosse de livre e espontânea vontade. Isso eu suportaria, Sr. Musgrave, mas não ser escorraçado diante de todas as pessoas que conheço tão bem."

"'"Você não merece muita consideração, Brunton", respondi. "Sua conduta foi deveras infame. Porém, como está há muito tempo na família, não desejo causar a sua desgraça pública. Um mês, no entanto, é tempo demais. Ponha-se daqui para fora em uma semana, e dê o motivo que quiser para a sua partida."

"'"Só uma semana, senhor?", ele exclamou, com voz desesperada. "Quinze dias, diga ao menos quinze dias!"

"'"Uma semana", repeti, "e pode considerar que foi tratado com muita clemência."

"'Ele se afastou, arrastando-se, cabisbaixo, como um homem alquebrado, enquanto eu apagava a lamparina e voltava para o meu quarto.

"'Por dois dias depois disso, Brunton foi extremamente assíduo na atenção aos seus deveres. Não fiz nenhuma referência ao que acontecera, e esperei, com alguma curiosidade, para ver como ele iria acobertar sua desgraça. Na terceira manhã, no entanto, ele não apareceu, como era seu costume, depois do desjejum, para receber minhas instruções do dia. Quando eu saía da sala de jantar, topei com Rachel Howells, a criada. Eu já contei que ela recentemente se recuperara de uma doença, e parecia tão lamentavelmente pálida e fraca que a repreendi por estar trabalhando.

"'"Você deveria estar na cama", eu disse. "Volte aos seus afazeres quando estiver mais forte."

"'Ela me olhou com uma expressão tão estranha que comecei a desconfiar que seu cérebro fora afetado.

"'"Eu já estou forte, Sr. Musgrave", ela argumentou.

"'"Veremos o que o médico diz", respondi. "Você deve parar de trabalhar agora, e quando descer, apenas avise Brunton de que quero vê-lo."

"'"O mordomo se foi", ela disse.

"'"Foi? Foi aonde?"

"'"Ele se foi. Ninguém o viu. Não está em seu quarto. Oh, sim, ele se foi. Ele se foi!" Ela se jogou para trás contra a parede, dando gargalhadas, enquanto eu, horrorizado com aquele repentino ataque histérico, corri para a sineta a fim de chamar ajuda. A garota foi levada para seu quarto, ainda gritando e soluçando, enquanto eu perguntava sobre Brunton. Não havia nenhuma dúvida de que ele desaparecera. Sua cama não estava desfeita; ele não era visto por ninguém desde que se recolhera ao seu quarto na noite anterior, mas era difícil entender como ele poderia ter saído da casa, porque todas as janelas e portas foram encontradas trancadas pela manhã.

Suas roupas, seu relógio e até seu dinheiro estavam no seu quarto; mas o terno preto que ele costumava usar desaparecera. Seus chinelos também desapareceram, mas suas botas ficaram para trás. Aonde, pois, poderia o mordomo Brunton ter ido à noite, e o que teria sido feito dele agora?

"'Naturalmente, vasculhamos a casa do porão ao sótão, mas não havia sinal dele. A velha mansão é, como eu disse, um labirinto, especialmente a ala original, que agora está praticamente desabitada, mas nós varremos cada quarto e cada adega sem encontrar o menor rastro do desaparecido. Era incrível, para mim, que ele pudesse ter ido embora deixando para trás todas as suas posses; no entanto, onde ele poderia estar? Chamei a polícia local, mas sem sucesso. Chovera na noite anterior, e nós examinamos o gramado e os caminhos ao redor de toda a casa, mas em vão. As coisas estavam nesse pé quando um novo acontecimento tirou completamente nossa atenção do mistério original.

"'Por dois dias, Rachel Howells estivera tão doente, às vezes delirante, outras vezes histérica, que uma enfermeira fora contratada para ficar com ela à noite. Na terceira noite depois do desaparecimento de Brunton, a enfermeira, vendo que sua paciente dormia tranquila, tirara uma soneca na poltrona e, ao acordar de madrugada, encontrara a cama vazia, a janela aberta e nenhum sinal da doente. Fui chamado instantaneamente e, com os dois lacaios, saí à procura da garota desaparecida. Não foi difícil descobrir a direção que ela tomara, pois, a partir de sua janela, podíamos seguir suas pegadas facilmente através do gramado até a beira da lagoa, onde elas desapareciam, perto do caminho de cascalho que sai do campo. A lagoa, ali, tem dois metros e meio de profundidade, e você pode imaginar o que sentimos ao ver os rastros da pobre garota tresloucada terminando em sua margem.

"'Naturalmente, começamos a dragar a lagoa para recuperar o corpo, mas não havia nem sinal dele. Por outro lado, trouxemos para a superfície um objeto do tipo mais inesperado. Era um saco de linho que continha um monte de velho metal oxidado e descolorido, e vários pedaços opacos de cascalho ou vidro. Esse estranho achado foi tudo o que encontramos na lagoa, e, embora tenhamos feito toda busca e investigação possíveis ontem, não sabemos nada do destino de Rachel Howells ou Richard Brunton. A polícia local não sabe mais o que fazer, e procurei você como o último recurso.'

"Você pode imaginar, Watson, quão sofregamente ouvi essa extraordinária sequência de acontecimentos, e pus-me à obra para organizá-los e imaginar algum fio comum do qual todos pendessem.

"O mordomo se fora. A criada se fora. A criada amava o mordomo, mas depois tivera motivos para odiá-lo. Ela tinha sangue galês, era fogosa e passional. Estava terrivelmente agitada logo após o desaparecimento dele. Atirara na lagoa um saco de conteúdo curioso. Esses eram todos fatores que precisavam ser levados em consideração; no entanto, nenhum deles chegava ao âmago da questão. Qual era o ponto de partida dessa cadeia de fatos? Era ali que estava a ponta do novelo.

"'Preciso ver aquele papel, Musgrave', eu disse, 'que esse seu mordomo achava que valeria a pena consultar, mesmo com o risco de perder o emprego.'

"'É um negócio um tanto absurdo esse nosso ritual', ele respondeu, 'mas pelo menos tem a justificativa da antiguidade. Tenho uma cópia das perguntas e respostas aqui, se quiser correr os olhos por elas.'

"Ele me entregou este mesmo papel que tenho aqui, Watson, e este é o estranho catecismo ao qual cada Musgrave precisava se submeter ao chegar à idade adulta. Lerei as perguntas e respostas como estão escritas:

"'De quem era?'

"'Do que se foi.'

"'Quem a terá?'

"'Aquele que virá.'

"'Qual era o mês?'

"'O sexto a partir do primeiro.'

"'Onde estava o sol?'

"'Sobre o carvalho.'

"'Onde estava a sombra?'

"'Debaixo do olmo.'

"'Quantos eram os passos?'

"'Ao norte, dez e dez, leste, cinco e cinco, sul, dois e dois, oeste, um e um, e embaixo.'

"'O que daremos por ela?'

"'Tudo que é nosso.'

"'Por que deveríamos dar?'

"'Pelo bem de nossa fé.'

"'O original não tem data, mas a grafia é de meados do século XVII', comentou Musgrave. 'Temo, porém, que vai ajudar pouco a resolver esse mistério.'

"'Ao menos', eu disse, 'nos dá outro mistério, que é até mais interessante do que o primeiro. Pode ser que a solução de um prove ser a solução do outro. Vai me desculpar, Musgrave, se digo que seu mordomo me parece ter sido muito esperto, e com uma visão mais clara do que dez gerações de seus patrões.'

"'Não estou entendendo', disse Musgrave. 'O papel me parece não ter nenhuma importância prática.'

"'Mas para mim parece imensamente prático, e imagino que Brunton tivesse a mesma visão. Ele provavelmente o vira antes daquela noite em que você o flagrou.'

"'É bem possível. Não fazíamos tanta questão de escondê-lo.'

"'Ele simplesmente queria, imagino, refrescar sua memória naquela última ocasião. Tinha, pelo que entendi, alguma espécie de mapa ou planta que comparava com o manuscrito, e que enfiou no bolso quando você apareceu?'

"'É verdade. Mas o que ela podia ter a ver com esse nosso velho costume familiar, e o que essa ladainha significa?'

"'Acho que não teremos muita dificuldade em determinar isso', eu disse. 'Com sua permissão, pegaremos o primeiro trem para Sussex e lá nos aprofundaremos um pouco mais na questão.'

"Na mesma tarde, estávamos os dois em Hurlstone. Você já deve ter visto fotografias e lido descrições da famosa e antiga construção, por isso limitarei meu relato sobre ela a dizer que tem formato de um L, no qual o braço longo é a parte mais moderna, e o mais curto, o núcleo antigo a partir do qual o outro se desenvolveu. Sobre a porta baixa, de viga grossa, no centro dessa parte antiga, está entalhada a data 1607, mas especialistas concordam que as vigas e as paredes, na verdade, são muito mais antigas do que isso. As muralhas imensamente grossas e pequenas janelas dessa parte levaram a família, no século passado, a construir a nova ala, e a velha era usada agora como armazém e adega, quando era usada. Um bosque esplêndido, com boas árvores antigas, rodeava a casa, e o lago ao qual meu cliente se referiu ficava perto da avenida, a uns duzentos metros do edifício.

"Eu já estava plenamente convencido, Watson, de que não havia três mistérios separados ali, mas somente um, e que, se eu pudesse ler o Ritual dos Musgrave corretamente, teria nas mãos a pista que me levaria à verdade com relação tanto ao mordomo Brunton quanto à criada Howells. A isso, portanto, dediquei todas as minhas energias. Por que esse serviçal ficaria tão ansioso para decifrar essa velha fórmula?

Evidentemente, porque via algo nela que escapara a todas essas gerações de proprietários rurais, e da qual ele esperava tirar alguma vantagem pessoal. O que era, então, e como afetara o seu destino?

"Era perfeitamente óbvio, para mim, ao ler o ritual, que as medidas deviam se referir a algum lugar ao qual o resto do documento fazia referência, e que, se pudéssemos achar esse lugar, estaríamos bem a caminho de saber que segredo os Musgrave ancestrais acharam necessário embalsamar de forma tão curiosa. Dois guias nos eram dados de início, um carvalho e um olmo. Quanto ao carvalho, não poderia haver dúvida. Bem em frente à casa, à esquerda do acesso principal, erguia-se um patriarca entre os carvalhos, uma das árvores mais magníficas que eu já vira.

"'Ele já estava aí quando o seu ritual foi criado?', perguntei, quando passamos por ele.

"'Já estava aí na Conquista Normanda,* muito provavelmente', ele respondeu. 'Tem quase sete metros de circunferência.'

"Um de meus pontos de referência já estava garantido.

"'Vocês têm algum olmo antigo?', perguntei.

"'Havia um muito antigo lá embaixo, mas foi atingido por um raio há dez anos, e nós cortamos o tronco.'

---

* Evento ocorrido em 1066. Invasão e ocupação da Inglaterra por um exército normando liderado pelo duque Guilherme da Normandia, que posteriormente foi coroado rei da Inglaterra. (N. E.)

"'Pode-se ver onde ele ficava?'

"'Oh, sim.'

"'Não há outros olmos?'

"'Nenhum velho, mas temos muitas faias.'

"'Gostaria de ver onde ele ficava.'

"'Íamos numa charrete, e meu cliente me levou imediatamente, sem que entrássemos na casa, para a marca no gramado onde o olmo crescia outrora. Ficava quase a meio caminho entre o carvalho e a casa. Minha investigação parecia estar progredindo.'"

"'Imagino que seja impossível descobrir que altura o olmo tinha?', perguntei.

"'Eu digo já. Media 19 metros e meio.'

"'Como sabe?', perguntei, surpreso.

"'Quando meu antigo preceptor me ensinava trigonometria, sempre calculávamos alturas. Quando menino, calculei a de cada árvore e edifício da propriedade.'

"Aquela era uma sorte inesperada. Meus dados estavam chegando mais rapidamente do que eu poderia ter razoavelmente imaginado.

"'Diga', continuei, 'seu mordomo alguma vez inquiriu a respeito?'

"Reginald Musgrave me olhou, assombrado. 'Agora que você diz isso', respondeu, 'Brunton *perguntou* qual era a altura dessa árvore há alguns meses, por ter discutido o assunto com o cavalariço.'

"Era uma notícia excelente, Watson, pois me mostrava que eu estava no caminho certo. Olhei para o sol. Estava baixo no céu, e calculei que em menos de uma hora ele ficaria pouco acima dos galhos mais altos do velho carvalho. Uma condição mencionada no ritual seria, então, cumprida. E a sombra do olmo devia significar a ponta mais afastada da sombra, senão o tronco teria sido escolhido como guia. Eu precisava, portanto, descobrir aonde o fim da sombra chegaria quando o sol estivesse logo acima do carvalho."

— Deve ter sido difícil, Holmes, considerando que o olmo não estava mais lá.

— Bem, pelo menos eu sabia que, se Brunton conseguiu fazê-lo, eu também conseguiria. Além disso, na verdade não houve muita dificuldade. Fui ao escritório de Musgrave e entalhei este pino, no qual amarrei este longo fio, com um nó a cada metro. Então peguei duas seções de uma vara de pesca, que mediam cerca de dois metros, e voltei com meu cliente ao lugar onde o olmo estivera. O sol estava encostando no alto do carvalho. Pus a vara de pé, marquei a direção da sombra e a medi. Tinha três metros de comprimento.

"Naturalmente, o cálculo agora era simples. Se uma vara de dois metros projetava uma sombra de três metros, uma árvore de 19 metros e meio projetaria uma sombra de 29,25 metros, e a direção de uma sombra seria, naturalmente, a mesma direção da outra. Medi a distância, o que me levou quase até o muro da casa, e enfiei um pino no lugar. Você pode imaginar meu triunfo, Watson, quando a cinco centímetros do meu pino vi uma depressão cônica no chão. Sabia que era a marca feita por Brunton em suas medições, e que eu ainda estava em seu encalço.

"Desse ponto de partida, comecei a marcar os passos, depois de verificar os pontos cardeais na minha bússola de bolso. Dez passos de cada pé me levaram numa paralela com o muro da casa, e novamente marquei o lugar com um pino. Então, cuidadosamente, andei cinco passos para o leste e dois para o sul. Isso me levou à soleira da velha porta. Dois passos para o oeste significavam que agora eu deveria andar dois passos pelo corredor de pedra, e esse era o lugar indicado pelo ritual.

"Jamais senti tamanho calafrio de decepção, Watson. Por um momento, pareceu-me que devia haver algum erro radical nos meus cálculos. O sol poente brilhava com força no chão do corredor, e eu podia ver que as velhas pedras cinza, gastas pela passagem de tantos pés, que o pavimentavam, estavam firmemente cimentadas, e certamente não eram manipuladas havia muitos e muitos anos. Brunton não trabalhara ali. Bati no chão, mas o som era uniforme em toda parte, e não havia sinal de nenhuma rachadura ou fenda. Mas, por sorte, Musgrave, que havia começado a entender o significado das minhas ações, e que agora estava tão empolgado quanto eu, sacou seu manuscrito para verificar meus cálculos.

"'E embaixo', ele exclamou: 'você omitiu o "e embaixo".'

"Eu havia pensado que significava que teríamos que cavar, mas então, é claro, logo vi que estava errado. 'Há um porão aqui embaixo, então?', exclamei.

"'Sim, e tão velho quanto a casa. Descendo aqui, por esta porta.'

"Descemos por uma escada de pedra em caracol, e meu colega, riscando um fósforo, acendeu uma grande lanterna que estava sobre um barril no canto. Num instante, ficou óbvio que finalmente chegáramos ao lugar certo, e que não éramos os únicos a tê-lo visitado recentemente.

"Ele era usado para armazenar lenha, mas os tocos, que antes estavam, como era óbvio, espalhados pelo chão, agora se encontravam empilhados nas laterais, de modo a deixar um espaço livre no meio. Nesse espaço havia uma laje grande e pesada, com um anel enferrujado no centro, ao qual um grosso cachecol xadrez de pastor estava amarrado.

"'Por Jove!', exclamou meu cliente. 'É o cachecol de Brunton. Já o vi usando, posso jurar. O que o bandido andou fazendo aqui?'

"Por sugestão minha, alguns homens da polícia local foram convocados para nos acompanhar, e então me pus a erguer a pedra puxando pelo cachecol. Só pude movê-la um pouco, e foi com a ajuda de um dos policiais que consegui finalmente arrastá-la para um lado. Um buraco negro se abria no chão, dentro do qual todos olhamos, enquanto Musgrave, ajoelhado ao lado, baixava a lanterna.

"Uma pequena câmara de uns dois metros de profundidade e um metro quadrado se abria para nós. De um lado havia uma caixa de madeira baixa, reforçada com latão, cuja tampa estava aberta para cima, com esta curiosa chave antiga enfiada na fechadura. Seu exterior estava recoberto por uma grossa camada de pó, e a umidade e os vermes haviam carcomido a madeira, de modo que uma cultura de fungos lívidos crescia dentro dela. Vários discos de metal — moedas antigas, aparentemente — como as que tenho aqui estavam espalhados no fundo da caixa, mas ela não continha mais nada.

"No momento, porém, nem pensávamos no velho baú, pois nossos olhos estavam pregados no que jazia amontoado ao seu lado. Era a figura de um homem, usando um terno preto, agachado, com a testa apoiada na borda da caixa e os dois braços de cada lado dela. A posição fizera todo o sangue estagnado fluir para o rosto, e ninguém poderia ter reconhecido aquela fisionomia distorcida, cor de fígado; mas sua altura, suas roupas e seu cabelo foram suficientes para mostrar ao meu cliente, quando ele puxou o corpo, que era de fato o mordomo desaparecido. Estava morto já havia alguns dias, mas não tinha ferimentos ou escoriações no corpo que indicassem como tivera aquele pavoroso fim. Depois que seu corpo foi retirado do porão, vimo-nos ainda confrontados com um problema quase tão formidável quanto o que enfrentáramos no começo.

"Confesso que até então, Watson, eu estava decepcionado com minha investigação. Eu contava solucionar o caso quando encontrasse o lugar mencionado no ritual; mas agora estava lá, e aparentemente mais distante do que nunca de saber o que a família escondera com precauções tão elaboradas. É verdade que eu havia esclarecido o destino de Brunton, mas agora precisava verificar como ele tivera esse destino, e que papel desempenhava no caso a mulher desaparecida. Sentei-me num barril no canto e refleti cuidadosamente sobre toda a questão.

"Você conhece meus métodos em casos assim, Watson: eu me coloco no lugar do homem e, depois de mensurar sua inteligência, tento imaginar como eu teria agido em circunstâncias análogas. Nesse caso, a questão era simplificada pelo fato de a inteligência de Brunton ser de primeira qualidade, de modo que era desnecessário fazer concessões para a equação pessoal, como os astrônomos a apelidaram. Ele sabia que algo de valor estava escondido. Descobrira o lugar. Vira que a pedra que o cobria era pesada demais para ser puxada por apenas um homem. O que ele faria em seguida? Não poderia pedir ajuda lá fora, mesmo se tivesse alguém em quem confiasse, sem abrir portas e correr considerável risco de ser detectado. Era melhor, se fosse possível, encontrar ajuda dentro da casa. Mas a quem ele poderia pedir? A garota era devotada a ele. Um homem sempre tem dificuldade em perceber que pode ter finalmente perdido o amor de uma mulher, por pior que a tenha tratado. Ele tentaria, dando-lhe um pouco de atenção, fazer as pazes com a garota Howells, e então cooptá-la como sua cúmplice. Juntos, eles entrariam à noite no porão, e suas forças combinadas bastariam para erguer a pedra. Até esse ponto, eu conseguia seguir suas ações como se os tivesse visto.

"Mas para duas pessoas, e uma delas uma mulher, deve ter sido um trabalho duro erguer aquela pedra. Um robusto policial de Sussex e eu não achamos nada fácil. O que fariam para ajudar? Provavelmente, o que eu mesmo poderia ter feito. Levantei-me e examinei cuidadosamente os vários tocos de madeira espalhados pelo chão. Quase imediatamente, encontrei o que procurava. Um pedaço de quase um metro tinha uma marca bem funda numa ponta, e outros estavam bem achatados, como se tivessem sido comprimidos por um peso considerável. Evidentemente, depois de erguerem a pedra, eles enfiaram os pedaços de madeira na fenda, até que finalmente, quando a abertura ficou grande o suficiente para se esgueirar por ela, escoraram-na com um toco colocado de pé, que poderia ter ficado amassado na ponta inferior, já que todo o peso da pedra o comprimiria contra a borda da outra laje. Até aí, eu ainda estava num terreno bem seguro.

"E agora, como proceder para reconstruir esse drama noturno? Claramente, apenas um deles poderia entrar no buraco, e esse seria Brunton. A garota deve ter ficado esperando lá em cima. Brunton, então, destrancou a caixa, passou para ela o conteúdo, presumivelmente — já que este estava ausente —, e então... e então, o que acontecera?

"Que brasa de vingança subitamente ardera em chamas na passional alma celta daquela mulher quando ela viu o homem que a injustiçara — bem, mais, talvez, até do que desconfiávamos — em seu poder? Foi por acaso que o toco escorregou e a pedra fechou Brunton no que se tornaria seu sepulcro? Ela era culpada apenas de fazer silêncio sobre o destino dele? Ou algum golpe repentino de sua mão deslocara o arrimo e fizera a laje afundar-se no lugar? Fosse como fosse, eu parecia ver a forma daquela mulher, ainda agarrando seu tesouro e voando escada acima, talvez com os gritos abafados e os golpes de mãos desesperadas contra a laje de pedra que sufocaria seu amante infiel ecoando em seus ouvidos.

"Eis o segredo por trás de seu rosto pálido, seus nervos abalados, seus acessos de risadas histéricas na manhã seguinte. Mas o que havia na caixa? O que ela fizera com o conteúdo? Naturalmente, devia ser o velho metal e as pedras que meu cliente dragara do lago. Ela os jogara ali na primeira oportunidade de encobrir o último rastro de seu crime.

"Por vinte minutos eu ficara imóvel, pensando no caso. Musgrave continuava muito pálido, balançando a lanterna e olhando para dentro do buraco.

"'Estas moedas são de Carlos I',* ele disse, mostrando as poucas que restavam na caixa. 'Como vê, acertamos na data do ritual.'

* Rei da Inglaterra e Escócia de 1625 a 1649. (N. E.)

"'Podemos encontrar mais alguma coisa de Carlos I', exclamei, quando o provável significado das duas primeiras perguntas do ritual de repente se aclarou para mim. 'Deixe-me ver o conteúdo do saco que você pescou do lago.'

"Subimos para o escritório de Musgrave e ele espalhou os detritos diante de mim. Pude entender como os considerou de pouca importância ao vê-los, pois o metal estava quase preto, e as pedras, sem brilho e opacas. Esfreguei uma delas na minha manga, no entanto, e ela brilhou, depois, como uma faísca na palma escura da minha mão. A armação de metal tinha o formato de um duplo anel, mas havia sido amassado e torcido, perdendo sua forma original.

"'Você precisa ter em mente', eu disse, 'que a família real viajou pela Inglaterra mesmo após a morte do rei, e que, quando finalmente fugiu, provavelmente deixou muitas de suas posses mais preciosas para trás, enterradas, com a intenção de voltar para recuperá-las em tempos mais pacíficos.'

"'Meu ancestral, Sir Ralph Musgrave, era um cavaleiro de destaque, e braço direito de Carlos II* em suas viagens', disse o meu amigo.

"'Ah, de fato!', respondi. 'Bem, acho que isso nos dá realmente o último elo que procurávamos. Devo congratular você por tomar posse, ainda que de maneira bastante trágica, de uma relíquia de grande valor intrínseco, mas de importância até maior como curiosidade histórica.'

* Rei da Inglaterra e Escócia de 1660 a 1685. (N. E.)

"'O que é, então?', ele exclamou, assombrado.

"'Nada menos que a antiga coroa dos reis da Inglaterra.'

"'A coroa!'

"'Exatamente. Considere o que o ritual diz. Como é? "De quem era?" "Do que se foi." Isso foi depois da execução de Carlos. Então: "Quem a terá?" "Aquele que virá." Esse era Carlos II, cuja vinda já era prevista. Não pode, acho, haver dúvida de que esse diadema amassado e disforme já cingiu a testa dos Stuart da realeza.'

"'E como ele foi parar no lago?'

"'Ah, essa é uma pergunta que levará algum tempo responder', e com isso esbocei toda a longa cadeia de suposições e provas que eu construíra. O crepúsculo se aproximava, e a lua brilhava no céu antes que minha narrativa terminasse.

"'E como foi, então, que Carlos não recuperou a coroa quando voltou?', perguntou Musgrave, devolvendo a relíquia ao saco de linho.

"'Ah, aí você aponta um detalhe que talvez jamais consigamos esclarecer. É provável que o Musgrave que guardava o segredo tenha morrido nesse ínterim, e, por algum descuido, deixado essas instruções ao seu descendente sem explicar o significado. Daquele dia até hoje, foram passadas de pai para filho, até alcançarem um homem que extraiu o segredo que continham e perdeu a vida na empreitada.'

"E essa é a história do Ritual dos Musgrave, Watson. Eles guardam a coroa em Hurlstone — embora tenham amargado alguns incômodos judiciais e pago uma quantia considerável para obter a permissão de conservá-la. Tenho certeza de que, se você mencionar meu nome, ficarão felizes em mostrá-la. Da mulher, nada mais se soube, e é provável que ela tenha deixado a Inglaterra, levando a lembrança do seu crime para alguma terra de além-mar."

seis

OS PROPRIETÁRIOS DE REIGATE

Levou algum tempo até que a saúde do meu amigo, o Sr. Sherlock Holmes, se recuperasse da tensão causada por seus imensos esforços na primavera de 1887. O caso todo da Companhia Holanda-Sumatra e os colossais esquemas do Barão Maupertuis ainda são recentes na mente do público, e demasiado intimamente ligados à política e às finanças para serem um assunto adequado para esta série de esboços. Todavia, eles levaram de forma indireta a um problema singular e complexo, que deu ao meu amigo oportunidade para demonstrar o valor de uma nova arma, entre as muitas com as quais ele travava sua eterna batalha contra o crime.

Consultando minhas anotações, vejo que foi no dia 14 de abril que recebi um telegrama de Lyons informando-me de que Holmes estava acamado no Hotel Dulong. Vinte e quatro horas depois, eu estava no quarto do doente, e fiquei aliviado ao descobrir que seus sintomas não tinham nada de formidável. Sua férrea constituição, porém, cedera sob o peso de uma investigação que se prolongara por mais de dois meses, período durante o qual ele não trabalhou menos do que 15 horas por dia, e mais de uma vez, como ele me garantiu, labutou por cinco dias ininterruptamente. Nem mesmo o resultado triunfante de seu esforço o salvaria das sequelas de tão terrível exercício, e, num momento em que a Europa só falava em seu nome, e literalmente dois palmos de telegramas congratulatórios cobriam o assoalho de seu quarto, descobri que ele se tornara vítima da depressão mais negra. Nem a ciência de que ele triunfara onde a polícia de três países falhara, antecipando cada passo do estelionatário mais bem-sucedido da Europa, era suficiente para resgatá-lo de sua prostração nervosa.

Três dias depois, estávamos de volta à Baker Street juntos; mas era evidente que uma mudança de ares faria muito bem ao meu amigo, e a ideia de uma semana de primavera no campo também era cheia de atrações para mim. Meu velho amigo, o Coronel Hayter, que ficara sob meus cuidados profissionais no Afeganistão, comprara uma casa perto de Reigate, em Surrey, e frequentemente me pedia que fosse visitá-lo. Na última ocasião, ele comentara que, se meu amigo quisesse me acompanhar, o coronel ficaria feliz em estender-lhe a mesma hospitalidade. Um pouco de diplomacia fez-se necessário, mas, quando Holmes entendeu que a casa era de solteiro e que ele teria a maior liberdade lá, aprovou meus planos, e, uma semana depois de nossa volta de Lyons, estávamos debaixo do teto do coronel. Hayter era um bom e velho soldado, que vira boa parte do mundo, e logo descobriu, como eu esperava, que ele e Holmes tinham muito em comum.

Na noite de nossa chegada, estávamos sentados na sala de armas do coronel, depois do jantar, Holmes estendido no sofá, enquanto Hayter e eu examinávamos seu pequeno arsenal de armas de fogo.

— A propósito — ele disse de repente —, vou levar uma destas pistolas para o quarto comigo, caso tenhamos um alarme.

— Um alarme! — exclamei.

— Sim, tivemos um surto deles por aqui ultimamente. Segunda-feira passada arrombaram a casa do velho Acton, um dos magnatas do nosso condado. Não houve grandes danos, mas os sujeitos ainda estão à solta.

— Nenhuma pista? — perguntou Holmes, olhando o coronel de soslaio.

— Nenhuma ainda. Mas é um caso sem importância, um dos pequenos crimes da zona rural, que deve parecer insignificante demais para a sua atenção, Sr. Holmes, depois daquela grande intriga internacional.

Holmes dispensou o elogio com um gesto, embora seu sorriso indicasse que ele havia gostado.

— Há algum detalhe interessante?

— Acho que não. Os ladrões vasculharam a biblioteca e obtiveram bem pouca coisa por tanto trabalho. O lugar todo estava revirado, gavetas arrombadas e escrivaninhas esvaziadas, com o resultado de que um volume do *Homero*, de Pope, dois castiçais folheados, um peso de papéis de marfim, um barômetro pequeno de carvalho e um novelo de barbante desapareceram.

— Que sortimento extraordinário! — exclamei.

— Oh, os sujeitos evidentemente agarraram tudo o que podiam levar.

Holmes grunhiu do sofá.

— A polícia do condado deveria levar isso em conta — ele disse. — Ora, certamente é óbvio que...

Mas eu ergui um dedo em aviso.

— Você está aqui para descansar, caro colega. Pelo amor de Deus, não comece com um novo caso quando seus nervos ainda estão em frangalhos.

Holmes deu de ombros, com uma expressão de cômica resignação dirigida ao coronel, e a conversa passou para assuntos menos perigosos.

Toda a minha cautela profissional, porém, estava destinada a ser desperdiçada, porque na manhã seguinte o problema se intrometeu de novo entre nós, de tal maneira que foi impossível ignorá-lo, e nosso passeio no campo sofreu uma reviravolta que ninguém poderia ter antecipado. Estávamos fazendo o desjejum quando o mordomo do coronel entrou correndo, agitado a ponto de perder toda a compostura.

— Já soube do acontecido, senhor? — ele perguntou. — Na propriedade dos Cunningham, senhor!

— Roubo? — indagou o coronel, com a xícara de café parada no ar.

— Assassinato!

O coronel assobiou.

— Por Jove! — ele disse. — E quem foi morto? O juiz ou seu filho?

— Nenhum dos dois, senhor. Foi William, o cocheiro. Um tiro no coração, senhor, e nunca mais ele falou.

— E quem atirou nele, então?

— O ladrão, senhor. Saiu como um raio e fugiu. Havia acabado de entrar pela janela da despensa quando William o surpreendeu e perdeu a vida salvando as posses do patrão.

— A que horas?

— Foi noite passada, senhor, por volta da meia-noite.

— Ah, então iremos já para lá — disse o coronel, voltando calmamente ao seu desjejum. — É um negócio feio — ele acrescentou, quando o mordomo saiu. — Ele é o maior proprietário rural daqui, o velho Cunningham, e um sujeito muito decente. Deve estar arrasado com isso, pois o homem estava a seu serviço havia anos, e era um bom empregado. Evidentemente, foram os mesmos bandidos que arrombaram a casa de Acton.

— Os que roubaram aquela singular coleção de objetos? — perguntou Holmes, pensativo.

— Exatamente.

— Hum! Pode revelar-se o caso mais simples do mundo; mas, ainda assim, à primeira vista é um pouco curioso, não? De um bando de ladrões que age na região poder-se-ia esperar que variasse os locais de suas operações, e não que atacasse duas residências no mesmo distrito com diferença de alguns dias. Quando o senhor falou, noite passada, de se acautelar, lembro que pensei que esta provavelmente seria a última comarca na Inglaterra para a qual o ladrão ou os ladrões dirigiriam suas atenções; o que mostra que ainda tenho muito a aprender.

— Imagino que seja algum larápio local — disse o coronel. — Nesse caso, é claro, as propriedades de Acton e Cunningham seriam as que ele atacaria, pois são de longe as maiores.

— E as mais ricas?

— Bem, deveriam ser; mas corre um processo judicial há alguns anos que tem sugado o sangue de ambos, imagino. O velho Acton tem alguma reivindicação sobre metade da propriedade de Cunningham, e os advogados estão cheios de trabalho.

— Se for um larápio local, não haverá muita dificuldade em apanhá-lo — observou Holmes, com um bocejo. — Certo, Watson, não pretendo me meter.

— O inspetor Forrester, senhor — anunciou o mordomo, escancarando a porta.

O policial, um jovem de aspecto inteligente e atento, entrou na sala.

— Bom dia, coronel — ele disse. — Espero não estar me intrometendo, mas ouvi dizer que o Sr. Holmes, da Baker Street, está aqui.

O coronel acenou para meu amigo, e o inspetor o cumprimentou com a cabeça.

— Achamos que talvez o senhor gostaria de participar, Sr. Holmes.

— O destino está contra você, Watson — ele brincou. — Estávamos falando sobre o assunto quando o senhor entrou, inspetor. Talvez pudesse nos dar alguns detalhes. — Quando ele se refestelou na poltrona em sua familiar atitude, percebi que não havia mais esperanças.

— Não tínhamos nenhuma pista no caso Acton. Mas aqui temos muitas, e não resta dúvida de que o culpado é o mesmo nos dois casos. O homem foi visto.

— Ah!

— Sim, senhor. Mas fugiu como um veado depois que o tiro que matou o pobre William Kirwan foi disparado. O Sr. Cunningham o viu da janela do quarto, e o Sr. Alec Cunningham, do corredor dos fundos. Faltava um quarto para a meia-noite quando o alarme foi dado. O Sr. Cunningham acabara de se deitar, e o Sr. Alec estava fumando cachimbo, de roupão. Ambos ouviram William, o cocheiro, gritando por ajuda, e o Sr. Alec correu escada abaixo para ver o que estava acontecendo. A porta dos fundos estava aberta, e, quando ele chegou ao pé da escada, viu dois homens lutando lá fora. Um deles disparou um tiro, o outro caiu, e o assassino correu pelo jardim e pulou a cerca. O Sr. Cunningham, olhando da janela do quarto, viu o sujeito chegar à estrada, mas logo o perdeu de vista. O Sr. Alec parou para ver se poderia ajudar o moribundo, e assim o vilão se safou. Além do fato de que era um homem de estatura mediana usando roupas escuras, não temos pistas pessoais, mas estamos investigando com afinco; se ele for um forasteiro, logo o encontraremos.

— O que William estava fazendo lá? Ele disse alguma coisa antes de morrer?

— Nem uma palavra. Morava com a mãe na casa da reserva de caça, e, como era um sujeito muito fiel, imaginamos que tivesse ido à mansão com a intenção de ver se tudo estava bem por lá. Naturalmente, esse negócio com Acton deixou todos de sobreaviso. O ladrão devia ter arrombado a porta, já que o trinco fora forçado, quando William o surpreendeu.

— William disse alguma coisa à mãe antes de sair?

— Ela é muito velha e surda, e dela não conseguimos nenhuma informação. O choque a deixou abobalhada, mas, pelo que sei, ela nunca foi muito lúcida. Há uma circunstância muito importante, de todo modo. Veja isto!

Ele tirou um pedaço de papel rasgado de dentro de um caderno e o abriu sobre o joelho.

— Isto foi encontrado entre o indicador e o polegar do morto. Parece ser um fragmento rasgado de uma folha maior. Observem que a hora nele mencionada é exatamente a mesma em que o pobre sujeito perdeu a vida. Claramente, seu assassino deve ter arrancado dele o resto do papel, ou ele pode ter arrancado este fragmento do assassino. Parece quase um bilhete marcando um encontro.

Holmes pegou o pedaço de papel, aqui reproduzido em fac-símile.

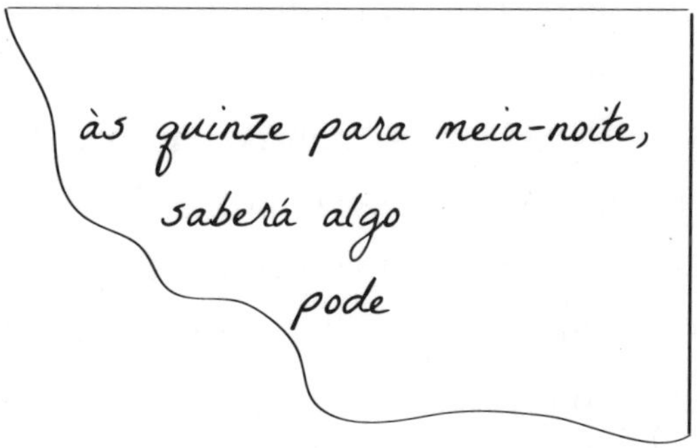

— Supondo que seja um bilhete marcando um encontro — continuou o inspetor —, é, naturalmente, uma teoria concebível que esse William Kirwan, embora tivesse a reputação de ser honesto, pudesse estar mancomunado com o ladrão. Ele pode tê-lo encontrado ali, talvez até ajudado a arrombar a porta, e depois os dois podem ter se desentendido.

— Essa escrita é de um interesse extraordinário — disse Holmes, que a estava examinando com intensa concentração. — Essas águas são muito mais profundas do que eu pensava. — Ele afundou a cabeça nas mãos, enquanto o inspetor sorria com o efeito que seu caso tivera sobre o famoso especialista de Londres.

— Seu último comentário — disse Holmes, finalmente —, quanto à possibilidade de haver um entendimento entre o ladrão e o serviçal, e sobre este ser um bilhete de um para o outro marcando um encontro, é uma suposição engenhosa e não de todo impossível. Mas a escrita abre... — Ele afundou a cabeça nas mãos de novo e permaneceu por alguns minutos, profundamente pensativo. Quando ergueu o rosto de novo, fiquei surpreso em ver que suas faces tinham cor e seus olhos estavam tão brilhantes quanto antes da doença. Ele saltou de pé com toda a sua antiga energia.

— Já sei! — exclamou. — Gostaria de dar uma olhadinha com mais calma nos detalhes deste caso. Há algo nele que me fascina ao extremo. Se me permitir, coronel, deixarei meu amigo Watson e o senhor e sairei com o inspetor para verificar a veracidade de uma ou outra das minhas pequenas suposições. Estarei novamente com vocês dentro de meia hora.

Uma hora e meia havia se passado antes que o inspetor voltasse sozinho.

— O Sr. Holmes está andando de um lado para o outro no campo lá fora — ele contou. — Quer que nós quatro sigamos para a casa juntos.

— Para a casa do Sr. Cunningham?

— Sim, senhor.

— Para quê?

O inspetor deu de ombros.

— Não sei ao certo, senhor. Cá entre nós, acho que o Sr. Holmes não se recuperou completamente de sua doença. Está agindo de forma muito estranha, e está muito agitado.

— Acho que não precisa se alarmar — eu disse. — Em geral, eu descubro que há método em sua loucura.

— Alguns diriam que há loucura em seu método — resmungou o inspetor. — Mas ele está impaciente para começar, coronel, por isso é melhor sairmos, se estiverem prontos.

Encontramos Holmes andando de um lado para o outro no campo, com o queixo apoiado no peito e as mãos enfiadas nos bolsos da calça.

— A coisa fica mais interessante — ele afirmou. — Watson, sua viagem ao campo é um sucesso total. Tive uma manhã encantadora.

— Pelo que sei, o senhor foi ver o local do crime — disse o coronel.

— Sim, o inspetor e eu fizemos um belo reconhecimento juntos.

— Algum sucesso?

— Bem, vimos umas coisas interessantes. No caminho para lá, contarei o que fizemos. Antes de tudo, vimos o corpo desse desventurado homem. Ele certamente morreu de um ferimento de tiro, conforme o relatado.

— Duvidava disso, então?

— Ora, tanto vale verificar tudo. Nossa inspeção não foi desperdiçada. Então conversamos com o Sr. Cunningham e seu filho, que souberam mostrar o local exato onde o assassino cruzara a cerca do jardim em sua fuga. Isso foi muito interessante.

— Naturalmente.

— Em seguida, visitamos a mãe do pobre sujeito. Não obtivemos dela nenhuma informação, porém, pois ela está muito velha e fraca.

— E qual é o resultado de suas investigações?

— Convenci-me de que o crime em questão é muito peculiar. Talvez nossa visita possa fazer algo para torná-lo menos misterioso. Acho que concordamos, inspetor, que o fragmento de papel na mão do morto, que traz escrita, de fato, a hora exata de sua morte, é de extrema importância.

— Deve dar-nos uma pista, Sr. Holmes.

— Ele *dá* uma pista. Quem escreveu esse bilhete foi a pessoa que tirou William Kirwan da cama naquela hora. Mas onde está o resto da folha de papel?

— Examinei o local cuidadosamente, na esperança de encontrá-lo — disse o inspetor.

— Foi arrancado da mão do morto. Por que alguém estaria tão ansioso para se apossar dele? Porque o bilhete o incriminava. E o que ele faria com o bilhete? Metê-lo-ia no bolso, muito provavelmente, sem notar que um canto dele ficara na mão da vítima. Se pudéssemos achar o resto dessa folha, é óbvio que nos aproximaríamos muito de resolver o mistério.

— Sim, mas como podemos chegar ao bolso do criminoso antes de pegarmos o criminoso?

— Bem, bem, valia a pena considerar isso. E há outro detalhe óbvio. O bilhete foi enviado a William. O homem que o escreveu não deve tê-lo levado, senão, é claro, comunicaria a mensagem verbalmente. Quem levou o bilhete, então? Ou ele chegou pelo correio?

— Já investiguei — disse o inspetor. — William recebeu uma carta no correio da tarde de ontem. O envelope foi destruído por ele.

— Excelente! — exclamou Holmes, dando um tapinha nas costas do inspetor. — O senhor foi ver o carteiro. É um prazer trabalhar com o senhor. Bem, aqui está a casa, e, se o senhor entrar, coronel, mostrarei o local do crime.

Passamos pelo belo chalé onde a vítima morava e andamos por uma alameda ladeada por carvalhos até a bela residência no estilo rainha Ana, com a data da batalha de Malplaquet na viga sobre a porta. Holmes e o inspetor nos levaram ao redor dela, até chegarmos ao portão lateral, que era separado por um canteiro ajardinado da cerca que beirava a estrada. Um policial estava na porta da cozinha.

— Escancare a porta, policial — ordenou Holmes. — Bem, foi desta escada que o jovem Sr. Cunningham viu os dois homens lutando, aqui onde estamos. O velho Sr.

Cunningham estava na janela, a segunda à esquerda, e viu o sujeito fugir à esquerda daquele arbusto. O filho também. Os dois têm certeza por causa do arbusto. Então o Sr. Alec correu e se ajoelhou perto do ferido. O chão é muito duro, vejam, e não há pegadas que possam nos orientar.

Enquanto ele falava, dois homens desceram pelo caminho do jardim, saindo de trás do canto da casa. Um era um senhor de idade, com um rosto forte, de rugas profundas e olhar pesado; o outro, um jovem cheio de energia, cuja expressão radiante e sorridente e roupas espalhafatosas faziam um estranho contraste com o assunto que nos trouxera.

— Ainda tentando, então? — ele disse a Holmes. — Pensei que vocês londrinos não errassem nunca. O senhor não me parece muito esperto, no fim das contas.

— Ah! Precisa nos dar um pouco de tempo — respondeu Holmes, bem-humorado.

— Bote tempo nisso — ironizou o jovem Alec Cunningham. — Ora, acho que o senhor não tem nenhuma pista.

— Só uma — retrucou o inspetor. — Achamos que, se conseguirmos encontrar... Pelos céus! Sr. Holmes, o que foi?

O rosto do meu pobre amigo assumira de repente uma expressão pavorosa. Ele revirou os olhos, seus traços se contorceram de agonia, e, com um gemido abafado, ele caiu de cara no chão. Horrorizados com a rapidez e a gravidade do ataque, nós o levamos para a cozinha, onde ele se sentou numa grande cadeira e respirou ofegantemente por alguns minutos. Por fim, com um envergonhado pedido de desculpas por sua fraqueza, levantou-se novamente.

— Watson confirmará que acabo de me recuperar de um grave mal-estar — ele explicou. — Estou sujeito a esses repentinos ataques de nervos.

— Quer que eu mande minha charrete levá-lo em casa? — perguntou o velho Cunningham.

— Bem, já que estou aqui, há um detalhe do qual gostaria de me certificar. Será fácil verificá-lo.

— Qual?

— Bem, parece-me possível que a chegada desse pobre William não tenha acontecido antes, e sim depois da entrada do ladrão na casa. Todos parecem ter presumido automaticamente que, embora a porta tivesse sido arrombada, o ladrão não chegou a entrar.

— Acho que isso é bem óbvio — disse o Sr. Cunningham, em tom grave. — Ora, meu filho ainda não havia se deitado, e certamente teria ouvido alguém andando pela casa.

— Onde ele estava?

— Eu estava sentado, fumando na minha antecâmara.

— Qual é a janela dela?

— A última à esquerda, ao lado da janela do meu pai.

— As duas lâmpadas estavam acesas, naturalmente?

— Sem dúvida.

— Há algumas questões deveras singulares — declarou Holmes, sorrindo. — Não é extraordinário que um ladrão, e um ladrão com alguma experiência, invada deliberadamente uma casa no momento em que podia ver, pelas luzes, que dois ocupantes ainda estavam acordados?

— Ele devia ser bem corajoso.

— Bem, claro que, se o caso não fosse esquisito, nem pensaríamos em pedir uma explicação ao senhor — disse o Sr. Alec. — Mas, quanto à sua ideia de que o homem roubou a casa antes que William o pegasse, acho totalmente absurda. Não teríamos encontrado o lugar desarrumado, e dado pela falta das coisas que ele levou?

— Depende de quais sejam essas coisas — esclareceu Holmes. — Lembre-se de que estamos lidando com um ladrão bastante peculiar, e que parece seguir suas próprias diretrizes. Veja, por exemplo, os objetos estranhos que ele roubou da casa de Acton, quais eram mesmo? Um novelo de barbante, um peso de papéis, e sei lá que outros bricabraques!

— Bem, estamos totalmente em suas mãos, Sr. Holmes — declarou o velho Cunningham. — Tudo o que o senhor ou o inspetor sugerirem, com toda a certeza será feito.

— Em primeiro lugar — começou Holmes —, gostaria que oferecessem uma recompensa, os senhores mesmo, já que a polícia demoraria um pouco antes de acertar a quantia, e essas coisas devem ser feitas o mais rápido possível. Já preenchi o formulário aqui, se não se importam em assiná-lo. Achei que cinquenta libras seriam mais do que suficientes.

— Eu daria de bom grado quinhentas — disse o juiz,

pegando a tira de papel e o lápis que Holmes lhe entregara. — Mas isso não está correto — ele acrescentou, olhando para o documento.

— Escrevi um tanto às pressas.

— Veja que o senhor começa: "Como à uma menos um quarto, na madrugada de terça-feira, houve uma tentativa..." e por aí vai. Foi à meia-noite menos um quarto, na verdade.

O erro me entristeceu, pois eu sabia quanto Holmes lamentaria qualquer deslize do tipo. Era a sua especialidade ser exato quanto aos fatos, mas sua doença recente o abalara, e esse pequeno incidente bastava para me mostrar que ele ainda estava longe de ser o mesmo de antes. Ficou obviamente constrangido por um instante, enquanto o inspetor erguia as sobrancelhas e Alec Cunningham caía na gargalhada. O velho cavalheiro corrigiu o erro, no entanto, e devolveu o papel a Holmes.

— Mande publicar quanto antes — ele disse. — Achei sua ideia excelente.

Holmes guardou cuidadosamente a tira de papel em sua carteira.

— E agora — ele explicou —, seria realmente bom vasculharmos a casa juntos, para ter certeza de que esse ladrão um tanto inconsequente não levou embora nada mesmo.

Antes de entrar, Holmes examinou a porta que fora arrombada. Era evidente que um cinzel ou facão reforçado havia sido enfiado na fresta para forçar de volta a lingueta da fechadura. Podíamos ver as marcas na madeira, onde ela fora empurrada.

— Não usam barras, então? — ele perguntou.

— Nunca achamos necessário.

— Não têm um cão?

— Sim, mas ele está acorrentado do outro lado da casa.

— A que hora a criadagem se deita?

— Por volta das 22h.

— Pelo que entendi, William também costumava se deitar a essa hora.

— Sim.

— É peculiar que nessa noite em particular ele estivesse acordado. Agora, eu ficaria muito feliz se o senhor tivesse a bondade de nos mostrar a casa, Sr. Cunningham.

Um corredor revestido de pedra, para o qual se abriam as cozinhas, levava, por uma escada de madeira, diretamente ao primeiro andar da casa. Na plataforma intermediária, juntava-se a uma segunda escada, mais ornamentada, que subia do saguão de entrada. Dessa plataforma se chegava ao salão e a vários dormitórios, incluindo o do Sr. Cunningham e o de seu filho. Holmes andava devagar, notando atentamente a arquitetura da casa. Eu podia adivinhar, pela sua expressão, que ele seguia alguma pista importante, mas não conseguia nem imaginar em que direção suas inferências o estavam levando.

— Meu bom senhor — disse o Sr. Cunningham, com alguma impaciência —, isso certamente é muito desnecessário.

Aquele é o meu quarto, no final da escada, e o do meu filho vem logo depois. Avalie o senhor mesmo se é possível que o ladrão tenha subido aqui sem nos alertar.

— Acho que vai precisar tentar de novo e seguir outra pista — disse o filho, com um sorriso um tanto malicioso.

— Mesmo assim, preciso pedir que me contentem apenas um pouco mais. Gostaria, por exemplo, de verificar até onde se vê a frente da casa das janelas dos quartos. Este, pelo que entendi, é o quarto do seu filho — ele abriu a porta —, e aquela, presumo, é a antecâmara onde ele fumava quando o alarme foi dado. Para que lado dá aquela janela? — Ele atravessou o quarto, abriu a porta e correu os olhos pelo outro cômodo.

— Espero que agora esteja satisfeito — anunciou o Sr. Cunningham, irritado.

— Obrigado; acho que vi tudo o que queria.

— Então, se realmente for necessário, podemos ir para o meu quarto.

— Se não for pedir muito.

O juiz deu de ombros e nos levou para seu quarto, que era comum, com mobília simples. Enquanto ele andava até a janela, Holmes se deixou passar até ficar por último, junto comigo. Perto do pé da cama havia uma mesinha quadrada com uma bandeja de laranjas e uma jarra d'água. Ao passarmos por ela, Holmes, para meu indizível assombro, curvou-se diante de mim e deliberadamente derrubou tudo. O vidro se partiu em mil pedaços, e as frutas rolaram para todo canto do quarto.

— Agora você se superou, Watson — ele disse calmamente. — Veja só o estrago que fez no tapete.

Fiquei um tanto confuso e comecei a recolher as frutas, entendendo que, por algum motivo, meu colega desejava que eu assumisse a culpa. Os outros fizeram o mesmo, e puseram a mesinha de pé.

— Olá! — exclamou o inspetor. — Onde ele se meteu?

Holmes desaparecera.

— Esperem aqui um instante — disse o jovem Alec Cunningham. — Na minha opinião, o camarada está ruim da cabeça. Venha comigo, papai, vamos ver aonde ele foi!

Eles saíram apressadamente do quarto, deixando o inspetor, o coronel e eu nos entreolhando.

— Juro que me sinto inclinado a concordar com o Sr. Alec — confessou o policial. — Pode ser efeito dessa doença, mas parece-me que...

Suas palavras foram interrompidas por um repentino grito de:

— Socorro! Socorro! Assassinos! — Emocionado, reconheci a voz do meu amigo. Corri loucamente do quarto para o vão da escada. Os gritos, que se reduziam a exclamações roucas e ininteligíveis, vinham do quarto que visitáramos primeiro. Entrei correndo e fui para a antecâmara. Os dois Cunningham estavam curvados sobre a figura prostrada de Sherlock Holmes, o mais novo apertando sua garganta com ambas as mãos, enquanto o mais velho parecia estar torcendo um de seus pulsos. Num instante, nós três os havíamos arrancado de cima dele, e Holmes ficou de pé, trôpego, muito pálido e evidentemente exausto.

— Prenda esses homens, inspetor! — ele exclamou.

— Sob que acusação?

— O assassinato de seu cocheiro, William Kirwan!

O inspetor o olhou, assombrado.

— Ora, vamos, Sr. Holmes — ele disse finalmente —; é óbvio que não quer realmente dizer que...

— Quieto, homem; olhe o rosto deles! — Holmes gritou rispidamente.

Nunca, é certo, eu vira uma confissão mais clara de culpa num semblante humano. O mais velho dos dois parecia entorpecido e atordoado, com uma expressão pesada e rancorosa no rosto profundamente enrugado. O filho, por outro lado, abandonara aquele estilo arrogante e arrojado que o caracterizava, e a ferocidade de um perigoso animal selvagem reluzia em seus olhos escuros e distorcia seus belos traços. O inspetor não disse nada, mas, indo até a porta, soprou seu apito. Dois de seus policiais atenderam ao chamado.

— Não tenho alternativa, Sr. Cunningham — ele afirmou. — Acredito que isso possa provar ser um engano absurdo; mas podem ver que... Ah, é assim? Largue isso!

— Com um golpe, ele fez rolar pelo chão um revólver que o jovem estava prestes a engatilhar.

— Fique com ele — disse Holmes, pisando rapidamente na arma. — Será útil no julgamento. Mas o que realmente queríamos é isto. — Ele mostrou um pedaço de papel amassado.

— O resto da folha? — exclamou o inspetor.

— Exatamente.

— E onde estava?

— Onde eu tinha certeza de que estaria. Já vou esclarecer todo o caso para vocês. Acho, coronel, que o senhor e Watson já podem voltar, e estarei com vocês em no máximo uma hora. O inspetor e eu precisamos trocar uma palavra com os presos; mas certamente estarei de volta para o almoço.

Sherlock Holmes cumpriu a promessa, pois lá pelas 13h nos encontrou na sala de fumo do coronel. Estava acompanhado por um cavalheiro idoso e miúdo, que me foi apresentado como o Sr. Acton, cuja casa fora o local do primeiro roubo.

— Eu quis que o Sr. Acton estivesse presente enquanto eu explicava o caso a vocês — disse Holmes —, porque é natural que ele tenha um profundo interesse nos detalhes. Temo, caro coronel, que o senhor lamente o momento em que acolheu um hóspede tão cheio de liberdades como eu.

— Pelo contrário — respondeu amigavelmente o coronel —, considero o maior dos privilégios ter permissão para estudar seus métodos de trabalho. Confesso que eles superam totalmente minhas expectativas, e que sou completamente incapaz de explicar seus resultados. Ainda não vi nem sombra de uma pista.

— Infelizmente, minha explicação desiludirá o senhor, mas sempre foi meu hábito não esconder meus métodos, nem do meu amigo Watson, nem de ninguém que possa ter um interesse inteligente neles. Mas primeiro, como estou um tanto abalado pela surra que levei na antecâmara, acho que vou me servir de um gole do seu *brandy*, coronel. Minhas forças têm sido postas à prova ultimamente.

— Espero que não tenha sofrido mais nenhum ataque de nervos.

Sherlock Holmes riu cordialmente.

— Falaremos disso a seu tempo — ele disse. — Farei um relato do caso em questão em ordem cronológica, revelando os vários detalhes que me guiaram na minha decisão. Por favor, me interrompam caso haja alguma inferência que não esteja perfeitamente clara para vocês.

"É da maior importância, para a arte da detecção, ser capaz de reconhecer, entre vários fatos, quais são incidentais e quais são importantes. Senão a energia e a atenção serão dissipadas, em vez de se concentrarem. Agora, neste caso, não havia a menor dúvida na minha mente, desde o princípio, que a chave de toda a questão deveria ser procurada naquele pedaço de papel na mão da vítima.

"Antes de falar disso, gostaria de chamar a atenção para o fato de que, se a narrativa de Alec Cunningham estivesse correta, e se o agressor, depois de atirar em William Kirwan, tivesse fugido *instantaneamente*, então é óbvio que não poderia ter sido ele a arrancar o papel da mão do morto. Mas, se não foi ele, deveria ter sido o próprio Alec Cunningham, pois, quando o velho desceu, vários serviçais já estavam no local. A questão é bem simples, mas o inspetor a negligenciou porque partiu da suposição de que esses dois magnatas rurais não tinham nada a ver com o caso. Bem, eu faço questão de jamais nutrir qualquer preconceito e ir docilmente aonde quer que os fatos me levem, e assim, já na primeira etapa da investigação, me vi olhando com certa desconfiança para o papel desempenhado pelo Sr. Alec Cunningham.

"Então fiz um exame muito cuidadoso do canto de papel que o inspetor nos apresentou. Imediatamente ficou claro, para mim, que ele era parte de um documento notável. Aqui está ele. Não observam algo de muito sugestivo nele?"

— Parece muito irregular — disse o coronel.

— Caro senhor — exclamou Holmes —, não pode restar qualquer dúvida no mundo de que ele foi escrito por duas pessoas, alternando palavras. Quando eu chamar sua atenção para os traços fortes de "à" e "menos", e pedir que os compare com a fraqueza de "meia-noite" e "um", imediatamente reconhecerá o fato. Uma análise muito breve dessas quatro palavras lhe permitiria dizer com total segurança que o "saberá" e o "pode" foram escritos com a caligrafia mais forte, e o "algo", com a mais fraca.

— Por Jove, está claro como o dia! — exclamou o coronel. — Por que, afinal, dois homens escreveriam uma carta dessa forma?

— Obviamente, o que iam fazer era grave, e um dos homens, que não confiava no outro, estava determinado que cada um deles deveria ter igual participação no que quer que fossem fazer. Agora, dos dois homens, está claro que aquele que escreveu "quarto" era o líder.

— Como sabe?

— Podemos deduzir isso pelas meras características de uma letra em comparação com a outra. Mas temos razões mais fortes do que isso para supor. Se examinar o fragmento com atenção, chegará à conclusão de que o homem da letra mais forte escreveu todas as suas palavras primeiro, deixando espaços para que o outro preenchesse. Esses espaços nem sempre eram suficientes, e pode-se ver que o segundo homem teve que espremer a palavra "meia-noite" entre "à" e "menos", revelando que estas últimas já estavam escritas. O homem que escreveu todas as suas palavras primeiro é, sem dúvida, aquele que planejou a ação.

— Excelente! — exclamou o Sr. Acton.

— Mas muito superficial — disse Holmes. — Chegamos agora, porém, a um detalhe que é importante. Talvez vocês não saibam que a dedução da idade de um homem pela caligrafia já chegou a uma eficácia considerável pela mão de especialistas. Em casos normais é possível dizer, com uma margem de erro tolerável, quantas décadas viveu um homem. Digo casos normais porque a doença e a fraqueza física reproduzem os sinais da velhice, mesmo quando o inválido é jovem. No presente caso, olhando para a letra grossa e forte de um e a de aparência um tanto alquebrada da outra, que ainda conserva sua legibilidade, embora os "t" tenham começado a não ser cortados, podemos dizer que o primeiro é jovem, e o outro, avançado em anos, sem ser totalmente decrépito.

— Excelente! — exclamou o Sr. Acton mais uma vez.

— Existe outro detalhe, todavia, que é mais sutil e de maior interesse. Há algo em comum entre essas caligrafias. Elas pertencem a homens que são parentes de sangue. Isso deve ficar muito óbvio para vocês por causa dos "e" gregos, mas para mim há muitas outras características menores que indicam a mesma coisa. Não tenho dúvida alguma de que um maneirismo familiar pode ser detectado nestas duas amostras de escrita. Só estou, é claro, dando-lhes agora os resultados principais do meu exame do papel. Há 23 outras deduções que seriam mais interessantes para especialistas do que para vocês. Todas tendem a aprofundar a impressão que tive de que os Cunningham, pai e filho, escreveram esta carta.

"Tendo chegado a esse ponto, meu passo seguinte era, obviamente, examinar os detalhes do crime e ver até onde nos ajudariam. Subi até a casa com o inspetor e vi tudo o que havia para ver. O ferimento no cadáver fora, como pude determinar com absoluta segurança, causado por um tiro de revólver disparado a uma distância de mais de quatro metros. Não havia manchas de pólvora nas roupas. Evidentemente, portanto, Alec Cunningham mentiu ao dizer que os dois homens estavam lutando quando o tiro foi disparado. Mais uma vez, pai e filho puseram-se de acordo quanto ao lugar onde o homem escapou para a estrada. Naquele ponto, porém, por acaso, há uma larga vala cujo fundo é úmido. Como não havia nenhum indício de pegadas de botas na vala, tive absoluta certeza não só de que os Cunningham mentiram novamente, mas de que nunca houve nenhum desconhecido no local.

"E, agora, preciso considerar o motivo desse crime singular. Para chegar a ele tive, antes de tudo, que desvendar o motivo do primeiro roubo, na casa do Sr. Acton. Eu soube, por algo que o coronel nos contou, que um processo estava correndo entre o Sr. Acton e os Cunningham. Claro que instantaneamente me ocorreu que os dois deviam ter arrombado a biblioteca do senhor com a intenção de obter algum documento que pudesse ser importante para o processo."

— Exatamente — disse o Sr. Acton —; não pode haver dúvida das intenções dos dois. Tenho a reivindicação mais clara sobre metade de sua propriedade atual, e, se eles tivessem encontrado um só documento, que, felizmente, estava na caixa-forte dos meus advogados, sem dúvida teriam atrapalhado o nosso processo.

— Aí está! — disse Holmes, sorrindo. — Foi uma tentativa perigosa e imprudente, na qual pareço detectar a influência do jovem Alec. Sem encontrar nada, tentaram afastar as suspeitas simulando um furto normal, e para tanto, levaram tudo o que encontraram. Tudo isso está bastante claro, mas ainda havia muitos mistérios. O que eu queria, acima de tudo, era obter a parte que faltava do bilhete. Tinha certeza de que Alec a arrancara da mão da vítima, e quase certeza de que devia tê-la enfiado no bolso do roupão. Onde mais poderia tê-la guardado? A única questão era se continuava lá ou não. Valeria o esforço tentar descobrir, e para isso entramos todos na mansão.

"Os Cunningham se juntaram a nós, como sem dúvida vocês se lembram, na porta da cozinha. Era, obviamente, da maior importância que eles não fossem lembrados da existência deste papel, senão, sem dúvida, o destruiriam sem demora. O inspetor estava para lhes revelar a importância que dávamos ao fragmento quando, pela coincidência mais feliz do mundo, eu desabei numa espécie de ataque e o assunto foi esquecido."

— Pelos céus! — exclamou o coronel, rindo. — Está querendo dizer que toda a nossa solidariedade foi desperdiçada, e seu ataque, uma fraude?

— Falando como profissional, foi admiravelmente simulado — assegurei, olhando com assombro para aquele homem que sempre me intrigava com alguma nova faceta de sua astúcia.

— É uma arte que muitas vezes me é útil — ele disse. — Quando me recuperei, consegui, por meio de uma artimanha que talvez tenha algum mérito de genialidade, fazer o velho Cunningham escrever a palavra "meia-noite" para compará-la com a "meia-noite" do pedaço de papel.

— Oh, que imbecil eu fui! — exclamei.

— Percebi que você ficou com pena de mim por causa de minha fraqueza — brincou Holmes. — Lamentei causar em você a dor solidária que sei que sentiu. Depois, subimos a escada juntos, e, ao entrar no quarto e ver o roupão pendurado atrás da porta, consegui, derrubando uma mesinha, distrair a atenção dos dois por um momento e me afastar para examinar os bolsos. Eu mal pegara o papel, no entanto, que estava, como eu imaginava, num dos bolsos, e os dois Cunningham já estavam em cima de mim, e teriam, acredito sinceramente, me matado ali mesmo se não fosse a rápida e amigável ajuda de vocês. Ainda sinto os dedos daquele jovem na minha garganta, e o pai torceu totalmente meu pulso tentando tirar o papel da minha mão. Eles perceberam que eu sabia tudo a respeito, vejam bem, e a mudança abrupta de autoconfiança absoluta para desespero total os deixou completamente desesperados.

"Conversei com o velho Cunningham, depois, perguntando o motivo do crime. Ele foi bastante cortês, embora seu filho fosse um perfeito demônio, disposto a estourar os próprios miolos ou os de qualquer um, se pudesse pegar seu revólver. Quando Cunningham viu que as provas contra ele eram tão fortes, desanimou de vez e desabafou. Parece que William seguira em segredo seus dois patrões na noite em que eles arrombaram a casa do Sr. Acton, e, tendo-os assim em seu poder, tratou de chantageá-los, ameaçando contar tudo. Porém, era perigoso jogar esse tipo de jogo com alguém como o Sr. Alec. Foi um golpe de gênio da parte dele ver na onda de furtos que acometia a zona rural uma oportunidade para se livrar de forma plausível do homem que ele temia. William foi atraído e baleado, e, se eles tivessem recuperado o bilhete inteiro, e prestado um pouco mais de atenção aos detalhes, seria bem possível que a suspeita jamais fosse levantada."

— E o bilhete? — perguntei.

Sherlock Holmes colocou diante de nós o papel reproduzido abaixo.

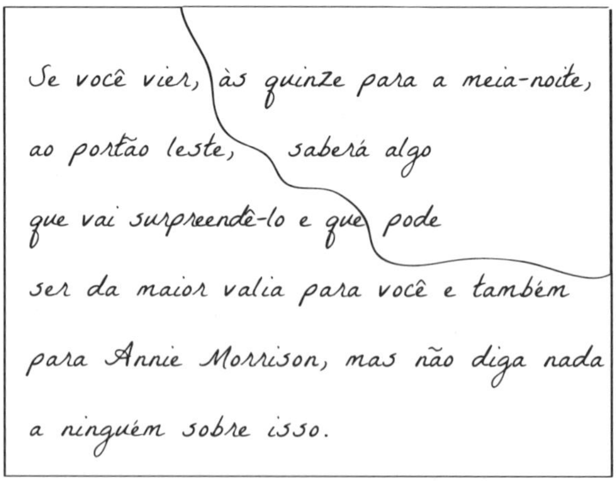

Se você vier, às quinze para a meia-noite,
ao portão leste, saberá algo
que vai surpreendê-lo e que pode
ser da maior valia para você e também
para Annie Morrison, mas não diga nada
a ninguém sobre isso.

— É bem o tipo de coisa que eu esperava — ele disse. — Naturalmente, ainda não sabemos que relação podia existir entre Alec Cunningham, William Kirwan e Annie Morrison. O resultado mostra que a armadilha foi dotada de uma eficiente isca. Sei que vocês não podem deixar de se encantar com os traços hereditários revelados nos "p" e nas caudas dos "g". A ausência de pingos nos "i" do velho também é muito característica. Watson, acho que nosso sossegado descanso no campo foi um sucesso notável, e certamente voltarei deveras revigorado à Baker Street amanhã.

PASTEURS
DEATH
MICROBES

sete

O HOMEM TORTO

Uma noite de verão, alguns meses depois do meu casamento, eu estava sentado diante da minha lareira, fumando o último cachimbo do dia e dormitando sobre um romance, pois meu dia de trabalho fora exaustivo. Minha esposa já havia subido para o quarto, e o som da fechadura alguns momentos antes me dizia que os criados também já haviam se recolhido. Levantei-me da poltrona e estava batendo as cinzas do cachimbo quando de repente ouvi o tilintar da campainha.

Olhei para o relógio. Faltava um quarto para a meia-noite. Não poderia ser uma visita pessoal, naquele horário. Um paciente, evidentemente, que talvez precisasse de acompanhamento a noite toda. Com expressão contrariada, saí no corredor e abri a porta. Para minha surpresa, era Sherlock Holmes que estava à minha frente.

— Ah, Watson — ele disse —, eu esperava encontrar você ainda acordado.

— Caro amigo, por favor, entre.

— Você parece surpreso, e não admira! Aliviado, também, imagino! Hum! Ainda fuma aquele Arcadia misto dos seus tempos de solteiro, então! Não há como confundir essas cinzas fofas sobre o seu casaco. É fácil perceber que você se acostumou a usar farda, Watson; jamais vai convencer totalmente como civil enquanto mantiver esse hábito de levar o lenço dentro da manga. Pode me hospedar esta noite?

— Com prazer.

— Você disse que tem um quarto de solteiro, e vejo que não recebeu nenhuma visita, no momento. Seu mancebo proclama isso.

— Ficarei encantado se você pernoitar.

— Obrigado. Ocuparei o pino do mancebo que está vazio, então. Lamento perceber que você precisou dos serviços de um operário inglês. Eles são o retrato do mal. Não é o esgoto, espero?

— Não, o gás.

— Ah! O homem deixou duas marcas de pregos da bota no seu linóleo, bem onde a luz bate. Não, obrigado, já jantei em Waterloo, mas fumarei com prazer um cachimbo com você.

Eu lhe entreguei minha bolsa de tabaco e ele se sentou na minha frente e fumou por algum tempo em silêncio. Eu tinha plena consciência de que só um assunto importante poderia tê-lo trazido à minha casa àquela hora, por isso esperei pacientemente que ele o abordasse.

— Vejo que você está profissionalmente um tanto ocupado no momento — ele disse, me olhando com muita atenção.

— Sim, tive um dia cheio — respondi. — Pode parecer tolice para você — acrescentei —, mas realmente não sei como deduziu isso.

Holmes riu baixinho.

— Tenho a vantagem de conhecer seus hábitos, meu caro Watson — ele disse. — Quando seu itinerário é curto, você vai a pé, e, quando é comprido, você usa um *hansom*.* Como percebo que suas botas, embora usadas, não estão nem um pouco sujas, não tenho dúvidas de que no momento está ocupado o suficiente para justificar o *hansom*.

— Excelente! — exclamei.

— Elementar — ele continuou. — É uma daquelas instâncias nas quais o pensador pode produzir um efeito que parece notável para o observador, pois este último não observou o único detalhe que é a base da dedução. O mesmo pode ser dito, caro colega, do efeito de alguns desses seus pequenos esboços, que é totalmente falacioso, dependendo, como depende, de você sonegar alguns fatores do problema, que nunca são revelados ao leitor. No presente momento, estou na mesma posição

* Carruagem leve de duas rodas com o assento do condutor atrás e por cima da cobertura, muito usada como táxi, e que leva o nome de seu criador, o engenheiro britânico Joseph Aloysius Hansom (1803-1882). (N. T.)

dos seus leitores, porque tenho nas mãos vários fios da trama de um dos casos mais estranhos que já deixaram perplexo um cérebro, no entanto me falta aquele, ou aqueles, de que preciso para completar minha teoria. Mas vou achá-los, Watson, vou achá-los! — Seus olhos brilharam e um leve rubor se espalhou por suas bochechas magras. Por um instante, o véu se erguera de sua natureza atenta e intensa, mas só por um instante. Quando olhei de novo, seu rosto reassumira aquela compostura impassível de pele-vermelha que fazia com que muitos o supusessem uma máquina, e não um homem.

— O problema apresenta características de interesse — ele declarou —; eu poderia até dizer características de interesse excepcional. Já examinei o assunto e cheguei, acho, bem perto da solução. Se você puder me acompanhar nesse último passo, talvez seja de considerável ajuda para mim.

— Ficarei encantado em fazê-lo.

— Pode ir comigo até Aldershot amanhã?

— Não tenho dúvidas de que Jackson atenderia meus pacientes.

— Muito bem. Quero partir no trem das 11h10 de Waterloo.

— Isso me daria tempo suficiente.

— Então, se não estiver com muito sono, posso esboçar o que aconteceu e o que falta fazer.

— Eu estava com sono antes de você chegar. Estou bem acordado agora.

— Resumirei a história quanto for possível sem omitir nada que seja vital para o caso. É concebível que você tenha até lido algum relato do assunto. Trata-se do suposto assassinato do Coronel Barclay, dos Royal Mallows, em Aldershot, que estou investigando.

— Não ouvi nada a respeito.

— Ainda não despertou muita atenção, a não ser localmente. Os fatos aconteceram há apenas dois dias. Em resumo, são estes:

"Os Royal Mallows são, como você sabe, um dos mais famosos regimentos irlandeses do exército britânico. Fizeram maravilhas tanto na Guerra da Crimeia quanto no Motim,* e desde aquela época se distinguiram em todas as ocasiões possíveis. O regimento era comandado, até a noite de segunda-feira, por James Barclay, um galante veterano, que começou como soldado, foi promovido a oficial comissionado por sua bravura na época do Motim, e assim chegou a comandar o regimento no qual já marchara de mosquete em punho.

"O Coronel Barclay se casara quando ainda era sargento, e sua esposa, cujo nome de solteira era Srta. Nancy Devoy, era filha de um ex-terceiro-sargento da mesma corporação. Houve, portanto, como é de imaginar, um pouco de atrito social quando o jovem casal (pois eles ainda eram jovens) se viu em seu novo ambiente. Eles parecem, no entanto, ter-se

* Nome dado à Rebelião Indiana de 1857 contra o domínio britânico da colônia. (N. T.)

adaptado rapidamente, e a Sra. Barclay sempre foi, pelo que entendi, tão popular entre as damas do regimento quanto seu marido era entre seus camaradas oficiais. Posso acrescentar que ela era uma mulher de grande beleza, e mesmo agora, casada já há mais de trinta anos, ainda tem uma aparência marcante e nobre.

"A família do Coronel Barclay parecia ser uniformemente feliz. O major Murphy, a quem devo a maior parte dessas informações, me garante que nunca soube de qualquer desentendimento do casal. De maneira geral, ele acha que a devoção de Barclay à esposa era maior do que a da esposa a Barclay. Ele ficava visivelmente desconfortável em se afastar dela um só dia. Ela, por outro lado, embora fosse devotada e fiel, era menos possessivamente carinhosa. Mas os dois eram vistos no regimento como um verdadeiro modelo de casal de meia-idade. Não havia absolutamente nada em seu relacionamento que preparasse as pessoas para a tragédia que se seguiria.

"O próprio Coronel Barclay parecia ter alguns traços peculiares em sua personalidade. Era um velho soldado arrojado e jovial em seu humor normal, mas havia ocasiões em que parecia se mostrar capaz de considerável violência e rancor. Esse lado da sua natureza, no entanto, parece jamais ter-se voltado contra a esposa. Outro fato que impressionava o major Murphy e três dos outros cinco oficiais com os quais conversei era a espécie singular de depressão que às vezes o acometia. Como o major definiu, frequentemente o sorriso era apagado de seu rosto, como que por uma mão invisível, mesmo se ele estivesse participando da hilaridade e galhofa do refeitório. Dias a fio, quando tomado por esse humor, ele ficava mergulhado na mais profunda melancolia. Isso, e uma certa inclinação para a superstição, eram as únicas características fora do comum em sua personalidade que os seus camaradas observaram. Essa segunda peculiaridade tomava a forma de uma aversão a ficar sozinho, especialmente depois que escurecia. Esse traço pueril numa natureza tão manifestamente viril era amiúde motivo de comentários e conjecturas.

"O primeiro batalhão dos Royal Mallows (que é o antigo 117º) estava lotado em Aldershot havia alguns anos. Os oficiais casados moravam em barracas, e o coronel, durante todo esse tempo, ocupara uma residência chamada Lachine, a uns 800 metros do Acampamento Norte. A casa tem terras próprias ao redor, mas seu lado oeste fica a menos de trinta metros da estrada. Um cocheiro e duas criadas formam a criadagem. Estes, mais o patrão e a patroa, eram os únicos ocupantes de Lachine, já que os Barclay não tinham filhos, tampouco costumavam receber visitas prolongadas.

"Agora, os fatos em Lachine entre as 21h e 22h da última segunda-feira.

"A Sra. Barclay era, ao que parece, devota da Igreja Católica Apostólica Romana, e se interessara muito pelo estabelecimento da Liga de São Jorge, formada em conexão com a Capela de Watt Street para fornecer roupas usadas aos pobres. Uma reunião da Liga acontecera naquela noite às 20h, e a Sra. Barclay apressara o jantar para comparecer. Quando saía de casa, foi ouvida pelo cocheiro fazendo algum comentário corriqueiro com o marido, e garantindo-lhe que voltaria em breve. Então ela chamou a Srta. Morrison, uma jovem que mora na propriedade ao lado, e as duas foram juntas para a reunião. Esta durou quarenta minutos, e às 21h15 a Sra. Barclay voltou para casa, depois de deixar a Srta. Morrison em casa, ao passar por lá.

"Há um salão que é usado para o desjejum em Lachine. Ele dá para a estrada, e tem uma grande porta articulada de vidro que se abre para o gramado. O gramado tem pouco menos de trinta metros de largura e é separado da estrada somente por uma mureta baixa com um trilho de ferro por cima. Foi por esse salão que a Sra. Barclay entrou, ao voltar. As persianas não estavam fechadas, pois o salão raramente era usado à noite, mas a própria Sra. Barclay acendeu a lâmpada e tocou a sineta, pedindo que Jane Stewart, a criada, lhe trouxesse uma xícara de chá, o que era bem contrário aos seus hábitos costumeiros. O coronel estava sentado na sala de jantar, mas, ao ouvir que a esposa retornara, foi vê-la no salão matinal. O cocheiro o viu atravessar o saguão e entrar lá. Ele nunca mais foi visto com vida.

"O chá que fora pedido foi levado depois de dez minutos, mas a criada, ao se aproximar da porta, ficou surpresa ao ouvir as vozes do patrão e da patroa em furiosa altercação.

Ela bateu na porta, sem receber resposta, e até girou a maçaneta, mas somente para descobrir que a porta havia sido trancada por dentro. Naturalmente, ela correu para contar à cozinheira, e as duas mulheres, com o cocheiro, ficaram no saguão, ouvindo a discussão, que continuava a todo volume. Todos concordaram que só duas vozes podiam ser ouvidas, a de Barclay e a da esposa. Barclay falava em voz baixa e abruptamente, de modo a não poder ser entendido pelos ouvintes. A madame, por outro lado, estava muito amargurada, e, quando levantava a voz, podia ser ouvida claramente. 'Covarde!', repetia sem parar. 'O que pode ser feito agora? O que pode ser feito agora? Devolva a minha vida. Nunca mais quero respirar o mesmo ar que você de novo! Covarde! Covarde!' Esses eram fragmentos de seu discurso, terminando num urro repentino e pavoroso do homem, com um estrondo e um grito estridente da mulher. Convencido de que alguma tragédia acontecera, o cocheiro arremeteu contra a porta e tentou arrombá-la, enquanto os gritos continuavam vindo de lá de dentro. Ele não conseguiu, no entanto, entrar no salão, e as criadas estavam apavoradas demais para oferecer qualquer ajuda. Subitamente, uma ideia lhe ocorreu, e ele saiu pela porta principal e foi para o gramado, onde as grandes portas-janelas se abriam. Um lado estava aberto, o que, pelo que sei, era bem comum no verão, e ele entrou no salão sem dificuldade. Sua patroa parara de gritar e estava estendida, desmaiada, num sofá, enquanto, com os pés apoiados no braço de uma poltrona e a cabeça no chão, perto do canto da lareira, jazia o desventurado soldado, totalmente morto, numa poça do próprio sangue.

"Naturalmente, o primeiro pensamento do cocheiro, ao descobrir que não poderia fazer nada por seu patrão, foi abrir a porta. Mas então uma dificuldade inesperada e peculiar se apresentou. A chave não estava do lado de dentro da porta, nem podia ser encontrada em nenhum lugar do salão. Ele saiu de novo, portanto, pela janela, e, depois de solicitar a ajuda de um policial e de um médico, voltou. A madame, sobre a qual, naturalmente, recaía a maior suspeita, foi levada para seu quarto, ainda desmaiada. O corpo do coronel foi então colocado sobre o sofá, e um exame cuidadoso do local da tragédia foi realizado.

"Descobriu-se que o ferimento infligido no infeliz veterano era um corte irregular de uns cinco centímetros de comprimento na nuca, evidentemente causado por um golpe violento de arma contundente. Tampouco era difícil adivinhar qual teria sido a arma. No chão, perto do cadáver, estava um peculiar porrete de madeira entalhada, com um cabo de osso. O coronel possuía uma coleção variada de armas trazidas dos diferentes países onde combatera, e a polícia supõe que esse porrete fosse um de seus troféus. Os serviçais negaram tê-lo visto antes, mas, entre as numerosas curiosidades da casa, é possível que ele tenha passado despercebido. Nada mais de importante foi descoberto no salão pela polícia, a não ser o fato inexplicável de que nem com a Sra. Barclay, nem com a vítima, nem em parte alguma do salão a chave desaparecida foi encontrada. A porta acabou tendo que ser aberta, por fim, por um chaveiro de Aldershot.

"Esse era o estado das coisas, Watson, quando, na terça-feira de manhã, a pedido do major Murphy, fui para Aldershot apoiar os esforços da polícia. Acho que você reconhecerá que o problema já era interessante, mas minhas observações logo me fizeram perceber que era, na verdade, muito mais extraordinário do que parecia à primeira vista.

"Antes de examinar o salão, interroguei os serviçais, mas só consegui tirar deles os fatos que já mencionei. Mais um detalhe interessante foi lembrado por Jane Stewart, a criada. Você lembrará que, ao ouvir o som da briga, ela desceu e voltou com os outros criados. Na primeira ocasião, quando estava sozinha, ela diz que as vozes dos patrões eram tão baixas que ela mal conseguia ouvir alguma coisa, e julgou pelo tom de voz, mais do que pelas palavras, que estivessem discutindo. Quando a pressionei, porém, ela se lembrou de ter ouvido a palavra 'Davi' ser pronunciada duas vezes pela madame. Isso é da maior importância para nos levar ao motivo da briga repentina. O nome do coronel, você vai lembrar, era James.

"Havia uma coisa no caso que causou a mais profunda impressão, tanto nos serviçais quanto na polícia. Era o modo como o rosto do coronel estava contorcido. Ele enrijecera, de acordo com o relato deles, guardando a mais terrível expressão de medo e horror que um rosto humano é capaz de assumir. Mais de uma pessoa desmaiou só de vê-lo, de tão terrível que era o efeito. Era bastante evidente que ele antecipara seu destino, e que isso lhe causara o mais profundo horror. Isso, obviamente, se encaixava bastante bem na teoria da polícia, se o coronel pudesse ter visto a esposa partindo para um ataque assassino contra ele. O fato de o ferimento estar na nuca tampouco era uma objeção fatal a isso, pois ele poderia ter-se virado para evitar o golpe. Nenhuma informação pôde ser obtida da própria madame, que estava temporariamente louca, com um ataque agudo de febre cerebral.

"Pela polícia eu soube que a Srta. Morrison, a qual, você lembra, saíra naquela noite com a Sra. Barclay, negou ter qualquer conhecimento do que causara o mau humor que sua colega exibia ao voltar.

"Depois de coletar esses fatos, Watson, fumei vários cachimbos pensando neles, tentando separar os que eram cruciais dos que eram meramente incidentais. Não restava dúvida de que o detalhe mais distinto e sugestivo do caso era o peculiar desaparecimento da chave da porta. Uma busca bastante cuidadosa não conseguira descobri-la no salão. Logo, ela deve ter sido levada. Mas nem o coronel, nem sua esposa poderiam tê-la tirado de lá. Isso estava perfeitamente claro. Portanto, uma terceira pessoa devia ter entrado no salão. E essa terceira pessoa só poderia ter entrado pela janela. Parecia-me que um exame cuidadoso do salão e do gramado poderia, possivelmente, revelar algumas pistas desse misterioso indivíduo. Você conhece meus métodos, Watson. Não deixei de aplicar nenhum deles na investigação. E acabei descobrindo pistas, mas muito diferentes das que eu esperava. Um homem entrara no salão, e atravessara o gramado vindo da estrada. Consegui obter cinco pegadas muito claras dele — uma na própria estrada, onde ele escalara a mureta baixa, duas no gramado e duas bem fracas nas tábuas manchadas perto da janela por onde ele entrou. Aparentemente, ele correra pelo gramado, pois as marcas das pontas dos pés estavam mais fundas do que as dos calcanhares. Mas não foi o homem que me surpreendeu. Foi seu acompanhante."

— Seu acompanhante!

Holmes tirou uma grande folha de papel de seda do bolso e a desdobrou cuidadosamente sobre os joelhos.

— O que acha disto? — ele perguntou.

O papel estava coberto com os contornos das pegadas de algum animal pequeno. Ele tinha cinco almofadas bem definidas na pata, uma indicação de unhas longas, e a pegada toda era aproximadamente do tamanho de uma colher de sobremesa.

— É um cachorro — eu disse.

— Já ouviu falar de algum cachorro escalar uma cortina? Achei marcas nítidas de que essa criatura fez isso.

— Um macaco?

— Mas não é uma pegada de macaco.

— O que pode ser, então?

— Nem um cão, nem um gato, nem um macaco, nem criatura alguma com a qual estejamos familiarizados. Tentei reconstruí-la pelas medidas. Aqui estão quatro pegadas do bicho parado, imóvel. Como você vê, ele mede uns 40 centímetros da pata dianteira à traseira. Some-se a isso o tamanho do pescoço e da cabeça, e você terá uma criatura de uns 60 centímetros; provavelmente mais, se ela tiver uma cauda. Mas agora observe esta outra medida. O animal estava em movimento, e temos o tamanho de seus passos. Todos eles têm menos de oito centímetros. Isso indica, veja bem, um corpo longo com pernas muito curtas. Ele não teve a consideração de nos deixar qualquer pelo. Mas, por seu formato geral, deve ser o que eu indiquei, e pode escalar uma cortina, e é carnívoro.

— Como deduziu isso?

— Porque ele escalou a cortina. Uma gaiola com um canário estava pendurada na janela, e a criatura parece ter tentado pegar o pássaro.

— Que bicho é, então?

— Ah, se eu pudesse lhe dar um nome, isso ajudaria muito a resolver o caso. De maneira geral, devia ser alguma criatura da família da doninha e do arminho; no entanto, é muito maior do que qualquer espécime que já tenha visto desses dois.

— Mas o que ela tem a ver com o crime?

— Isso também ainda é um mistério. Mas já descobrimos muita coisa, perceba. Sabemos que um homem viu da estrada a briga entre os Barclay; as persianas estavam abertas, e o salão, iluminado. Também sabemos que ele correu pelo gramado, entrou no salão, acompanhado de um estranho animal, e que golpeou o coronel, ou, o que é igualmente possível, o coronel caiu de medo ao vê-lo e cortou a cabeça na quina do guarda-fogo da lareira. Finalmente, temos o curioso fato de o intruso ter levado embora a chave ao sair.

— Suas descobertas parecem ter deixado o caso mais misterioso do que era — eu disse.

— De fato. Sem dúvida, mostram que ele é muito mais complexo do que se conjecturava de início. Pensei a respeito e cheguei à conclusão de que preciso abordar o caso por outro ângulo. Mas, realmente, Watson, estou mantendo você acordado, e posso contar tudo isso a caminho de Aldershot amanhã.

— Obrigado, mas você já foi longe demais para parar agora.

— É certo que, ao sair de casa às 19h30, a Sra. Barclay estava de bem com o marido. Ela nunca, como acho que já falei, foi ostensivamente carinhosa, mas o cocheiro a ouviu tagarelando amigavelmente com o coronel. Agora, é igualmente certo que, logo após seu regresso, ela foi para o cômodo onde menos provavelmente encontraria o marido, recorreu ao chá, como toda mulher faz quando está agitada, e finalmente, quando ele foi vê-la, partiu para violentas recriminações. Portanto, algo aconteceu entre 19h30 e 21h que alterou completamente seus sentimentos por ele. Mas a Srta. Morrison estava com ela durante toda essa hora e meia. Era uma certeza absoluta, então, apesar de sua negativa, que essa jovem devia saber algo sobre o assunto.

“Minha primeira conjectura foi de que possivelmente haveria algum envolvimento da moça com o velho soldado, que a primeira teria agora confessado à esposa. Isso explicaria o retorno raivoso desta e também a negativa da garota de que qualquer coisa tivesse acontecido. Tampouco seria totalmente incompatível com a maioria das palavras ouvidas pelas testemunhas. Mas a referência a Davi e a conhecida afeição do coronel por sua esposa pesam contra essa hipótese, sem falar da trágica intrusão desse outro homem, que pode, é claro, ser totalmente irrelevante para o que aconteceu antes. Não era fácil escolher que caminho seguir, mas, de maneira geral, eu estava inclinado a repelir a ideia de que houvesse algo entre o coronel e a Srta. Morrison, mas também cada vez mais convencido de que a jovem guardava a pista do que levara a Sra. Barclay a odiar o marido. Escolhi o caminho óbvio, portanto, de visitar a Srta. Morrison, explicar-lhe que eu tinha certeza absoluta de que ela estava de posse dos fatos e lhe garantir que sua amiga, a Sra. Barclay, iria parar no banco dos réus, acusada de assassinato, se a questão não fosse esclarecida.

“A Srta. Morrison é uma jovenzinha etérea e esguia, de olhos tímidos e cabelo louro, mas descobri que não lhe faltam astúcia e senso comum. Ela ficou pensando algum tempo depois que falei, e então, virando-se para mim com um decidido ar de resolução, começou a fazer um depoimento notável, que condensarei para poupar você.

"'Prometi à minha amiga que não diria nada sobre o assunto, e promessas são promessas', ela disse; 'mas, se realmente posso ajudá-la quando uma acusação tão séria está pesando contra ela, e quando sua boca, pobre querida, está fechada pela doença, então acho que estou absolvida da promessa. Contarei exatamente o que aconteceu na noite de segunda-feira.

"'Estávamos voltando da Missão de Watt Street, lá pelas 20h45. No caminho, precisávamos passar pela Hudson Street, que é uma avenida bem tranquila. Ela só tem uma lâmpada, do lado esquerdo, e, ao nos acercarmos dessa lâmpada, vi um homem se aproximando de nós, bastante encurvado, e com algo como uma caixa sobre um dos ombros. Ele parecia ser deformado, pois mantinha a cabeça baixa e andava com os joelhos dobrados. Estávamos passando por ele quando ele levantou a cabeça para nos olhar, sob o círculo de luz projetado pela lâmpada, e, ao fazer isso, parou e gritou, com uma voz pavorosa: "Meu Deus, é Nancy!" A Sra. Barclay ficou branca como a morte, e teria desabado se aquela criatura hedionda não a tivesse segurado. Eu ia chamar a polícia, mas ela, para minha surpresa, falou muito calmamente com o sujeito.

"'"Pensei que você estivesse morto há trinta anos, Henry", ela disse, com voz trêmula.

"'"E estava", ele disse, e era terrível ouvir o tom em que falou. Ele tinha um rosto muito escuro e medonho, e um brilho nos olhos que ainda vejo em sonhos. Seu cabelo e bigodes eram grisalhos, e seu rosto, todo enrugado e marcado como uma maçã seca.

"'"Ande um pouco sem mim, querida", disse a Sra. Barclay. "Quero conversar com este homem. Não há o que temer." Ela tentou falar de forma corajosa, mas continuava mortalmente pálida e mal conseguia pronunciar as palavras, com seus lábios trêmulos.

"'Fiz o que ela pediu, e os dois conversaram por alguns minutos. Então ela desceu a rua com um olhar feroz, e vi o aleijado miserável parado perto do poste e agitando os punhos cerrados no ar, como se estivesse louco de raiva. Ela não disse uma palavra até chegarmos à porta, aqui, onde ela pegou minha mão e implorou que eu não contasse a ninguém o que acontecera. "Ele é um velho conhecido meu que passou por maus bocados", ela disse. Quando prometi que não diria nada, ela me beijou, e não a vi mais. Agora contei toda a verdade, e, se a escondi da polícia, foi porque não percebi o perigo que minha querida amiga corria. Sei que só pode ser vantajoso para ela que tudo venha à tona.'

"Esse foi o depoimento dela, Watson, e para mim, como você pode imaginar, foi como uma luz numa noite escura. Tudo o que estava antes desconectado começou imediatamente a ocupar seu verdadeiro lugar, e tive um vago pressentimento de toda a sequência de fatos. Meu passo seguinte, obviamente, seria encontrar o homem que causara tão formidável impressão na Sra. Barclay. Se ele ainda estivesse em Aldershot, não seria muito difícil. Não há um grande número de civis lá, e um homem deformado certamente atrairia a atenção. Passei um dia procurando, e à noite — esta mesma noite, Watson — eu o localizei. O nome do homem é Henry Wood, e ele mora num alojamento na mesma rua em que as mulheres o encontraram. Só está lá há cinco dias. Passando-me por funcionário do registro civil, eu soube da senhoria mexericos muito interessantes. O homem trabalha como mágico e artista de palco, fazendo a ronda das cantinas, depois do anoitecer, e levando um pouco de diversão a todas elas. Carrega consigo alguma criatura na caixa, da qual a senhoria parecia ter um temor considerável, pois nunca vira um animal assim. Ele o usa em alguns de seus truques, de acordo com o relato dela. Isso foi o que a mulher conseguiu me contar, e também que era um prodígio o homem estar vivo sendo tão deformado, que ele falava uma língua estranha, às vezes, e que nas últimas duas noites ela o ouvira gemendo e chorando em seu quarto. Ele pagava suas contas pontualmente, mas, ao fazer o adiantamento, dera à mulher o que lhe parecera uma moeda falsa de dois xelins. Ela me mostrou a moeda, Watson, e era uma rúpia indiana.

"Portanto, agora, caro colega, você sabe exatamente em que pé estamos e por que quero sua ajuda. Está perfeitamente claro que, depois que as mulheres se despediram desse homem, ele as seguiu a distância, viu a discussão entre marido e mulher pela janela, entrou correndo, e a criatura que carregava na caixa se soltou. Tudo isso está confirmado. Mas ele é a única pessoa no mundo que pode nos dizer exatamente o que aconteceu naquele salão."

— E você pretende perguntar isso a ele?

— Com certeza, mas na presença de uma testemunha.

— E eu sou a testemunha?

— Se tiver essa bondade. Se ele puder esclarecer o caso, ótimo. Caso se recuse, não teremos remédio senão pedir um mandado.

— Mas como sabe que ele estará lá quando voltarmos?

— Pode ter certeza de que tomei algumas precauções. Mandei um dos meus garotos da Baker Street, que grudará feito um carrapicho aonde quer que ele vá, ficar de guarda. Vamos encontrá-lo na Hudson Street amanhã, Watson; enquanto isso, eu mesmo seria um criminoso se mantivesse você acordado por mais tempo.

Era meio-dia quando nos encontramos no local da tragédia, e, sob a orientação do meu colega, seguimos imediatamente para a Hudson Street. Apesar de sua capacidade de esconder as emoções, eu podia ver facilmente que Holmes estava num estado de empolgação contida, enquanto eu mesmo fremia com aquele prazer parte hedonista, parte intelectual que invariavelmente eu experimentava ao me associar a ele em suas investigações.

— Esta é a rua — ele explicou, quando viramos numa avenida curta, ladeada por sobrados simples de tijolos. — Ah! Aí está Simpson para fazer seu relatório.

— Ele está em casa, sim, Sr. Holmes — exclamou um garotinho de rua, correndo em nossa direção.

— Ótimo, Simpson! — disse Holmes, afagando-lhe a cabeça. — Venha, Watson. Esta é a casa. — Ele apresentou seu cartão de visitas, com uma mensagem dizendo que vinha tratar de um assunto importante, e, um momento depois, estávamos frente a frente com o homem que viéramos ver. Apesar do tempo quente, ele estava encolhido diante do fogo, e o quartinho parecia um forno. O homem estava sentado, todo contorcido e encurvado em sua poltrona, de uma forma que dava uma indescritível impressão de deformidade, mas o rosto que ele virou em nossa direção, embora desgastado e escuro, devia no passado ter sido notável por sua beleza. Ele agora nos observava desconfiado, com seus olhos amarelados e biliosos, e, sem falar nem se mexer, acenou para duas cadeiras.

— O Sr. Henry Wood, vindo da Índia, presumo? — Holmes iniciou afavelmente. — Vim devido à questãozinha da morte do Coronel Barclay.

— O que eu deveria saber a respeito?

— É o que desejo averiguar. O senhor sabe, suponho, que, a menos que o caso seja esclarecido, a Sra. Barclay, sua velha amiga, muito provavelmente será julgada por assassinato?

O homem teve um violento sobressalto.

— Não sei quem é o senhor — exclamou —, nem como ficou sabendo do que sabe, mas jura que o que está me contando é verdade?

— Ora, só estão esperando que ela recobre os sentidos para prendê-la.

— Meu Deus! O senhor é da polícia?

— Não.

— O que lhe interessa isso, então?

— É do interesse de todo homem que a justiça seja feita.

— Pode aceitar minha palavra de que ela é inocente.

— Portanto, o senhor é culpado.

— Não, não sou.

— Quem matou o Coronel James Barclay, então?

— Foi uma Providência justa que o matou. Mas fique sabendo que, se eu tivesse estourado seus miolos, como tencionava fazer, ele não teria de mim nada além do que merecia. Se sua própria consciência pesada não o tivesse abatido, seria bem provável que agora eu tivesse seu sangue em minhas mãos. Quer que eu conte a história? Bem, não sei por que eu não deveria, pois não tenho do que me envergonhar.

"Aconteceu assim, senhor. O senhor me vê agora com uma corcunda de camelo e minhas costelas todas em desalinho, mas houve uma época em que o cabo Henry Wood era o homem mais elegante da 117ª Infantaria. Estávamos na Índia, então, numa base permanente, num lugar que chamaremos de Bhurtee. Barclay, que morreu outro dia, era sargento na mesma companhia que eu, e a bela do regimento — sim, e também a mais deslumbrante garota que já respirou neste mundo — era Nancy Devoy, a filha do terceiro-sargento. Havia dois homens que a amavam, e um que ela amava; e o senhor vai sorrir, olhando para esta pobre criatura encolhida diante do fogo, ao me ouvir dizer que era por minha beleza que ela me amava.

"Bem, embora eu possuísse seu coração, seu pai queria que ela se casasse com Barclay. Eu era um rapaz irresponsável e imprudente, e ele estudara e estava destinado a ser um oficial. Mas a garota continuou fiel a mim, e parecia que eu iria ficar com ela quando o Motim estourou e o país todo virou um inferno.

"Ficamos encurralados em Bhurtee, o regimento todo, com meia bateria de artilharia, uma companhia de *sikhs** e muitos civis e mulheres. Havia dez mil rebeldes ao nosso redor, tão exaltados quanto uma matilha de *terriers* em volta de uma gaiola de ratos. Na segunda semana do cerco, nossa água acabou, e a questão era se conseguiríamos nos comunicar com a coluna do General Neill, que estava avançando pelo país. Era a nossa única chance, porque não tínhamos a menor esperança de sair lutando de lá com tantas mulheres e crianças, por isso me ofereci para sair e avisar o General Neill do perigo que corríamos. Minha oferta foi aceita, e falei disso com o Sargento Barclay, que supostamente conhecia a região melhor do que qualquer outro, e que traçou um itinerário por onde eu conseguiria

* Seguidor do Sikhismo, religião monoteísta surgida no fim do século XV em Punjab, região entre a Índia e o Paquistão. (N. E.)

atravessar as linhas rebeldes. Às 22h da mesma noite, comecei minha jornada. Mil vidas precisavam ser salvas, mas eu só pensava em uma quando saltei da muralha naquela noite.

"Meu caminho seguia um regato seco, o que esperávamos que despistaria as sentinelas inimigas, mas, quando me esgueirei por um canto do caminho, encontrei seis delas, agachadas no escuro, à minha espera. Num instante fui desacordado com um golpe, e minhas mãos e meus pés foram atados. Mas o verdadeiro golpe foi no meu coração, e não na cabeça, porque, quando acordei e ouvi quanto conseguia entender da fala deles, compreendi o suficiente para saber que meu camarada, o próprio homem que preparara o itinerário que eu devia seguir, me traíra por meio de um serviçal nativo, entregando-me nas mãos do inimigo.

"Bem, não preciso me delongar nessa parte do meu relato. O senhor sabe, agora, do que James Barclay era capaz. Bhurtee foi libertada por Neill no dia seguinte, mas os rebeldes me levaram com eles para seu esconderijo, e se passaram muitos longos anos antes que eu visse novamente um rosto branco. Fui torturado, tentei fugir, fui capturado e torturado de novo. Podem ver com seus próprios olhos o estado em que fiquei. Alguns deles, que fugiram para o Nepal, me levaram, e depois fui levado de lá para Darjeeling. O povo da montanha de lá assassinou os rebeldes que me mantinham cativo, e me tornei escravo deles por um tempo, até que fugi, mas, em vez de ir para o sul, precisei ir para o norte, onde me vi entre os afegãos. Ali, vaguei por muitos anos, e finalmente voltei para o Punjab, onde vivi sobretudo entre os nativos e ganhava meu pão com os truques de mágica que eu aprendera. De que adiantaria para mim, um aleijado inútil, voltar para a Inglaterra, ou me apresentar aos meus antigos camaradas? Nem mesmo meu desejo de vingança me levaria a fazê-lo. Preferia que Nancy e meus velhos amigos pensassem que Harry Wood morrera com as costas retas a que me vissem vivo me arrastando com uma bengala, como um chimpanzé. Eles jamais duvidaram de que eu estivesse morto, e eu preferia que jamais duvidassem. Ouvi dizer que Barclay se casara com Nancy, e que ele estava ascendendo rapidamente no regimento, mas nem isso me fez falar.

"Mas, quando o homem fica velho, ele deseja voltar para casa. Por anos eu sonhara com os campos verdejantes e as sebes da Inglaterra. Finalmente, decidi revê-los antes de morrer. Poupei o suficiente para a viagem, e então vim para cá, onde estão os soldados, pois conheço o jeito deles, sei como diverti-los e assim ganhar o suficiente para me manter."

— Sua narrativa é assaz interessante — disse Sherlock Holmes. — Eu já soube do seu encontro com a Sra. Barclay, e de como vocês se reconheceram. O senhor, então, pelo que entendi, a seguiu até em casa e viu pela janela uma altercação entre seu marido e ela, na qual, sem dúvida, ela lançou-lhe ao rosto o modo como este agiu com o senhor. Suas emoções o dominaram e o senhor correu pelo gramado e invadiu o salão.

— Fiz isso, senhor, e, quando ele me viu, sua expressão foi algo que jamais vi num homem, e ele caiu, batendo a cabeça no guarda-fogo. Mas estava morto antes mesmo de cair. Li a morte em seu rosto tão claramente quanto consigo ler aquela frase sobre a lareira. A simples visão de minha figura foi como uma bala em seu coração culpado.

— E depois?

— Depois Nancy desmaiou, e eu tirei a chave da porta de sua mão, pretendendo destrancá-la e pedir ajuda. Mas, quando ia fazer isso, achei melhor deixar tudo como estava e ir embora, pois a coisa poderia ficar complicada para mim, e, de qualquer forma, meu segredo seria revelado se eu fosse capturado. Na pressa, enfiei a chave no bolso e deixei cair meu bastão enquanto perseguia Teddy, que subira pela cortina. Depois de guardá-lo na caixa, de onde ele fugira, corri o mais rápido que pude.

— Quem é Teddy? — perguntou Holmes.

O homem se curvou e puxou a frente de uma espécie de cercado no canto. Num instante, saiu de lá uma linda criatura vermelho-amarronzada, magra e esguia, com as pernas de um arminho, um nariz longo e fino e os olhos vermelhos mais lindos que já vi num animal.

— É um mangusto! — exclamei.

— Bem, alguns o chamam assim, outros, de icnêumone — disse o homem. — Eu os chamo de matadores de cobras, e Teddy é muito rápido com elas. Tenho uma aqui, sem as presas, e Teddy a pega toda noite para divertir o público nas cantinas. Mais algum detalhe, senhor?

— Bem, podemos ter que procurá-lo de novo se a Sra. Barclay tiver problemas sérios.

— Nesse caso, é claro que eu me apresentaria.

— Se não acontecer, não há por que gerar tamanho escândalo com um homem morto, por pior que ele tenha agido. O senhor tem, pelo menos, a satisfação de saber que, por trinta anos, a consciência reprovou Barclay amargamente pelo seu ato perverso. Ah, lá está o Major Murphy do outro lado da rua. Adeus, Wood; quero saber se algo aconteceu desde ontem.

Chegamos a tempo de alcançar o major antes que ele dobrasse a esquina.

— Ah, Holmes — ele disse. — Imagino que tenha ouvido que toda essa confusão não deu em nada.

— O que aconteceu, então?

— O inquérito acaba de ser encerrado. O laudo médico provou conclusivamente que a morte se deveu à apoplexia. Como vê, era um caso bastante simples, no fim das contas.

— Oh, notavelmente superficial — declarou Holmes, sorrindo. — Venha, Watson, acho que não seremos mais necessários em Aldershot.

— Só uma coisa — eu observei enquanto andávamos até a estação —; se o nome do marido era James e o outro se chamava Henry, que história era aquela de Davi?

— Essa simples palavra, meu caro Watson, deveria ter-me revelado toda a história, se eu fosse o pensador ideal que você gosta de retratar. Era, evidentemente, uma expressão de reprovação.

— De reprovação?

— Sim, Davi se desencaminhava de vez em quando, sabe, e numa ocasião seguiu a mesma direção do Sargento James Barclay. Você se lembra do pequeno caso de Urias e Bate-Seba? Temo que meu conhecimento bíblico esteja um tanto enferrujado, mas você pode encontrar a história no primeiro ou segundo livro de Samuel.

oito

O PACIENTE RESIDENTE

Consultando algo incoerente série de memórias com as quais tentei ilustrar algumas das peculiaridades mentais do meu amigo, o Sr. Sherlock Holmes, impressionou-me a dificuldade que tenho experimentado em encontrar exemplos que atendam de todas as formas ao meu propósito. Pois naqueles casos em que Holmes realizou algum *tour de force* de raciocínio analítico, e demonstrou o valor de seus peculiares métodos de investigação, os próprios fatos muitas vezes eram tão superficiais ou corriqueiros que eu não me sentia justificado em apresentá-los ao público. Por outro lado, muitas vezes acontecia de ele se ocupar de alguma pesquisa na qual os fatos eram do caráter mais notável e dramático, mas em que o papel que ele próprio desempenhara em determinar suas causas fora menos pronunciado do que eu, como seu biógrafo, desejaria. A pequena questão que narrei sob o título de *Um Estudo em Vermelho*, e a outra, posterior, associada à perda do *Gloria Scott*, podem servir de exemplos desse dilema de estar entre a cruz e a espada que ameaça eternamente o historiador. Pode ser que, no caso sobre o qual me apresto a escrever agora, o papel que meu amigo desempenhou não seja suficientemente acentuado; no entanto, toda a cadeia de circunstâncias é tão notável que não consigo me decidir a omiti-la completamente desta série.

Não posso ter certeza da data exata, porque alguns dos registros do caso foram perdidos, mas deve ter sido no final do primeiro ano em que Holmes e eu dividimos os aposentos na Baker Street. Fazia um tempo ruidoso de outubro, e ficáramos dentro de casa o dia todo, eu por temer, com minha saúde abalada, enfrentar o forte vento outonal, enquanto ele estava mergulhado em alguma daquelas misteriosas investigações químicas que o absorviam completamente enquanto delas se ocupasse. À noitinha, porém, a quebra de um tubo de ensaio causou o fim prematuro de sua pesquisa, e ele saltou da cadeira com uma exclamação de impaciência e o cenho franzido.

— Um dia de trabalho arruinado, Watson — ele disse, andando até a janela. — Ha! As estrelas apareceram e o vento diminuiu. O que acha de um passeio por Londres?

Eu estava cansado de nossa pequena sala, e aceitei de bom grado, embrulhando-me até o nariz contra o gélido ar noturno. Por três horas caminhamos juntos, olhando o sempre mutável caleidoscópio vivo que flui e reflui pela Fleet Street e pela Strand. Holmes abandonara seu mau humor temporário, e seu discurso característico, com sua precisa observação de detalhes e sutil poder de inferência, me divertia e maravilhava. Passava das 22h quando voltamos para a Baker Street. Uma carruagem estava esperando à nossa porta.

— Hum! Um médico! Clínico geral, percebo — disse Holmes. — Não está na profissão há tanto tempo, tampouco tem tanto trabalho. Veio nos consultar, imagino! Ainda bem que voltamos!

Eu tinha familiaridade suficiente com os métodos de Holmes para conseguir acompanhar seu raciocínio, e ver que a natureza e o estado dos vários instrumentos médicos na cesta de vime pendurada à luz do lampião, dentro da carruagem, haviam-lhe fornecido os dados para sua rápida dedução. A luz em nossa janela de cima indicava que esse visitante tardio de fato viera nos ver. Com alguma curiosidade quanto ao que poderia levar um colega médico a nos visitar àquela hora, segui Holmes para o nosso santuário.

Um homem pálido e de rosto oleoso e bigode grisalho se levantou de uma poltrona perto da lareira quando entramos. Sua idade não deveria ser superior a 33 ou 34 anos, mas sua expressão esgotada e cor doentia revelavam uma vida que drenara sua energia e o roubara de sua juventude. Seus modos eram nervosos e tímidos, como os de um cavalheiro sensível, e a mão branca e fina que apoiou na moldura da lareira ao se levantar parecia mais de um artista do que de um cirurgião. Suas roupas eram discretas e graves: casaco preto, calça escura e um toque de cor na gravata.

— Boa noite, doutor — disse Holmes, alegremente —; fico feliz em ver que só está esperando há alguns minutos.

— Falou com meu cocheiro, então?

— Não, foi a vela sobre a mesa lateral quem me contou. Por favor, volte à sua poltrona e me diga em que posso lhe servir.

— Meu nome é Dr. Percy Trevelyan — declarou nosso visitante —, e moro na Brook Street, 403.

— Não é o autor de uma monografia sobre lesões nervosas raras? — perguntei.

Suas faces pálidas coraram de prazer ao ouvir que eu conhecia seu trabalho.

— É tão raro eu ouvir falar da obra que imaginava completamente morta — ele confessou. — Meus editores fizeram um relato bastante desencorajador de suas vendas. Presumo que o senhor também seja médico?

— Cirurgião do exército, reformado.

— Meu passatempo sempre foram as doenças nervosas. Gostaria de torná-lo uma especialidade absoluta, mas, é claro, um homem precisa primeiro aceitar o que pode conseguir. Isso, no entanto, não vem ao caso, Sr. Sherlock Holmes, e sei muito bem o quanto seu tempo é precioso. O fato é que uma sequência de acontecimentos muito singular ocorreu recentemente em minha casa na Brook Street, e esta noite chegou a tal ponto que senti ser totalmente impossível esperar mais uma hora antes de pedir seu conselho e sua assistência.

Sherlock Holmes se sentou e acendeu seu cachimbo.

— Ambos estão totalmente à sua disposição — ele disse. — Por favor, faça um relato detalhado das circunstâncias que o perturbaram.

— Uma ou duas delas são tão triviais — começou o Dr. Trevelyan — que fico quase envergonhado em mencioná-las. Mas a questão é tão inexplicável, e o viés que ela tomou recentemente é tão elaborado, que vou lhe expor tudo agora, e o senhor julgará o que é essencial e o que não é.

"Sinto-me compelido, para começar, a dizer algo sobre a minha carreira acadêmica. Sou formado pela Universidade de Londres, sabe, e tenho certeza de que não achará que estou me vangloriando indevidamente dos meus próprios méritos se eu disser que minha carreira estudantil foi considerada assaz promissora pelos meus professores. Depois que me formei, continuei a me devotar à pesquisa, ocupando uma posição subalterna no Hospital do King's College, e tive a felicidade de despertar considerável interesse com minha pesquisa da patologia da catalepsia, e finalmente ganhar o Prêmio e a Medalha Bruce Pinkerton com a monografia sobre lesões nervosas que seu amigo acaba de mencionar. Não estaria exagerando se dissesse que a impressão geral, na época, era a de que uma carreira de distinção se descortinava à minha frente.

"Mas meu maior obstáculo consistia na falta de capital. Como o senhor há de entender prontamente, todo especialista de ambição elevada é compelido a começar na dúzia de ruas das cercanias da Cavendish Square, o que acarreta aluguéis caríssimos e enormes despesas com o mobiliário. Além desse investimento preliminar, ele deve estar preparado para se manter por alguns anos, e pagar por uma carruagem e um cavalo apresentáveis. Fazer tudo isso estava muito além das minhas possibilidades, e eu só podia esperar que, economizando, dentro de dez anos poupasse o suficiente para me permitir montar minha prática. De repente, porém, um incidente inesperado me ofereceu uma perspectiva totalmente nova.

"Foi a visita de um cavalheiro chamado Blessington, um completo estranho para mim. Ele veio aos meus aposentos uma manhã, e foi direto ao assunto num instante.

"'É o mesmo Percy Trevelyan que tem uma carreira tão distinta e ganhou um prêmio importante recentemente?', ele perguntou.

"Fiz uma reverência.

"'Responda francamente', ele continuou, 'pois descobrirá que fazê-lo é do seu interesse. O senhor tem toda a inteligência que torna um homem bem-sucedido. Tem também o tato?'

"Não pude deixar de sorrir com aquela pergunta tão abrupta.

"'Acredito que tenho o meu quinhão', falei.

"'E maus hábitos? Não costuma beber, certo?'

"'Realmente, senhor!', exclamei.

"'Muito bem! Está tudo bem! Mas eu precisava perguntar. Com todas essas qualidades, por que não está praticando a medicina?'

"Dei de ombros.

"'Ora, ora!', ele disse, à sua maneira espalhafatosa. 'É a velha história. Tem mais conteúdo no cérebro do que no bolso, hein? O que me diria se eu o instalasse na Brook Street?'

"Olhei para ele, assombrado.

"'Ora, é pelo meu bem, não pelo seu', ele exclamou. 'Serei totalmente franco com o senhor, e, se ficar satisfeito, também ficarei, e muito. Tenho alguns milhares para investir, veja bem, e acho que vou apostá-los no senhor.'

"'Mas por quê?', gaguejei.

"'Bem, é como qualquer outra especulação, e mais segura do que a maioria delas.'

"'O que devo fazer, então?'

"'Eu lhe direi. Vou arranjar a casa, mobiliá-la, pagar a criadagem e administrar o lugar. O senhor só vai precisar gastar sua cadeira no consultório. Também lhe darei uns trocados e tudo mais. Aí o senhor me entrega três quartos do que faturar e fica com um quarto para si.'

"Foi com essa estranha proposta, Sr. Holmes, que o tal Blessington me abordou. Não vou entediá-lo com o relato de como barganhamos e negociamos. Acabei me mudando para a casa no dia da Anunciação, e iniciando a prática, basicamente, nas mesmas condições que ele sugerira. Ele mesmo veio morar comigo na qualidade de paciente residente. Seu coração era fraco, ao que parecia, e ele precisava de atenção médica constante. Ele transformou os dois melhores cômodos do primeiro andar numa sala de estar e um dormitório para si. Era um homem de hábitos peculiares, fugindo do convívio social e saindo raramente. Sua vida era irregular, mas num aspecto ele era a própria regularidade. Toda noite, na mesma hora, entrava no consultório, examinava os registros, entregava cinco xelins e três *pence* para cada guinéu que eu faturava e levava o resto para a caixa-forte no seu quarto.

"Posso dizer com segurança que ele nunca teve motivos para se arrepender de sua especulação. Desde o início, foi um sucesso. Alguns bons casos e a reputação que eu angariara no hospital puseram-me rapidamente em evidência, e nos últimos anos fiz dele um homem rico.

"É isso que tenho a dizer, Sr. Holmes, sobre meu passado e meu relacionamento com o Sr. Blessington. Só me resta contar o acontecimento que me trouxe aqui esta noite.

"Há algumas semanas, o Sr. Blessington me procurou, pareceu-me, num estado de considerável agitação. Ele falou de algum roubo que, segundo disse, fora cometido no West End, e parecia, lembro bem, estar desnecessariamente alterado a respeito do fato, declarando que não deveríamos passar nem mais um dia sem instalar trincos mais reforçados em nossas janelas e portas. Por uma semana, ele continuou nesse peculiar estado de inquietação, olhando continuamente pelas janelas, e deixando de fazer a breve caminhada que sempre precedia o seu jantar. Sua atitude me dava a impressão de que ele temia mortalmente alguém ou alguma coisa, mas, quando o questionei a respeito, ele se tornou tão ofensivo que me vi obrigado a desistir do assunto. Aos poucos, com o passar do tempo, seus temores pareceram minguar, e ele havia voltado aos seus hábitos anteriores quando um novo acontecimento o reduziu ao lamentável estado de prostração no qual agora se encontra.

"O que aconteceu foi o seguinte: dois dias atrás, recebi a carta que agora lerei para o senhor. Ela não traz endereço nem data.

"'Um nobre russo que agora reside na Inglaterra', ela diz, 'ficaria feliz em fazer uso do auxílio profissional do Dr. Percy Trevelyan. Ele tem sido, por alguns anos, vítima de ataques de catalepsia, sobre os quais, como todos sabem, o Dr. Trevelyan é uma autoridade. Ele propõe visitá-lo por volta das 18h15 de amanhã, se o Dr. Trevelyan achar conveniente estar em casa.'

"Essa carta me interessava profundamente, pois a principal dificuldade no estudo da catalepsia é a raridade da doença. O senhor pode acreditar, então, que eu estava no meu consultório quando, na hora marcada, o pajem fez entrar o paciente.

"Ele era um senhor idoso, magro, tímido e de aparência comum — de forma alguma a imagem que alguém forma de um nobre russo. Fiquei muito mais impressionado com a aparência do seu acompanhante. Este era um jovem alto, surpreendentemente bonito, com um rosto escuro e feroz, e os membros e o peito de um Hércules. Segurava o outro pelo braço quando entraram, e o ajudou a se sentar com uma ternura que dificilmente seria de se esperar, dada a sua aparência.

"'Perdoe-me por entrar também, doutor', ele me disse, falando um inglês levemente arrastado. 'Este é meu pai, e sua saúde é uma questão da mais absoluta importância para mim.'

"Fiquei comovido com aquela ansiedade filial. 'Gostaria, talvez, de ficar durante a consulta?', perguntei.

"'Por nada neste mundo', ele exclamou, com um gesto de horror. 'É mais doloroso, para mim, do que consigo explicar. Se eu visse meu pai numa dessas pavorosas convulsões, estou convencido de que não sobreviveria. Meu sistema nervoso também é excepcionalmente sensível. Com sua permissão, ficarei na sala de espera enquanto examina meu pai.'

"Naturalmente, concordei com isso, e o jovem se retirou. Então o paciente e eu mergulhamos numa discussão de seu caso, sobre o qual fiz anotações exaustivas. Ele não se destacava por sua inteligência, e suas respostas muitas vezes eram obscuras, o que atribuí ao seu conhecimento limitado do nosso idioma. De repente, porém, enquanto eu escrevia, ele parou de dar qualquer resposta às minhas perguntas, e, quando me virei para olhá-lo, fiquei chocado ao ver que estava sentado empertigado na poltrona, me encarando com uma expressão perfeitamente vazia e rígida. Estava novamente nas garras de sua misteriosa doença.

"Minha primeira sensação, como acabei de dizer, foi de piedade e horror. A segunda, lamento admitir, foi de certa satisfação profissional. Anotei o pulso e a temperatura do meu paciente, testei a rigidez de seus músculos e examinei seus reflexos. Não havia nada de notavelmente anormal em nenhuma dessas condições, que eram coerentes com minhas experiências anteriores. Eu obtivera bons resultados, em casos assim, com a inalação de nitrito de amila, e aquela parecia uma oportunidade admirável de testar as virtudes da substância. O frasco estava no andar de baixo, no meu laboratório, por isso, deixando meu paciente sentado em sua poltrona, corri para baixo para pegá-lo. Demorei um pouco para encontrá-lo — uns cinco minutos, digamos —, e então voltei. Imagine meu assombro ao encontrar a sala vazia e o paciente desaparecido!

"Obviamente, minha primeira atitude foi correr para a sala de espera. O filho também desaparecera. A porta da entrada estava fechada, mas não trancada. Meu pajem, que recebe os pacientes, é novo no serviço, e não muito esperto. Espera lá embaixo e corre para acompanhar os pacientes até a saída quando toco a campainha do consultório. Ele não ouvira nada, e o caso continuou um completo mistério. O Sr. Blessington chegou de sua caminhada pouco depois, mas eu não lhe contei nada sobre o assunto, pois, para dizer a verdade, adotara o hábito, ultimamente, de me comunicar com ele o mínimo possível.

"Bem, imaginei que nunca mais veria novamente o russo e seu filho, portanto o senhor pode imaginar minha surpresa quando, na mesma hora, esta noite, ambos marcharam para dentro de meu consultório, como fizeram da outra vez.

"'Sinto que lhe devo mil desculpas por minha partida abrupta de ontem, doutor', disse meu paciente.

"'Confesso que fiquei muito surpreso', respondi.

"'Bem, o fato', ele comentou, 'é que, quando me recupero desses ataques, minha mente sempre fica muito confusa sobre tudo o que aconteceu antes. Acordei numa sala estranha, me pareceu, e saí para a rua, atordoado, enquanto o senhor estava ausente.'

"'E eu', afirmou o filho, 'vendo meu pai passando pela porta da sala de espera, naturalmente imaginei que a consulta tivesse terminado. Foi só quando chegamos em casa que comecei a perceber o que havia acontecido.'

"'Bem', observei, rindo, 'não houve dano algum, exceto que vocês me deixaram terrivelmente intrigado; por isso, senhor, se fizer a gentileza de entrar na sala de espera, ficarei feliz em continuar nossa consulta, que foi levada a um fim tão abrupto.'

"Por mais ou menos meia hora, discuti os sintomas do velho cavalheiro com ele, e então, depois de prescrever o tratamento, vi-o ir embora de braço dado com o filho.

"Eu contei que o Sr. Blessington geralmente preferia aquela hora do dia para fazer seus exercícios. Ele entrou logo depois e subiu para o seu quarto. Um instante depois, eu o ouvi descer correndo, e ele irrompeu no meu consultório como alguém enlouquecido pelo pânico.

"'Quem esteve no meu quarto?', ele exclamou.

"'Ninguém', eu disse.

"'É mentira!', ele gritou. 'Suba lá e veja!'

"Relevei a grosseria de seu discurso, já que ele parecia meio fora de si de tanto medo. Quando subimos, ele apontou várias pegadas no tapete leve.

"'Quer me dizer que essas pegadas são minhas?', ele gritou.

"Eram certamente muito maiores do que as que ele deixava, e evidentemente muito recentes. Chovera muito naquela tarde, como o senhor sabe, e meus pacientes eram as únicas pessoas que haviam entrado. Devia ter-se dado, então, que o homem na sala de espera, por algum motivo desconhecido, enquanto eu estava ocupado com o outro, subira até o quarto de meu paciente residente. Nada fora tocado ou levado, mas lá estavam as pegadas para provar que a intrusão era um fato inquestionável.

"O Sr. Blessington parecia mais agitado do que eu achava possível com o fato, embora, é claro, aquilo fosse suficiente para tirar o sossego de qualquer um. Ele chegou a ficar chorando numa poltrona, e eu mal conseguia fazê-lo falar com coerência. Foi ideia dele que eu viesse procurar o senhor, e é claro que aceitei de imediato a sugestão como apropriada, pois o incidente era de fato muito singular, embora ele parecesse lhe atribuir uma importância completamente exagerada. Se o senhor voltar comigo em minha carruagem, poderá ao menos acalmá-lo, ainda que eu não espere que consiga explicar esse notável acontecimento."

Sherlock Holmes ouvira essa longa narrativa com uma concentração que me revelava que seu interesse fora vivamente despertado. Seu rosto estava impassivo, como sempre, mas suas pálpebras cobriam mais pesadamente os olhos, e a fumaça saía mais espessa do seu cachimbo, enfatizando cada episódio curioso do relato do médico. Quando nosso visitante terminou, Holmes saltou de pé sem dizer palavra, me entregou meu chapéu, pegou o seu da mesa e seguiu o Dr. Trevelyan até a porta. Um quarto de hora depois, fomos entregues à porta da residência do médico na Brook Street, uma daquelas casas sombrias e de fachada lisa que qualquer um associa com um consultório do West End. Um pequeno pajem nos recebeu, e subimos imediatamente a escada larga e bem atapetada.

Mas uma interrupção singular nos imobilizou. A luz do alto se apagou repentinamente, e da escuridão veio uma voz rouca, trêmula.

— Tenho uma pistola — ela exclamou —; dou minha palavra que atiro se chegarem mais perto.

— Isso está realmente se tornando ultrajante, Sr. Blessington — retrucou o Dr. Trevelyan.

— Oh, então é o senhor, doutor — disse a voz, com um grande suspiro de alívio. — Mas esses outros cavalheiros são o que pretendem ser?

Tivemos consciência de um olhar observador partindo da escuridão.

— Sim, sim, está tudo bem — disse a voz, finalmente. — Podem subir, e lamento se minhas precauções os aborreceram.

Ele voltou a acender a lâmpada a gás da escada enquanto falava, e vimos diante de nós um homem de aspecto singular, cuja aparência, bem como a voz, testemunhavam sua perturbação nervosa. Ele era muito gordo, mas aparentemente fora, em outra época, mais gordo ainda, de modo que a pele pendia de seu rosto em dobras flácidas, como as bochechas de um *basset*. Tinha uma cor doentia, e seu cabelo ralo e grisalho parecia arrepiado com a intensidade de sua emoção. Empunhava uma pistola, mas a guardou no bolso quando nos aproximamos.

— Boa noite, Sr. Holmes — ele disse —; certamente fico muito agradecido ao senhor por ter vindo. Ninguém jamais precisou mais dos seus conselhos do que eu. Suponho que o Dr. Trevelyan tenha lhe falado dessa invasão totalmente injustificável dos meus aposentos?

— Deveras — concordou Holmes. — Quem são esses dois homens, Sr. Blessington, e por que desejam importuná-lo?

— Ora, ora — replicou o paciente residente, num tom nervoso —, naturalmente, é difícil dizer. Não pode esperar que eu lhe responda, Sr. Holmes.

— Quer dizer que o senhor não sabe?

— Entrem, por favor. Façam a gentileza de entrar aqui.

Ele nos levou para o seu quarto, que era espaçoso e confortavelmente mobiliado.

— Está vendo isto? — ele disse, apontando para uma grande caixa preta ao pé de sua cama. — Nunca fui muito rico, Sr. Holmes; só fiz um investimento na vida, como o Dr. Trevelyan pode lhe contar. Mas não acredito nos banqueiros. Jamais confiaria num banqueiro, Sr. Holmes. Cá entre nós, o pouco que tenho está nesta caixa, portanto o senhor deve entender o que significa, para mim, a intrusão de desconhecidos nos meus aposentos.

Holmes olhou para Blessington à sua maneira inquisidora e balançou a cabeça.

— Não tenho como aconselhá-lo se tenta me enganar — ele declarou.

— Mas eu lhe contei tudo.

Holmes girou sobre os calcanhares com um gesto de asco.

— Boa noite, Dr. Trevelyan.

— Não vai me dar nenhum conselho? — exclamou Blessington, com a voz trêmula.

— Meu conselho, senhor, é que diga a verdade.

Um minuto depois, estávamos na rua, a caminho de casa. Já havíamos cruzado a Oxford Street e estávamos a meio caminho na Harley Street antes que eu conseguisse arrancar uma palavra do meu colega.

— Lamento ter trazido você numa excursão tão idiota, Watson — ele disse finalmente. — E no fundo era até um caso interessante.

— Eu não entendi quase nada — confessei.

— Bem, é bastante evidente que há dois homens — mais, talvez, mas pelo menos dois — determinados, por algum motivo, a pegar esse tal Blessington. Na minha mente não resta dúvida de que, tanto na primeira quanto na segunda ocasião, aquele jovem entrou no quarto de Blessington, enquanto seu comparsa, com um engenhoso estratagema, evitou que o doutor interferisse.

— E a catalepsia?

— Uma imitação fraudulenta, Watson, embora eu não ouse insinuar isso para nosso especialista. É um mal bem fácil de imitar. Eu mesmo já fiz isso.

— E depois?

— Pelo mais puro acaso, Blessington estava fora de casa nas duas ocasiões. O motivo de os dois escolherem um horário tão incomum para a consulta era obviamente garantir que não haveria outros pacientes na sala de espera. Aconteceu, porém, que essa hora coincidiu com a caminhada de Blessington, o que parece provar que os dois não estavam muito bem acostumados à rotina diária dele. Naturalmente, se quisessem apenas roubar, teriam pelo menos feito alguma tentativa de procurar o dinheiro. Além disso, percebo nos olhos de um homem quando ele teme por seu próprio couro. É inconcebível que esse sujeito pudesse ter feito sem querer inimigos tão vingativos quanto esses dois parecem ser. Sustento, portanto, que certamente ele sabe quem são esses homens e, por seus próprios motivos, omite isso. É bem possível que amanhã o encontremos num humor mais comunicativo.

— Não existe uma alternativa — sugeri —, grotescamente improvável, sem dúvida, mas ainda assim apenas concebível? Toda a história do russo cataléptico e seu filho não poderia ser uma invenção do Dr. Trevelyan, o qual, por motivos próprios, esteve nos aposentos de Blessington?

Vi, à luz do lampião, que Holmes recebera com um sorriso divertido essa minha brilhante digressão.

— Caro colega — ele disse —, essa foi uma das primeiras soluções que me ocorreu, mas logo pude corroborar o relato do doutor. Esse jovem deixou pegadas no tapete da escada que tornam bastante supérfluo, para mim, pedir para ver as que ele fizera no quarto. Quando digo que seus sapatos tinham o bico quadrado, e não pontudo, como os de Blessington, e que eram três centímetros e meio maiores do que os do doutor, você reconhecerá que não pode haver dúvida quanto à sua individualidade. Mas podemos dormir sobre o problema agora, pois eu ficaria surpreso se não soubéssemos de algo mais da Brook Street já pela manhã.

A profecia de Sherlock Holmes logo se realizou, e de forma dramática. Às 7h30 da manhã seguinte, com o primeiro brilho do amanhecer, eu o encontrei de pé ao lado da minha cama, trajando seu roupão.

— Uma carruagem está à nossa espera, Watson — ele disse.

— O que aconteceu?

— O caso da Brook Street.

— Alguma novidade?

— Trágica, porém ambígua — ele disse, abrindo a veneziana. — Veja isto: uma folha de caderno com "Pelo amor de Deus, venha logo, P. T." rabiscado a lápis. Nosso amigo, o doutor, estava muito abalado quando o escreveu. Venha, caro amigo, porque é um chamado urgente.

Em um quarto de hora ou pouco mais, estávamos de volta à casa do médico. Ele veio correndo nos encontrar, com o horror estampado no rosto.

— Oh, que situação! — ele exclamou, com as mãos nas têmporas.

— O que foi?

— Blessington se suicidou!

Holmes assobiou.

— Sim, enforcou-se durante a noite.

Entramos, e o médico ingressou à nossa frente no que era evidentemente sua sala de espera.

— Eu nem sei direito o que estou fazendo — ele continuou. — A polícia já está lá em cima. Estou terrivelmente abalado.

— Quando descobriu?

— Ele tomava uma xícara de chá cedo, toda manhã. Quando a criada entrou, por volta das 7h, lá estava o infeliz, pendurado no meio do quarto. Ele amarrou a corda no gancho que segurava a pesada lâmpada, e saltou de cima daquela mesma caixa que nos mostrou ontem.

Holmes ficou mergulhado em pensamentos por um momento.

— Com sua permissão — ele disse finalmente —, eu gostaria de subir e investigar o caso.

Ambos subimos, seguidos pelo médico.

Uma visão pavorosa nos esperava quando passamos pela porta do quarto. Já falei da impressão de flacidez que o tal Blessington produzia. Pendurado no gancho daquela maneira, essa impressão era exagerada e intensificada a ponto de sua aparência mal parecer humana. O pescoço estava esticado como o de um frango depenado, fazendo o resto parecer mais obeso e antinatural, por contraste. Ele estava usando apenas seu camisolão longo, e seus tornozelos inchados e pés roliços despontavam espalhafatosamente da parte de baixo. Ao seu lado estava um inspetor policial de aspecto astuto, fazendo anotações num bloquinho.

— Ah, Sr. Holmes — ele disse quando meu amigo entrou. — Fico feliz em vê-lo.

— Bom dia, Lanner — respondeu Holmes. — Sei que não vai me considerar um intruso. Já conhece os acontecimentos que levaram a esta situação?

— Sim, ouvi alguma coisa.

— Já formou alguma opinião?

— Até onde consigo ver, o homem foi levado à insensatez

pelo medo. A cama está desfeita, veja bem. Lá está a marca do seu corpo. É por volta das cinco da manhã, sabe, que os suicídios são mais comuns. Foi mais ou menos nessa hora que ele se enforcou. Parece ter sido um gesto bastante deliberado.

— Eu diria que ele está morto há umas três horas, a julgar pela rigidez dos músculos — observei.

— Notou qualquer coisa peculiar no quarto? — perguntou Holmes.

— Encontrei uma chave de fenda e alguns parafusos no balcão do lavabo. Parece que ele fumou muito durante a noite também. Aqui estão quatro tocos de charuto que tirei da lareira.

— Hum! — disse Holmes. — Achou a piteira dele?

— Não, não vi nenhuma.

— Sua charuteira, então?

— Sim, estava no bolso do casaco.

Holmes a abriu e farejou o único charuto que ela continha.

— Oh, este é um Havana, e os tocos são daquele tipo peculiar, importado pelos holandeses de suas colônias nas Índias Orientais. Normalmente são embrulhados em palha, sabe, e mais finos e longos do que qualquer outra marca. — Ele pegou as quatro bitucas e as examinou com sua lupa de bolso.

— Dois destes foram fumados com piteira e dois, sem — ele disse. — Dois foram cortados com uma faca não muito afiada, e dois tiveram as pontas arrancadas por dentes excelentes. Isso não é um suicídio, Sr. Lanner. É um assassinato profundamente planejado e executado a sangue-frio.

— Impossível! — exclamou o inspetor.

— E por quê?

— Por que alguém mataria um homem dessa forma desajeitada, enforcando-o?

— É o que precisamos descobrir.

— Como o assassino entrou?

— Pela porta da frente.

— Estava trancada de manhã.

— Então foi trancada depois que eles entraram.

— Como sabe?

— Vi as pegadas deles. Dê-me licença só um momento e poderei lhe dar mais algumas informações a respeito.

Ele foi até a porta e, mexendo na fechadura, examinou-a à sua maneira metódica. Depois tirou a chave, que estava do lado de dentro, e também a inspecionou. A cama, o tapete, as poltronas, a lareira, o cadáver e a corda foram examinados individualmente, até que por fim ele se declarou satisfeito e, com minha ajuda e a do inspetor, cortou a corda daquela figura miserável e a deitou respeitosamente debaixo de um lençol.

— E a corda? — ele perguntou.

— Foi cortada disto — disse o Dr. Trevelyan, tirando um grande rolo de debaixo da cama. — Ele tinha um medo patológico do fogo, e sempre mantinha isto por perto, para poder escapar pela janela caso a escada estivesse em chamas.

— Isso lhes deve ter poupado trabalho — afirmou Holmes, pensativo. — Sim, os fatos estão bastante claros, e ficarei surpreso se até a tarde eu não puder lhe apresentar as razões por trás deles também. Levarei esta fotografia de Blessington que vejo sobre a lareira, pois ela pode me ajudar nas minhas investigações.

— Mas o senhor não nos contou nada! — exclamou o médico.

— Oh, não resta dúvida quanto à sequência dos acontecimentos — explicou Holmes. — Três homens estão envolvidos: o jovem, o velho e um terceiro de cuja identidade não tenho nenhuma pista. Os dois primeiros, nem preciso lembrar, são os mesmos que se passaram pelo conde russo e seu filho, por isso podemos dar uma descrição bastante completa de ambos. Eles foram introduzidos na casa por um cúmplice. Se eu pudesse lhe dar um conselho, inspetor, sugeriria que prendesse o pajem, o qual, pelo que sei, só recentemente começou a trabalhar para o senhor, doutor.

— O jovem diabinho não foi encontrado — revelou o Dr. Trevelyan —; a criada e a cozinheira acabam de ir procurá-lo.

Holmes deu de ombros.

— Ele teve um papel de certa importância neste drama — ele disse. — Depois que os três homens subiram a escada, o que fizeram na ponta dos pés, o mais velho primeiro, o mais jovem depois e o desconhecido por último...

— Meu caro Holmes! — exclamei.

— Oh, não resta dúvida quanto à sobreposição das pegadas. Tive a vantagem de conseguir diferenciá-las, noite passada. Eles subiram, portanto, para o quarto do Sr.

Blessington, cuja porta encontraram trancada. Com a ajuda de um arame, no entanto, viraram a chave na fechadura. Mesmo sem uma lupa, vocês podem perceber, pelos arranhões no tambor, onde a pressão foi aplicada.

"Ao entrar no quarto, a primeira ação deles deve ter sido amordaçar o Sr. Blessington. Ele poderia estar dormindo, ou talvez tão paralisado pelo terror que não conseguiu nem gritar. Estas paredes são espessas, e é concebível que seu grito, se ele teve tempo de gritar, não tenha sido ouvido.

"Depois de imobilizá-lo, é evidente para mim que algum tipo de deliberação se seguiu. Provavelmente foi algo análogo a um processo judicial. Deve ter durado algum tempo, pois foi então que estes charutos foram fumados. O homem mais velho se sentou naquela poltrona de vime; foi ele quem usou a piteira. O mais jovem se sentou ali; ele bateu as cinzas no canto do gaveteiro. O terceiro sujeito ficou andando de um lado para o outro. Blessington, eu acho, ficou sentado ereto na cama, mas disso não posso ter certeza absoluta.

"Bem, tudo terminou com os três pegando Blessington e enforcando-o. A coisa foi tão premeditada que estou convencido de que eles trouxeram alguma espécie de roldana ou polia para usá-la como forca. A chave de fenda e os parafusos seriam usados, pelo que imagino, para prendê-la. Ao verem o gancho, no entanto, eles naturalmente foram poupados desse trabalho. Depois de terminarem o serviço, eles saíram, e a porta foi trancada pelo seu cúmplice."

Todos ouvíamos com o mais profundo interesse esse esboço dos acontecimentos da noite, que Holmes deduzira a partir de sinais tão sutis e diminutos que, mesmo depois que ele os apontava para nós, mal conseguíamos acompanhar seu raciocínio. O inspetor saiu apressadamente na mesma hora para perguntar do pajem, enquanto Holmes e eu seguimos para a Baker Street para o desjejum.

— Volto às 15h — ele disse, depois que terminamos a refeição. — O inspetor e o doutor vão me encontrar aqui nesse horário, e espero, até então, ter esclarecido qualquer detalhezinho obscuro que o caso ainda possa apresentar.

Nossos visitantes chegaram na hora marcada, mas já eram 15h45 quando o meu amigo apareceu. Pela sua expressão ao entrar, no entanto, eu podia ver que tudo correra bem para ele.

— Alguma novidade, inspetor?

— Pegamos o garoto, senhor.

— Excelente, e eu peguei os homens.

— Pegou como?! — exclamamos os três.

— Bem, ao menos tenho suas identidades. Esse tal de Blessington é, como eu esperava, bem conhecido na polícia, e também seus agressores. Seus nomes são Biddle, Hayward e Moffat.

— O bando que assaltou o banco de Worthingdon! — exclamou o inspetor.

— Precisamente — respondeu Holmes.

— Então Blessington devia ser Sutton.

— Exatamente — disse Holmes.

— Ora, isso deixa tudo claro como cristal — observou o inspetor. Mas Trevelyan e eu nos entreolhamos, intrigados.

— Certamente vocês se lembram do grande caso do banco de Worthingdon — começou Holmes —; cinco homens participaram do assalto: esses quatro e um quinto, chamado Cartwright. Tobin, o zelador, foi assassinado, e os ladrões fugiram levando sete mil libras. Isso foi em 1875. Os cinco foram presos, mas as provas contra eles estavam longe de ser conclusivas. Esse Blessington ou Sutton, que era o pior do bando, virou informante. Com seu depoimento, Cartwright foi enforcado, e os outros três pegaram quinze anos cada. Quando foram libertados, há poucos dias, alguns anos antes de cumprir toda a sentença, empenharam-se, como podem perceber, em caçar o traidor e vingar a morte de seu camarada. Duas vezes tentaram pegá-lo e fracassaram; na terceira vez, como veem, deu certo. Mais alguma coisa que gostaria que eu explicasse, Dr. Trevelyan?

— Acho que o senhor deixou tudo consideravelmente claro — afirmou o médico. — Sem dúvida, o dia em que ele ficou perturbado foi quando leu sobre a libertação dos três nos jornais.

— Exato. Sua história sobre um roubo foi mero disfarce.

— Mas por que ele não podia contar tudo isso ao senhor?

— Bem, meu caro, conhecendo o caráter vingativo de seus ex-associados, ele tentou esconder sua identidade de todos pelo maior tempo possível. Seu segredo era vergonhoso, e ele não tinha coragem de divulgá-lo. Todavia, canalha como era, vivia mesmo assim sob o escudo da lei britânica, e não tenho dúvida, inspetor, de que, embora esse escudo tenha falhado em protegê-lo, o senhor fará com que a espada da justiça o vingue.

Essas foram as singulares circunstâncias relacionadas ao paciente residente e ao médico da Brook Street. Desde aquela noite, nada mais se soube na polícia dos três assassinos, e na Scotland Yard se supõe que eles estavam entre os passageiros do desventurado vapor *Norah Creina*, que se perdeu há alguns anos, com todos a bordo, na costa portuguesa, algumas léguas marítimas ao norte do Porto. O processo contra o pajem foi arquivado por falta de provas, e o "Mistério de Brook Street", como foi chamado, nunca havia sido, até agora, completamente abordado em qualquer meio público.

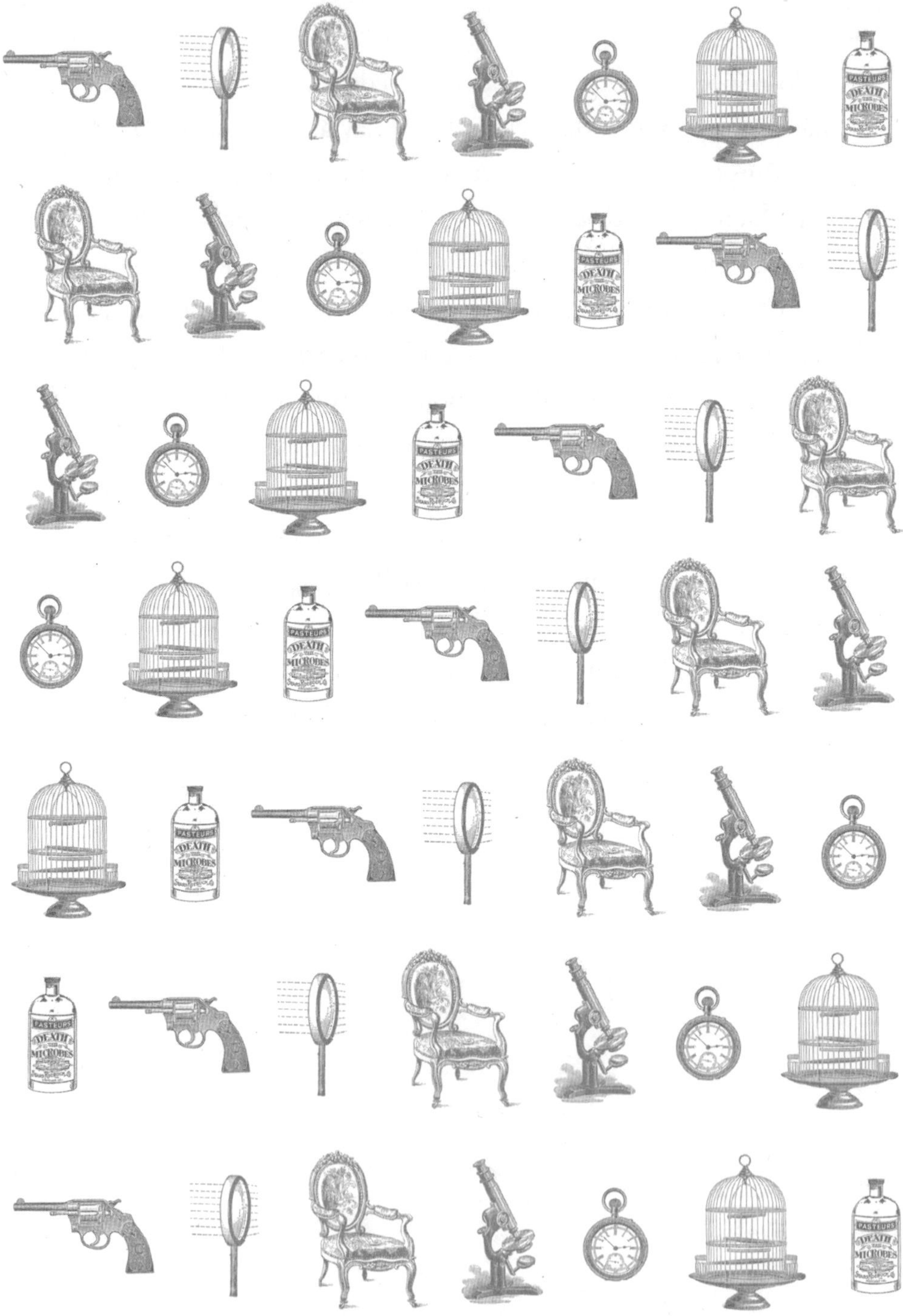
PASTEURS
DEATH
MICROBES

nove

O INTÉRPRETE GREGO

Durante minha longa e íntima convivência com o Sr. Sherlock Holmes, jamais o ouvi referir-se a qualquer parente seu, e quase nunca à sua infância. Essa reticência de sua parte aumentava o efeito algo inumano que ele produzia sobre mim, até que por vezes eu me surpreendia a considerá-lo um fenômeno isolado, um cérebro sem coração, tão deficiente em empatia humana quanto era proeminente em inteligência. Sua aversão às mulheres e seu desinteresse por formar novas amizades eram típicos de seu caráter pouco emocional, mas não mais do que sua completa supressão de qualquer referência à própria família. Eu já me convencera de que ele era um órfão sem parentes vivos, mas um dia, para minha enorme surpresa, ele começou a me falar do seu irmão.

Foi depois do chá, numa tarde de verão, e a conversa, que vagara de forma desconexa e espasmódica, indo de tacos de golfe às causas da obliquidade das órbitas planetárias, chegara finalmente à questão do atavismo e das aptidões hereditárias. O tópico em discussão era quanto qualquer dom singular num indivíduo se devia à sua origem, e até que ponto à sua formação.

— No seu caso — eu disse —, por tudo o que você me contou, parece óbvio que suas faculdades de observação e sua peculiar facilidade para a dedução se devem ao seu treinamento sistemático.

— Até certo ponto — ele respondeu, pensativo. — Meus ancestrais eram proprietários rurais, que parecem ter levado a vida que é natural à sua classe. Apesar disso, meu pendor nessa direção está em meu sangue, e pode ter vindo da minha avó, que era irmã de Vernet, o artista francês. A arte no sangue costuma assumir as formas mais estranhas.

— Mas como sabe que é hereditário?

— Porque meu irmão Mycroft o possui num grau ainda maior do que o meu.

Isso era novidade para mim, de fato. Se havia outro homem com poderes tão peculiares na Inglaterra, como era possível que nem a polícia, nem o público, tivessem ouvido falar dele? Fiz essa pergunta insinuando que era a modéstia do meu colega que o fazia reconhecer seu irmão como superior. Holmes riu da minha sugestão.

— Meu caro Watson — ele disse —, não posso concordar com aqueles que incluem a modéstia entre as virtudes. Para alguém de raciocínio lógico, todas as coisas devem ser exatamente o que são, e subestimar a si próprio está tão longe da verdade quanto exagerar os próprios poderes. Quando digo, portanto, que Mycroft tem maiores poderes de observação do que eu, pode ter certeza de que estou dizendo a verdade exata e literal.

— Ele é mais novo do que você?

— Sete anos mais velho.

— E por que é desconhecido?

— Oh, ele é muito conhecido em seu círculo.

— Onde, então?

— Bem, no Clube Diógenes, por exemplo.

Eu nunca ouvira falar dessa instituição, e meu rosto deve ter deixado isso claro, pois Sherlock Holmes puxou seu relógio.

— O Clube Diógenes é o clube mais esquisito de Londres, e Mycroft, um dos homens mais esquisitos. Ele está sempre lá das 16h45 às 19h40. Agora são 18h, portanto, se não se importar em fazer uma caminhada nesta linda tarde, ficarei muito feliz em lhe apresentar duas curiosidades.

Cinco minutos depois, estávamos na rua, caminhando rumo ao Regent Circus.

— Você se pergunta — disse meu colega — por que Mycroft não usa seus poderes no trabalho de detetive. Ele é incapaz disso.

— Mas pensei que você tivesse dito...

— Eu disse que ele era superior a mim na observação e na dedução. Se a arte do detetive começasse e terminasse com a reflexão numa poltrona, meu irmão seria o maior investigador criminal que já viveu. Mas ele não tem nenhuma ambição e nenhuma energia. Não dá um passo nem para verificar suas soluções, e prefere ser considerado equivocado a dar-se ao trabalho de provar que está correto. Repetidas vezes levei um problema até ele e recebi uma explicação que depois provou ser acertada. No entanto, ele seria absolutamente incapaz de resolver os detalhes práticos necessários antes que um caso possa ser submetido a um juiz ou júri.

— Essa não é sua profissão, então?

— De modo algum. O que para mim é um meio de ganhar a vida, para ele é o mais singelo passatempo de diletante. Ele tem uma facilidade extraordinária para números, e controla a contabilidade em alguns departamentos do governo. Mycroft mora na Pall Mall, e anda até a esquina da Whitehall toda manhã e volta toda noite. Ano após ano, não faz nenhum outro exercício, e não é visto em nenhum outro lugar, com exceção do Clube Diógenes, que fica bem em frente aos seus aposentos.

— Não me lembro do nome.

— Muito provável que não. Existem muitos homens em Londres, sabe, alguns por timidez, outros por misantropia, que não têm desejo algum da companhia de seus semelhantes. No entanto, não são avessos a poltronas confortáveis e aos periódicos mais recentes. É para a conveniência deles que o Clube Diógenes foi fundado, e ele recebe, agora, os homens mais antissociais e anticlubes da cidade. A nenhum membro é permitido notar minimamente qualquer outro. Com a exceção do Salão dos Estranhos, falar ali não é, em circunstância alguma, permitido, e três infrações, se levadas à ciência da comissão, tornam o tagarela passível de expulsão. Meu irmão foi um dos fundadores, e até mesmo eu acho a atmosfera de lá muito calmante.

Chegáramos à Pall Mall enquanto conversávamos, e estávamos andando por ela, vindo do lado de St. James. Sherlock Holmes parou diante de uma porta a pouca distância do Carlton, e, avisando-me para não falar, ingressou no saguão à minha frente. Pelas divisórias de vidro eu vislumbrava um salão amplo e luxuoso, no qual um número considerável de homens estava sentado, lendo jornais, cada um em seu cubículo. Holmes me levou para uma pequena sala que dava para a Pall Mall, e então, deixando-me por um minuto, voltou acompanhado por alguém que percebi que só poderia ser seu irmão.

Mycroft Holmes era um homem muito maior e mais pesado do que Sherlock. Sua compleição era absolutamente corpulenta, mas seu rosto, embora largo, conservara parte da agudeza de expressão que era tão notável no de seu irmão. Seus olhos, que eram de um cinza particularmente claro e líquido, pareciam ter sempre aquele olhar distante e introspectivo que eu só observava em Sherlock quando ele estava exercendo ao máximo seus poderes.

— Fico feliz em conhecê-lo, senhor — disse ele, estendendo uma mão larga e lisa como a nadadeira de uma foca. — Ouço falar de Sherlock em toda parte desde que o senhor se tornou seu cronista. A propósito, Sherlock, eu esperava que você viesse semana passada me consultar sobre o caso da Manor House. Achei que você estaria um tanto perdido.

— Não, eu o solucionei — replicou meu amigo, sorrindo.

— Foi Adams, naturalmente?

— Sim, foi Adams.

— Tive certeza disso desde o princípio. — Os dois se sentaram juntos na janela panorâmica do clube. — Para quem quiser estudar a humanidade, este é o melhor lugar — disse Mycroft. — Veja que tipos magníficos! Olhe aqueles dois homens que se aproximam, por exemplo.

— O apontador de bilhar e o outro?

— Exatamente. O que você supõe que o outro seja?

Os dois homens haviam parado em frente à janela. Algumas marcas de giz no bolso do colete eram os únicos sinais de bilhar que eu podia ver num deles. O outro era um sujeito miúdo e escuro, com o chapéu para trás e vários embrulhos na mão.

— Um ex-soldado, percebo — observou Sherlock.

— De baixa recente — comentou o irmão.

— Serviu na Índia, pelo que vejo.

— Como suboficial.

— Da Artilharia Real, imagino — continuou Sherlock.

— E viúvo.

— Mas com um filho.

— Filhos, meu caro, filhos.

— Por favor — eu disse rindo —, agora vocês estão exagerando.

— Decerto — respondeu Holmes — que não é difícil dizer que um homem com esse porte, essa expressão de autoridade e a pele torrada pelo sol, é um soldado, mais do que raso, e recém-chegado da Índia.

— Que ele deixou o serviço há pouco é demonstrado pelo uso das botas militares — observou Mycroft.

— Ele não tem o andar de um cavalariano, mas usava o chapéu de lado, como demonstra a pele mais clara de um lado da testa. Pelo seu peso, não pode ser um sapador. Está na artilharia.

— E, claro, o luto fechado indica que ele perdeu alguém muito amado. O fato de estar fazendo compras sozinho parece denotar que foi a esposa. Ele comprou coisas para crianças, perceba. Há um chocalho, o que mostra que uma delas é bem nova. A esposa provavelmente morreu no parto. O livro ilustrado debaixo do braço revela que ele tem outra criança sob seus cuidados.

Comecei a entender o que meu amigo quis dizer quando falou que seu irmão possuía dons ainda mais aguçados do que os seus. Ele olhou para mim e sorriu. Mycroft tirou rapé de um estojo de tartaruga e espanou os grãos que caíram sobre seu casaco com um grande lenço vermelho de seda.

— A propósito, Sherlock — ele disse —, algo bem a seu gosto, um problema muito singular, foi submetido à minha avaliação. Não tive energia para acompanhá-lo, a não ser de forma bastante incompleta, mas ele serviu de base para algumas especulações muito agradáveis. Se quiser ouvir os fatos...

— Meu caro Mycroft, eu ficaria encantado.

O irmão fez uma anotação numa folha de sua agenda e, tocando a sineta, entregou-a ao garçom.

— Pedi que o Sr. Melas atravessasse a rua — ele contou. — Ele mora no andar acima do meu, e eu o conheço superficialmente, o que o levou a me procurar, em sua perplexidade. O Sr. Melas é de origem grega, pelo que sei, e um notável lexicólogo. Ganha a vida em parte como intérprete em tribunais, e em parte como guia de ricos orientais em visita aos hotéis da Northumberland Avenue. Acho que deixarei que ele conte a seu modo sua experiência muito notável.

Alguns minutos depois, juntou-se a nós um homem baixo e atarracado, cujos rosto escuro e cabelo preto como carvão proclamavam sua origem meridional, embora sua fala fosse a de um inglês culto. Ele apertou entusiasticamente a mão de Sherlock Holmes, e seus olhos escuros brilharam de prazer ao perceber que o especialista estava ansioso para ouvir sua história.

— Não acho que a polícia tenha me dado crédito, juro que não acho — ele declarou com voz lamuriosa. — Só porque nunca ouviram nada parecido, pensam que algo assim não pode existir. Mas sei que minha mente não terá descanso enquanto eu não souber o que aconteceu com o pobre homem com as fitas adesivas no rosto.

— Sou todo ouvidos — disse Sherlock Holmes.

— Agora é a tarde de quarta-feira — começou o Sr. Melas —; bem, então, foi na noite de segunda, há apenas dois dias, entenda, que tudo isso aconteceu. Sou intérprete, como talvez o meu vizinho aqui já tenha contado. Interpreto todos os idiomas, ou quase todos, mas, como sou grego de nascença, e tenho nome grego, é a essa língua em particular que sou principalmente associado. Por muitos anos, fui o principal intérprete grego em Londres, e meu nome é bastante conhecido nos hotéis.

"Acontece, não raro, de eu ser convocado em horários estranhos, por estrangeiros em dificuldades, ou viajantes que chegam tarde e precisam dos meus serviços. Não fiquei surpreso, portanto, na noite de segunda-feira, quando um certo Sr. Latimer, um jovem muito bem-vestido, veio aos meus aposentos e me pediu que eu o acompanhasse num táxi que estava esperando na entrada. Um amigo grego viera vê-lo a negócios, ele disse, e, como não sabia falar nada além de seu próprio idioma, os serviços de um intérprete eram indispensáveis. Ele deu a entender que sua casa era um tanto distante, em Kensington, e parecia ter muita pressa, empurrando-me rapidamente para o táxi quando saímos na rua.

"Digo o táxi, mas logo comecei a me perguntar se não era numa carruagem particular que eu me encontrava. Ela certamente era mais espaçosa do que a costumeira desgraça londrina sobre rodas, e o estofamento, embora puído, era de boa qualidade. O Sr. Latimer se sentou na minha frente, e seguimos através da Charing Cross e pela Shaftesbury Avenue. Havíamos chegado à Oxford Street e eu fizera algum comentário sobre aquele ser um caminho tortuoso para Kensington, quando minhas palavras foram interrompidas pela conduta extraordinária do meu acompanhante.

"Ele começou puxando do bolso um porrete formidavelmente ameaçador, com miolo de chumbo, trocando-o de mão várias vezes, como que para testar seu peso e sua força. Então o deixou, sem uma palavra, sobre o assento ao seu lado. Depois de fazer isso, fechou as janelas de ambos os lados, e descobri, para meu assombro, que elas haviam sido forradas com papel para que eu não pudesse ver o exterior.

"'Lamento impedir sua visão, Sr. Melas', ele disse. 'O fato é que não tenho nenhuma intenção de permitir que veja para onde estamos indo. Poderia ser inconveniente para mim se o senhor conseguisse voltar para lá.'

"Como podem imaginar, fiquei totalmente chocado com essa declaração. Meu acompanhante era um jovem forte e de ombros largos, e, à parte a arma, eu não teria a menor chance numa luta contra ele.

"'Essa é uma conduta extraordinária, Sr. Latimer', gaguejei. 'O senhor deve saber que o que está fazendo é totalmente ilegal.'

"'Tomei certa liberdade, sem dúvida', ele disse, 'mas nós o compensaremos. Devo avisá-lo, no entanto, Sr. Melas, que, se a qualquer momento, esta noite, tentar dar o alarme ou fazer qualquer coisa que seja contra os meus interesses, perceberá que é algo muito grave. Rogo que se lembre de que ninguém sabe onde o senhor está, e que, tanto nesta carruagem quanto na minha casa, está igualmente em meu poder.'

"Suas palavras eram brandas, mas ele as dizia de um jeito rouco que era muito ameaçador. Fiquei em silêncio, perguntando-me qual poderia ser seu motivo para me raptar daquela forma extraordinária. Fosse qual fosse, estava perfeitamente claro que de nada adiantaria resistir, e que eu só podia esperar para ver o que iria acontecer.

"Por quase duas horas viajamos sem que eu tivesse a mínima pista do nosso destino. Às vezes, o chocalhar de pedras indicava uma rua pavimentada, outras, nosso movimento suave e silencioso sugeria asfalto, mas, à parte essa variação no som, não havia absolutamente nada que pudesse da forma mais remota me ajudar a supor onde estávamos. O papel que cobria as janelas era opaco à luz, e uma cortina azul estava puxada sobre o vidro da frente. Eram 19h15 quando saímos da Pall Mall, e meu relógio me mostrou que eram 20h50 quando finalmente paramos.

Meu acompanhante baixou o vidro e pude vislumbrar uma porta baixa em arco, com uma lâmpada ardendo no alto. Quando ele me tirou rapidamente da carruagem, ela se abriu, e me vi dentro da casa, com a vaga impressão de ter avistado um gramado e árvores dos dois lados ao entrar. Se era um terreno particular, no entanto, ou campo aberto, era mais do que eu poderia tentar dizer.

"Havia um lampião a gás colorido lá dentro, com a chama tão baixa que eu podia ver pouco, à parte que o salão era de um certo tamanho e cheio de quadros. À luz fraca, eu podia discernir que a pessoa que abrira a porta era um homenzinho de meia-idade e aspecto perverso, de ombros caídos. Quando ele se virou em nossa direção, o reflexo da luz mostrou que usava óculos.

"'Esse é o Sr. Melas, Harold?', ele perguntou.

"'Sim.'

"'Muito bem! Muito bem! Sem ressentimentos, espero, Sr. Melas, mas não poderíamos seguir adiante sem o senhor. Se jogar limpo conosco, não se arrependerá; mas, se tentar qualquer truque, que Deus o ajude!'

"Ele falava aos solavancos, nervosamente, em meio a risadinhas sardônicas, mas de alguma forma me metia mais medo do que o outro.

"'O que querem comigo?', perguntei.

"'Apenas fazer umas perguntas a um cavalheiro grego que está nos visitando, e entender suas respostas. Mas não diga nada além do que mandarmos, senão...', aqui vinha a risadinha nervosa de novo, '... seria melhor o senhor nem ter nascido.'

"Enquanto falava, ele abriu uma porta e me mandou entrar numa sala que parecia muito ricamente decorada — mas, outra vez, com apenas a luz fornecida por uma única lâmpada cuja chama estava na metade. A câmara certamente era grande, e o modo como meus pés afundaram no tapete quando eu o atravessei me revelaram sua riqueza. Vi de relance poltronas de veludo, uma moldura de lareira alta, de mármore branco, e o que parecia ser uma armadura japonesa ao lado dela. Havia uma poltrona bem debaixo da lâmpada, e o homem mais velho indicou que eu deveria sentar-me nela. O mais jovem nos deixara, mas voltou de repente por outra porta, trazendo com ele um cavalheiro vestido com uma espécie de camisolão folgado, que se aproximava lentamente de nós. Quando ele entrou no círculo de luz fraca que me permitia ver mais claramente, fiquei horrorizado com sua aparência. Estava mortalmente pálido e terrivelmente emaciado, com os olhos saltados e brilhantes de um homem cujo espírito era maior que suas forças. Mas o que me chocou mais do que qualquer sinal de fraqueza física foi que seu rosto estava grotescamente coberto de fitas adesivas, e que uma fita mais larga estava colada sobre sua boca.

"'Trouxe a prancheta, Harold?', exclamou o homem mais velho, enquanto aquele estranho ser desabava, mais do que se sentava, na poltrona. 'As mãos dele estão soltas? Agora, então, dê-lhe o lápis. O senhor deve fazer as perguntas, Sr. Melas, e ele escreverá as respostas. Pergunte, antes de tudo, se ele está disposto a assinar os documentos.'

"Os olhos do homem cuspiram fogo.

"'Nunca!', ele escreveu em grego na prancheta.

"'Sob nenhuma condição?', perguntei, a pedido de nosso tirano.

"'Somente se eu a vir casada na minha presença por um padre grego que conheço.'

"O homem riu de sua forma peçonhenta.

"'Sabe o que o espera, então?'

"'Nada me importa o meu destino.'

"Essas são amostras das perguntas e respostas que formavam nossa estranha conversa, meio falada, meio escrita. Muitas e muitas vezes tive que lhe perguntar se ele cederia e assinaria o documento. Muitas e muitas vezes recebi a mesma resposta indignada. Mas logo tive uma ideia feliz. Comecei a acrescentar pequenas frases minhas a cada pergunta — inocentes primeiro, para testar se nenhum dos nossos acompanhantes se dava conta, e então, quando vi que eles não davam sinal disso, comecei um jogo mais perigoso. Nossa conversa ficou mais ou menos assim:

"'De nada lhe valerá essa obstinação. *Quem é você?*'

"'Não me importa. *Sou um forasteiro em Londres.*'

"'Seu destino será sua responsabilidade. *Há quanto tempo está aqui?*'

"'Que seja. *Três semanas.*'

"'Esta propriedade jamais poderá ser sua. *O que o aflige?*'

"'Não será de vilões. *Estão me matando de fome.*'

"'Será libertado se assinar. *De quem é esta casa?*'

"'Jamais vou assinar. *Não sei.*'

"'Assim não a está ajudando em nada. *Qual o seu nome?*'

"'Quero ouvir isso dela. *Kratides.*'

"'Vai poder vê-la se assinar. *De onde você é?*'

"'Então jamais irei vê-la. *De Atenas.*'

"Mais cinco minutos, Sr. Holmes, e eu teria arrancado a história toda debaixo dos narizes deles. Minha questão seguinte poderia ter esclarecido o caso, mas naquele instante a porta se abriu e uma mulher entrou na sala. Eu não podia vê-la claramente o suficiente, senão para saber que ela era alta e graciosa, com o cabelo preto, e usava uma simples camisola branca.

"'Harold', ela disse, falando inglês com um forte sotaque. 'Não pude mais ficar longe. É tão solitário lá em cima com apenas... oh, meu Deus, é Paul!'

"Estas últimas palavras foram em grego, e ao mesmo tempo o homem, com um esforço convulsivo, arrancou a fita dos lábios e, gritando 'Sophy! Sophy!', correu para os braços da mulher. Seu abraço durou só um instante, porém, porque o homem mais jovem agarrou a mulher e a empurrou para fora da sala, enquanto o mais velho facilmente dominava sua emaciada vítima e a arrastava através da outra porta. Por um momento, fiquei sozinho na sala, e saltei de pé com alguma vaga ideia de que eu poderia, de alguma forma, obter uma pista da casa onde eu me encontrava. Felizmente, porém, nada fiz, pois, ao erguer os olhos, vi que o homem mais velho estava de pé na entrada, com os olhos pregados em mim.

"'Assim está bom, Sr. Melas', ele disse. 'O senhor se dá conta de que lhe confidenciamos um assunto muito particular. Não o teríamos incomodado se nosso amigo que fala grego e que começou estas negociações não tivesse sido forçado a voltar para o Leste. Era essencial que encontrássemos alguém que o substituísse, e tivemos a sorte de ouvir falar dos seus dons.'

"Fiz uma reverência.

"'Aqui estão cinco soberanos', ele disse, aproximando-se, 'que, espero, são remuneração suficiente. Mas lembre-se', ele acrescentou, batendo de leve no meu peito e rindo, 'se falar disto com qualquer um, com qualquer um, entendeu? Bem, que Deus tenha piedade de sua alma!'

"Não consigo expressar a repulsa e o horror que aquele homem de aspecto insignificante me inspirava. Eu podia vê-lo melhor agora que a lâmpada brilhava sobre ele. Seu semblante era pálido e amarelado, e seu pequeno e pontudo cavanhaque, ralo e desnutrido. Ele projetava o rosto para a frente ao falar, e seus lábios e pálpebras estavam sempre tremendo, como os de alguém acometido de dança-de-são-guido. Eu não conseguia deixar de supor que sua risadinha estranha e truncada fosse também sintoma de alguma doença nervosa. O terror do seu rosto estava em seus olhos, todavia, cinza como o aço, que brilhavam friamente, com uma crueldade perversa e inexorável em suas profundezas.

"'Ficaremos sabendo se o senhor falar disto', ele disse. 'Temos nossos próprios meios de informação. Agora, encontrará a carruagem à sua espera, e meu amigo irá acompanhá-lo.'

"Fui levado apressadamente pelo corredor e para dentro do veículo, novamente obtendo um vislumbre momentâneo de árvores e um jardim. O Sr. Latimer me seguia de perto, e se sentou diante de mim sem uma palavra. Em silêncio, viajamos novamente por uma distância interminável, com as janelas fechadas, até que finalmente, pouco depois da meia-noite, a carruagem parou.

"'O senhor desce aqui, Sr. Melas', disse meu acompanhante. 'Lamento deixá-lo tão longe de sua casa, mas não tenho escolha. Qualquer tentativa de sua parte de seguir a carruagem só resultará em danos para o senhor.'

"Ele abriu a porta enquanto falava, e mal tive tempo de saltar para fora antes que o cocheiro açoitasse o cavalo e a carruagem partisse chocalhando. Olhei ao meu redor, assombrado. Eu estava numa espécie de charneca aberta, salpicada por moitas escuras de arbustos de tojo. Ao longe se estendia uma fileira de casas, com luzes acesas aqui e ali nas janelas superiores. Do outro lado, eu via as lanternas vermelhas de sinalização de uma ferrovia.

"A carruagem que me trouxera já desaparecera de vista. Fiquei olhando ao meu redor e me perguntando onde eu poderia estar, quando vi alguém se aproximando na escuridão. Quando ele chegou, percebi que era um carregador ferroviário.

"'Pode me dizer que lugar é este?', perguntei.

"'Wandsworth Common', ele disse.

"'Posso pegar um trem para a cidade aqui?'

"'Se andar mais ou menos 1.500 metros, até Clapham Junction', explicou ele, 'vai chegar bem a tempo de pegar o último trem para a Estação Victoria.'

"E esse foi o fim da minha aventura, Sr. Holmes. Não sei onde eu estive, nem com quem falei, nem nada além do que lhe contei. Mas sei que há algum malfeito nisso, e quero ajudar aquele infeliz, se eu puder. Contei toda a história para o Sr. Mycroft Holmes na manhã seguinte, e depois para a polícia."

Todos ficamos em silêncio por algum tempo, depois de ouvir aquela extraordinária narrativa. Então Sherlock Holmes olhou para o seu irmão.

— Alguma providência? — ele perguntou.

Mycroft pegou o *Daily News*, que estava sobre a mesa lateral.

— "Quem tiver qualquer informação sobre o paradeiro de um cavalheiro grego chamado Paul Kratides, de Atenas, que não fala inglês, será recompensado. Também receberá recompensa semelhante quem der informações sobre uma dama grega cujo primeiro nome é Sophy. X 2473." Foi publicado em todos os cotidianos. Nenhuma resposta.

— E a embaixada grega?

— Já perguntei. Não sabem de nada.

— Um telegrama para o chefe da polícia ateniense, então?

— Sherlock herdou toda a energia da família — disse Mycroft, virando-se para mim. — Bem, assuma o caso, por favor, e avise-me se tiver algum resultado.

— Certamente — respondeu meu amigo, levantando-se da poltrona. — Avisarei você, e o Sr. Melas também. Enquanto isso, Sr. Melas, com certeza eu ficaria atento, se fosse o senhor, pois, é claro, eles já devem saber, por esses anúncios, que o senhor os traiu.

Enquanto caminhávamos para casa juntos, Holmes parou numa agência dos telégrafos e enviou vários telegramas.

— Como vê, Watson — ele comentou —, nossa tarde não foi de modo algum desperdiçada. Vários dos meus casos mais interessantes chegaram até mim dessa forma, por intermédio de Mycroft. O problema que acabamos de ouvir, embora só possa admitir uma explicação, tem, mesmo assim, algumas características de destaque.

— Você tem esperança de resolvê-lo?

— Bem, sabendo tudo o que sabemos, será de fato peculiar se não conseguirmos descobrir o resto. Você mesmo deve ter formado alguma teoria que explique os fatos que ouvimos.

— De uma forma vaga, sim.

— Qual é a sua ideia, então?

— Parece-me óbvio que essa garota grega foi levada embora pelo jovem inglês chamado Harold Latimer.

— Levada embora de onde?

— De Atenas, talvez.

Sherlock Holmes balançou a cabeça.

— O jovem não falava uma palavra de grego. A moça falava inglês razoavelmente bem. A inferência é que ela estava na Inglaterra havia algum tempo, mas ele não estivera na Grécia.

— Bem, então presumiremos que ela veio à Inglaterra em visita, e que esse Harold a convenceu a fugir com ele.

— Isso é o mais provável.

— Então, o irmão dela, pois acho que essa é a relação dos dois, vem da Grécia para interferir. Imprudentemente, ele se coloca em poder do jovem e de seu comparsa mais velho. Eles o capturam e usam de violência para fazê-lo assinar alguns documentos, transferindo a fortuna da garota, da qual ele deve ser depositário, para eles. Isso ele se recusa a fazer. Para negociar com ele, os dois precisam de um intérprete, e se apoderam desse Sr. Melas, tendo usado algum outro antes. A garota não sabe da chegada do irmão, e descobre por mero acidente.

— Excelente, Watson! — exclamou Holmes. — Estimo realmente que você não esteja longe da verdade. Como vê, temos todas as cartas na mão, e a única coisa que devemos temer é algum repentino ato violento da parte deles. Se nos derem tempo, conseguiremos pegá-los.

— Mas como iremos descobrir onde fica essa casa?

— Bem, se nossa conjectura estiver correta e o nome da garota for, ou tiver sido, Sophy Kratides, não teremos dificuldade em localizá-la. Essa deve ser nossa principal esperança, porque o irmão é, naturalmente, um completo forasteiro. Está claro que algum tempo se passou desde que esse Harold criou esse vínculo com a garota, algumas semanas, no mínimo, já que o irmão na Grécia teve tempo de ficar sabendo e vir para cá. Se eles moraram num mesmo lugar, nesse ínterim, é provável que teremos alguma resposta ao anúncio de Mycroft.

Chegáramos à nossa casa na Baker Street enquanto conversávamos. Holmes subiu a escada primeiro, e, ao abrir a porta da nossa sala, teve um sobressalto de surpresa. Olhando por cima do ombro dele, fiquei igualmente petrificado. Seu irmão Mycroft estava sentado na poltrona, fumando.

— Entre, Sherlock! Entre, senhor — ele disse calmamente, sorrindo da nossa surpresa. — Não esperava tanta energia de mim, certo, Sherlock? Mas, por algum motivo, este caso me atrai.

— Como chegou aqui?

— Ultrapassei vocês num *hansom*.

— Houve algum novo desdobramento?

— Recebi uma resposta ao meu anúncio.

— Ah!

— Sim; chegou alguns minutos depois que vocês partiram.

— E o que dizia?

Mycroft Holmes sacou uma folha de papel.

— Aqui está — leu —, escrita com uma pena J em papel nobre cor creme, por um homem de meia-idade e compleição fraca. "Senhor", ele diz, "em resposta ao seu anúncio da data de hoje, venho informar que conheço muito bem a jovem em questão. Se quiser me visitar, poderei fornecer alguns detalhes de sua dolorosa história. Atualmente, ela mora em The Myrtles, Beckenham. Seu criado, J. Davenport."

— Ele escreve de Lower Brixton — acrescentou Mycroft Holmes. — Você não acha que poderíamos ir à casa dele agora, Sherlock, e conhecer esses detalhes?

— Meu caro Mycroft, a vida do irmão é mais valiosa do que a história da irmã. Acho que deveríamos visitar o inspetor Gregson na Scotland Yard e ir diretamente para Beckenham. Sabemos que um homem está sendo torturado até a morte, e cada hora pode ser vital.

— É melhor pegarmos o Sr. Melas antes de irmos — sugeri —; podemos precisar de um intérprete.

— Excelente! — disse Sherlock Holmes. — Mande o pajem chamar uma carruagem e partiremos já. — Ele abriu a gaveta da mesa enquanto falava, e notei que enfiou seu revólver no bolso. — Sim — ele explicou, respondendo ao meu olhar —, devo dizer, com base no que ouvimos, que estamos lidando com um bando particularmente perigoso.

Já estava quase escuro quando chegamos à Pall Mall, aos aposentos do Sr. Melas. Um cavalheiro acabara de visitá-lo, e eles partiram.

— Pode me dizer para onde? — perguntou Mycroft Holmes.

— Não sei, senhor — respondeu a mulher que abrira a porta. — Só sei que ele partiu com o cavalheiro numa carruagem.

— O cavalheiro disse seu nome?

— Não, senhor.

— Ele não era um jovem alto, bonito, moreno?

— Oh, não, senhor; era um cavalheiro miúdo, de óculos, rosto fino, mas de modos muito agradáveis, pois ria o tempo todo enquanto falava.

— Venham! — gritou Sherlock Holmes abruptamente. — A coisa fica séria! — ele observou, enquanto rodávamos para a Scotland Yard. — Aqueles sujeitos se apossaram de Melas novamente. Ele é um homem sem nenhum vigor físico, como eles bem sabem, depois da experiência da noite anterior. Aquele vilão foi capaz de aterrorizá-lo no instante em que ficou diante dele. Sem dúvida, eles precisam de seus serviços profissionais; mas, depois de usá-lo, podem ficar inclinados a puni-lo pelo que consideram sua traição.

Nossa esperança era que, indo de trem, pudéssemos chegar a Beckenham ao mesmo tempo, ou antes da carruagem. Ao chegarmos à Scotland Yard, porém, levamos mais de uma hora para conseguir falar com o inspetor Gregson e cumprir as formalidades legais que nos permitiriam invadir a casa. Já eram 21h45 antes que chegássemos à Ponte de Londres, e mais de 22h30 quando nós quatro desembarcamos na plataforma de Beckenham. Oitocentos metros de carruagem nos levaram a The Myrtles — uma casa grande e escura, afastada da estrada, num grande terreno. Ali dispensamos nosso táxi e seguimos pelo acesso juntos.

— As janelas estão todas escuras — comentou o inspetor. — A casa parece deserta.

— Nossos passarinhos voaram e o ninho está vazio — disse Holmes.

— Por que diz isso?

— Uma carroça com uma carga pesada de bagagens passou por aqui há menos de uma hora.

O inspetor riu.

— Vi as marcas das rodas à luz da lâmpada da entrada, mas como sabe que eram bagagens?

— Talvez tenha observado as mesmas marcas de roda seguindo no sentido oposto. Mas as que saíam eram muito mais fundas, tão mais que podemos dizer com certeza que havia um peso considerável na carroça.

— O senhor está um pouco mais adiantado do que eu — admitiu o inspetor, dando de ombros. — Não será fácil arrombar essa porta. Mas tentaremos, se ninguém nos ouvir.

Ele bateu forte com o batente e puxou a campainha, sem nenhum sucesso. Holmes desaparecera, mas voltou minutos depois.

— Abri uma janela — ele disse.

— Ainda bem que o senhor está do lado da lei, e não contra ela, Sr. Holmes — comentou o inspetor, ao notar a maneira astuta com que meu amigo havia forçado a fechadura. — Bem, acho que, dadas as circunstâncias, podemos entrar sem termos sido convidados.

Um após o outro, entramos numa grande suíte, que era, evidentemente, onde o Sr. Melas se vira ao chegar. O inspetor acendera a sua lanterna, e à sua luz, podíamos ver as duas portas, a cortina, a lâmpada e a cota de malha japonesa que ele descrevera. Sobre a mesa estavam dois copos, uma garrafa vazia de *brandy* e os restos de uma refeição.

— O que é isso? — perguntou Holmes subitamente.

Todos paramos e ficamos à escuta. Um gemido baixo vinha de algum lugar acima de nossas cabeças. Holmes correu para a porta e saiu no corredor. O som desolador vinha do andar de cima. Ele correu pela escada, comigo e com o inspetor nos seus calcanhares, enquanto seu irmão Mycroft seguia tão rapidamente quanto seu grande volume lhe permitia.

Havia três portas no segundo andar, e era da porta central que os sinistros sons vinham, às vezes diminuindo para um balbucio abafado e aumentando novamente para um lamento agudo. Estava trancada, mas com a chave na fechadura. Holmes escancarou a porta e entrou, mas saiu imediatamente, com a mão na garganta.

— É carvão! — ele gritou. — Esperem um pouco. Vai se dissipar.

Olhando para dentro, podíamos ver que a única luz do aposento vinha de uma fraca chama azul, que bruxuleava num pequeno tripé de latão no centro. Ela projetava um círculo lívido e artificial no chão, enquanto nas sombras fora dele víamos os contornos imprecisos de duas silhuetas, agachadas contra a parede. Da porta aberta vinha uma exalação horrível, venenosa, que nos fazia engasgar e tossir. Holmes subiu a escada aos saltos para inspirar ar puro, e então, correndo para dentro do cômodo, abriu a janela e jogou o tripé de latão para o jardim.

— Poderemos entrar daqui a um minuto — ele balbuciou, saindo rapidamente de novo. — Onde há uma vela? Duvido que possamos riscar um fósforo nessa atmosfera. Segure a luz na porta, vamos tirá-los daqui, Mycroft. Agora!

Rapidamente, chegamos aos homens intoxicados e os puxamos para fora. Ambos estavam cianóticos, desacordados, com o rosto inchado e congestionado e os olhos saltados. De fato, suas feições estavam tão distorcidas que, não fosse pela barba preta e o porte robusto, talvez não tivéssemos reconhecido em um deles o intérprete grego que nos deixara poucas horas antes no Clube Diógenes. Suas mãos e pés estavam bem atados juntos, e um de seus olhos trazia as marcas de um golpe violento. A outra vítima, que estava amarrada de forma parecida, era um homem alto, nos últimos graus da emaciação, com vários pedaços de fita adesiva dispostos num arranjo grotesco no rosto. Ele havia parado de gemer quando o deitamos, e um olhar me revelou que, ao menos para ele, nossa ajuda chegara tarde demais. O Sr. Melas, no entanto, ainda vivia, e, em menos de uma hora, com a ajuda de amônia e *brandy*, tive a satisfação de vê-lo abrir os olhos, e de saber que minhas mãos o resgataram do vale escuro onde todos os caminhos se encontram.

A história que ele contou era simples, e apenas confirmou nossas deduções. Seu visitante, ao entrar em seus aposentos, puxara um estilete da manga, e lhe causara tamanho temor de uma morte instantânea e inevitável que lograra raptá-lo pela segunda vez. Aliás, era quase mesmerizante o efeito que aquele rufião risonho produzia sobre o desventurado lexicólogo, pois este não conseguia falar dele sem que suas mãos ficassem trêmulas e seu rosto empalidecesse. Ele fora levado rapidamente para Beckenham, e servira de intérprete numa segunda entrevista, até mais dramática do que a primeira, na qual os dois ingleses ameaçaram seu prisioneiro de morte imediata se ele não concordasse com suas exigências. Finalmente, vendo que ele era imune a qualquer ameaça, eles o jogaram de volta em sua prisão, e, depois de recriminar Melas pela traição, tornada evidente pelo anúncio no jornal, atordoaram-no com um golpe de porrete, e ele não se lembrava de mais nada até nos encontrar ao seu redor.

E esse foi o singular caso do Intérprete Grego, cuja explicação continua envolta em algum mistério. Conseguimos averiguar, comunicando-nos com o cavalheiro que respondera ao anúncio, que a infeliz jovem pertencia a uma rica família grega, e que viera visitar alguns amigos na Inglaterra. Aqui ela conhecera um jovem chamado Harold Latimer, que a conquistara e por fim a persuadira a fugir com ele. Seus amigos, chocados com o acontecido, contentaram-se em informar o irmão em Atenas, e em seguida lavaram as mãos sobre o assunto. O irmão, ao chegar à Inglaterra, pusera-se imprudentemente em poder de Latimer e do seu associado, cujo nome era Wilson Kemp — um homem dos piores antecedentes. Os dois, ao descobrirem que, por sua ignorância do idioma, o jovem estava indefeso em suas mãos, mantiveram-no prisioneiro, e tentaram, com crueldade e desnutrição, fazê-lo assinar a cessão das posses suas e da irmã. Eles o mantinham na casa sem que a garota soubesse, e as fitas no rosto tinham a função de torná-lo irreconhecível caso ela o visse de relance. Sua intuição feminina, no entanto, enxergou instantaneamente através do disfarce quando, por ocasião da primeira visita do intérprete, ela viu o irmão pela primeira vez. Mas a pobre garota era também prisioneira, pois não havia ninguém na casa a não ser o homem que fazia as funções de cocheiro, e sua esposa, ambos cúmplices dos conspiradores. Ao descobrirem que seu segredo fora revelado e que seu prisioneiro não cederia, os dois bandidos, com a garota, fugiram horas depois de entregarem a casa mobiliada que haviam alugado, tendo antes, supunham eles, se vingado tanto do homem que os desafiara quanto daquele que os traíra.

Meses depois, um recorte curioso de jornal nos chegou de Budapeste. Ele dizia que dois ingleses que viajavam com uma mulher tiveram um fim trágico. Ambos foram apunhalados, ao que parecia, e a polícia húngara era da opinião de que os dois haviam brigado e causado ferimentos mortais um no outro. Holmes, no entanto, pensa diferente, imagino, e até hoje diz que, se alguém encontrasse a garota grega, poderia descobrir como os danos causados a ela e ao seu irmão foram vingados.

PASTEURS
DEATH
MICROBES

dez

O TRATADO NAVAL

O mês de julho imediatamente seguinte ao meu casamento tornou-se memorável por três casos interessantes nos quais tive o privilégio de me associar a Sherlock Holmes e estudar seus métodos. Eu os encontro registrados nas minhas anotações sob os títulos "A Aventura da Segunda Mancha", "A Aventura do Tratado Naval" e "A Aventura do Capitão Cansado". O primeiro desses, porém, envolve interesses de tamanha importância e implica tantas das primeiras famílias do império que por muitos anos será impossível publicá-lo. Nenhum caso, no entanto, em que Holmes se envolveu jamais ilustrou o valor de seus métodos analíticos tão claramente ou impressionou de maneira tão profunda aqueles que se associaram a ele. Ainda conservo um relato quase literal da entrevista em que ele demonstrou os verdadeiros fatos do caso a *Monsieur* Dubuque, da polícia francesa, e Fritz von Waldbaum, o conhecido especialista de Danzig, os quais desperdiçaram suas energias em questões que provaram ser tangenciais. O novo século raiará, todavia, antes que a história possa ser contada com segurança. Enquanto isso, passo à segunda da minha lista, que prometia também, num dado momento, ser de importância nacional, e foi marcada por vários incidentes que lhe dão características únicas.

Durante minha vida escolar, fui amigo íntimo de um rapaz chamado Percy Phelps, que tinha a mesma idade que eu, embora estivesse dois anos letivos à frente. Era um garoto muito inteligente, e ganhava todos os prêmios que a escola oferecia, coroando suas façanhas com a conquista de uma bolsa de estudos que lhe possibilitou continuar sua carreira triunfante em Cambridge. Ele era, eu lembro, extremamente bem relacionado, e, mesmo quando éramos todos meninos, sabíamos que o irmão de sua mãe era o Lorde Holdhurst, o grande político conservador. Esse parentesco espalhafatoso pouco o ajudava na escola; ao contrário, parecia-nos algo irresistível persegui-lo no parquinho e bater-lhe nas canelas com um bastão. Mas a coisa mudou quando ele ganhou o mundo. Ouvi vagamente que suas habilidades e a influência acumulada lhe deram um bom cargo no Ministério do Exterior, e então ele sumiu completamente da minha mente até que a seguinte carta me fez lembrar sua existência:

Briarbrae, Woking.

Meu caro Watson — Não tenho dúvidas de que você se lembra de "Girino" Phelps, que estava no quinto ano quando você estava no terceiro. É até possível que você tenha ouvido que, por meio da influência do meu tio, obtive um bom cargo no Ministério do Exterior, e que minha situação era de confiança e honra até que um horrível infortúnio veio de repente destruir minha carreira.

É inútil relatar os detalhes daquele pavoroso acontecimento. Caso você aceite o meu pedido, é provável que eu vá ter que narrá-los para você. Acabo de me recuperar de nove semanas de febre cerebral e ainda estou extremamente fraco. Você acha que poderia trazer o seu amigo, o Sr. Sherlock Holmes, para me ver? Gostaria de ter a opinião dele sobre o caso, embora as autoridades me garantam que nada mais possa ser feito. Tente trazê-lo, e o quanto antes. Cada minuto parece uma hora enquanto vivo neste estado de horrível suspense. Garanta-lhe que, se não pedi os conselhos dele mais cedo, não foi por não reconhecer seus talentos, mas porque não estive no meu juízo perfeito desde que recebi o golpe. Agora estou lúcido de novo, embora nem ouse pensar muito no assunto, por medo de uma recaída. Continuo tão fraco que preciso me comunicar, como vê, ditando. Tente trazê-lo.

Seu velho companheiro de escola,
Percy Phelps.

Algo me tocou quando li aquela carta, algo que causava pena nos reiterados apelos para que eu levasse Holmes. Fiquei tão comovido que, mesmo se ele tivesse me pedido algo difícil, eu teria tentado; mas, naturalmente, eu sabia muito bem que Holmes amava tanto seu ofício que estaria tão disposto a dar sua ajuda quanto seu cliente poderia estar a recebê-la. Minha esposa concordou comigo que eu não deveria perder nem mais um momento em expor-lhe o problema, e assim, uma hora depois do desjejum, vi-me mais uma vez de volta aos velhos aposentos da Baker Street.

Holmes estava sentado à sua mesa lateral, de roupão, trabalhando com afinco numa investigação química. Uma grande retorta curva fervia furiosamente sobre a chama azulada de um bico de Bunsen, e as gotas destiladas se condensavam numa bureta de dois litros. Meu amigo mal ergueu os olhos quando entrei, e eu, vendo que sua investigação devia ser importante, me sentei na poltrona e esperei. Ele mergulhava sua pipeta de vidro num ou noutro frasco, puxando algumas gotas de cada um, e finalmente trouxe um tubo de ensaio contendo uma solução até a mesa. Em sua mão direita, segurava uma tira de papel tornassol.

— Você chega em um momento de crise, Watson — ele disse. — Se este papel continuar azul, tudo estará bem. Se ficar vermelho, custará a vida de um homem. — Ele o mergulhou no tubo de ensaio e imediatamente sua cor mudou para um escarlate sujo e sem brilho. — Hum! Imaginei! — ele exclamou. — Estarei ao seu dispor num instante, Watson. Você encontrará o tabaco dentro da chinela persa. — Ele se virou para a escrivaninha e rascunhou vários telegramas, que foram entregues ao pajem. Então se jogou na poltrona em frente e encolheu os joelhos até entrelaçar os dedos ao redor de suas canelas longas e finas.

— Um assassinato muito comum — ele disse. — Você tem algo melhor, imagino. Você é a procelária do crime, Watson. O que é?

Eu lhe entreguei a carta, que ele leu com a mais concentrada atenção.

— Não revela muito, não acha? — ele comentou, entregando-a de volta.

— Quase nada.

— No entanto, a caligrafia é interessante.

— Mas não foi ele quem a escreveu.

— Exatamente. Foi uma mulher.

— Um homem, certamente — exclamei.

— Não, uma mulher; e uma mulher de raro caráter. Veja bem, no início da investigação, é algo importante saber que seu cliente está em contato próximo com alguém que, para o bem ou para o mal, tem uma natureza excepcional. Meu interesse já foi despertado para o caso. Se você estiver pronto, partiremos já para Woking e veremos esse diplomata metido num caso tão grave, e a dama para a qual ele dita suas cartas.

Tivemos a boa sorte de alcançar um trem matinal em Waterloo, e em menos de uma hora nos encontramos entre os pinheirais e urzedos de Woking. Briarbrae provou ser uma grande casa isolada num terreno muito amplo, a alguns minutos de caminhada da estação. Ao mandarmos nossos cartões de visita, fomos introduzidos num salão elegantemente decorado, onde, alguns minutos depois, juntou-se a nós um senhor robusto, que nos recebeu com muita hospitalidade. Sua idade devia ser mais próxima dos 40 que dos 30 anos, mas suas bochechas eram tão vermelhas e seu olhar, tão alegre que ele ainda passava a impressão de um garoto roliço e levado.

— Fico tão feliz que tenham vindo — ele disse, apertando nossas mãos efusivamente. — Percy perguntou de vocês a manhã toda. Ah, pobre rapaz, está se agarrando a qualquer fio de esperança. Os pais dele me pediram que eu recebesse vocês, já que qualquer menção ao assunto lhes é dolorosa.

— Ainda não temos nenhum detalhe — observou Holmes. — Percebo que o senhor não é um membro da família.

Nosso novo conhecido pareceu surpreso, e então, olhando para baixo, começou a rir.

— Naturalmente viu o monograma "J. H." no meu medalhão — ele respondeu. — Por um momento, pensei que o senhor tivesse feito algo engenhoso. Joseph Harrison é meu nome, e, como Percy vai se casar com minha irmã, Annie, logo serei ao menos um agregado. Vocês encontrarão minha irmã no quarto dele, pois ela tem sido sua dedicada enfermeira durante estes últimos dois meses. Talvez seja melhor entrar logo, porque sei o quanto ele está impaciente.

O cômodo para o qual fomos levados ficava no mesmo andar do salão. Estava mobiliado parte como sala de estar e parte como dormitório, com flores arranjadas delicadamente em cada canto. Um jovem, muito pálido e abatido, estava deitado num sofá perto da janela aberta, pela qual entrava o rico perfume do jardim e o ar balsâmico do verão. Uma mulher estava sentada ao seu lado, e se levantou quando entramos.

— Devo sair, Percy? — ela perguntou.

Ele a segurou pela mão para detê-la.

— Como vai, Watson? — ele disse cordialmente. — Jamais o teria reconhecido com esse bigode, e ouso dizer que você também não juraria que este sou eu. Esse, presumo, é o seu aclamado amigo, o Sr. Sherlock Holmes.

Eu o apresentei com poucas palavras e nos sentamos. O sujeito robusto nos deixara, mas sua irmã ficou, com a mão na do doente. Era uma mulher de traços marcantes, um tanto baixa e corpulenta para ser simétrica, mas com uma bela compleição oliva, grandes e escuros olhos italianos e uma fartura de cabelos negros. Seus ricos tons tornavam o rosto branco do noivo ainda mais abatido e exausto, pelo contraste.

— Não tomarei o seu tempo — ele começou, erguendo o corpo do sofá. — Entrarei no assunto sem mais preâmbulos. Eu era um homem feliz e bem-sucedido, Sr. Holmes, e na iminência do meu casamento, quando um infortúnio repentino e horrível destruiu todas as minhas perspectivas de vida.

"Eu trabalhava, como Watson deve ter contado, no Ministério do Exterior, e, por meio da influência do meu tio, Lorde Holhurst, ascendi rapidamente a um cargo de responsabilidade. Quando meu tio se tornou ministro do Exterior desta administração, me passou várias missões de confiança, e, como sempre as levei a termo com êxito, ele finalmente estava seguro da minha habilidade e tato.

"Há quase dez semanas — para ser mais exato, no dia 23 de maio — ele me chamou à sua sala particular, e, depois de me parabenizar pelo bom trabalho que eu vinha fazendo, me informou de que tinha uma nova tarefa de confiança que eu deveria executar.

"'Este', ele disse, tirando um rolo de papel cinza de sua escrivaninha, 'é o original daquele tratado secreto entre a Inglaterra e a Itália, sobre o qual, lamento dizer, alguns boatos já chegaram à imprensa. É de enorme importância que nada mais se saiba sobre ele. As embaixadas da França e da Rússia pagariam uma soma imensa para conhecer o conteúdo destes documentos. Eles não deveriam nem sair da minha escrivaninha, se não fosse absolutamente necessário copiá-los. Você tem uma escrivaninha em seu escritório?'

"'Sim, senhor.'

"'Então leve o tratado e tranque-o ali. Darei instruções para que você possa ficar depois que todos saírem, a fim de que possa copiá-lo à vontade, sem medo de ser observado. Quando terminar, tranque tanto o original quanto a cópia na escrivaninha e entregue-os pessoalmente em minhas mãos amanhã de manhã.'

"Eu peguei os documentos e..."

— Com licença um instante — disse Holmes —; vocês estavam a sós durante essa conversa?

— Absolutamente.

— Numa sala grande?

— Nove metros para cada lado.

— No meio dela?

— Sim, mais ou menos.

— E falando baixo?

— A voz do meu tio é sempre notavelmente baixa. Eu mal falei.

— Obrigado — concluiu Holmes, fechando os olhos —; por favor, prossiga.

— Fiz exatamente o que ele indicara, e esperei até que os outros funcionários tivessem saído. Um deles, na minha sala, Charles Gorot, precisava pôr em dia alguns trabalhos atrasados, por isso o deixei lá e fui jantar. Quando voltei, ele já havia saído. Eu estava ansioso para adiantar meu trabalho, pois sabia que Joseph, o Sr. Harrison que vocês conheceram há pouco, estava na cidade, e que ele voltaria com o trem das 23h para Woking, e eu queria pegar esse trem, se possível.

"Quando pude examinar o tratado, vi imediatamente que era de tamanha importância que meu tio de modo algum pecara por exagero no que dissera. Sem entrar em detalhes, posso dizer que ele definia a posição da Grã-Bretanha com relação à Tríplice Aliança, e antecipava a política que este país seguiria caso a frota francesa conquistasse ascendência completa sobre a da Itália no Mediterrâneo. As questões nele tratadas eram puramente navais. No final, estavam as assinaturas dos altos dignitários que o firmaram. Corri os olhos por ele e comecei a tarefa de copiá-lo.

"Era um documento longo, escrito em francês, contendo 26 artigos. Eu o copiava tão rápido quanto possível, mas às 21h só havia completado nove artigos, e parecia impossível tentar pegar o meu trem. Estava me sentindo sonolento e lerdo, em parte pelo jantar e também por causa de um longo dia de trabalho. Uma xícara de café aclararia o meu cérebro. Um porteiro fica a noite toda na pequena guarita ao pé da escada, e costuma preparar café em sua lamparina a álcool para qualquer funcionário que estiver fazendo hora extra. Toquei a campainha, portanto, para chamá-lo.

"Para minha surpresa, foi uma mulher que atendeu ao chamado, uma senhora corpulenta, de feições rudes, usando avental. Ela explicou que era a esposa do porteiro, que fazia a faxina, e eu lhe pedi o café.

"Copiei mais dois artigos, e então, sentindo-me mais sonolento do que nunca, me levantei e andei de um lado para o outro da sala para esticar as pernas. Meu café ainda não chegara, e me perguntei qual seria a causa da demora. Abrindo a porta, saí da sala para descobrir. Há um corredor reto, mal iluminado, que começa na sala onde eu estava trabalhando, e é a única saída. Ele termina numa escada curva, com a guarita do porteiro no corredor ao pé dela. No meio da escadaria há uma pequena plataforma, com outro corredor saindo dela em ângulo reto. Esse segundo corredor leva, por uma segunda escada pequena, a uma porta lateral usada pelos serviçais, e também utilizada como atalho por funcionários que vêm da Charles Street. Aqui está um esboço do local."

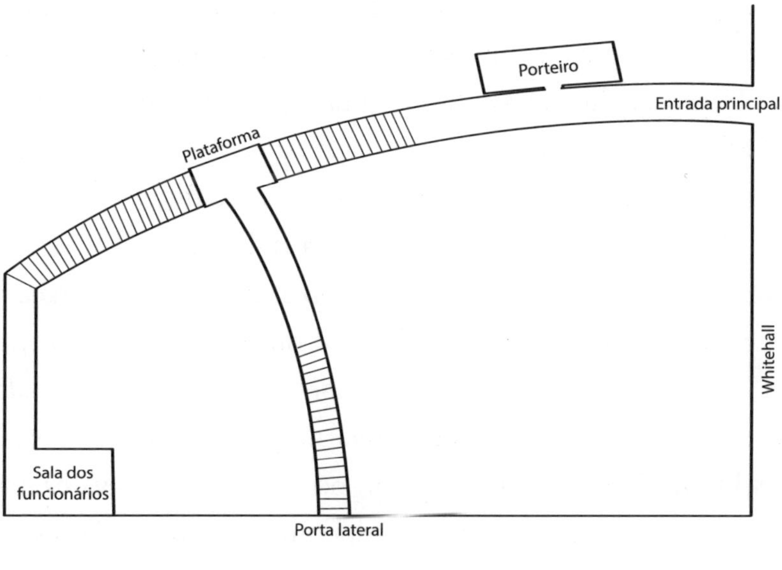

— Obrigado. Acho que entendi tudo — disse Sherlock Holmes.

— É da maior importância que o senhor note este detalhe. Desci a escada até a entrada, onde achei o porteiro dormindo profundamente em seu cubículo, com a chaleira fervendo furiosamente sobre a lamparina. Tirei a chaleira e apaguei a lamparina, porque a água já estava espirrando para o chão. Então estendi a mão e ia sacudir o homem, que continuava adormecido, quando uma campainha acima de sua cabeça tocou alto, e ele acordou com um sobressalto.

"'Sr. Phelps, senhor!', ele exclamou, olhando-me espantado.

"'Vim ver se meu café estava pronto.'

"'Eu estava fervendo a água quando peguei no sono, senhor.' Ele olhou para mim e depois para a sineta que ainda vibrava, com um assombro cada vez maior estampado no rosto.

"'Se o senhor estava aqui, então quem tocou a campainha?', ele perguntou.

"'A campainha!', assustei-me. 'Qual é essa?'

"'É a da sala onde o senhor estava trabalhando.'

"Uma mão gelada pareceu apertar o meu coração. Alguém, então, estava naquela sala, onde meu precioso tratado estava aberto sobre a mesa. Corri freneticamente escada acima e pelo corredor. Não havia ninguém nos corredores, Sr. Holmes. Não havia ninguém na sala. Tudo estava exatamente como eu deixara, mas os documentos que haviam sido confiados aos meus cuidados foram levados da escrivaninha onde estavam. A cópia estava lá e o original sumira."

Holmes se endireitou na poltrona e esfregou as mãos. Eu podia ver que o problema era totalmente do seu agrado.

— Por favor, e o que o senhor fez então? — ele murmurou.

— Reconheci num instante que o ladrão devia ter vindo da escada que dá para a porta lateral. Naturalmente, eu o teria encontrado se ele tivesse vindo pelo outro caminho.

— O senhor estava certo de que ele não poderia estar escondido na sala o tempo todo, ou no corredor que acabou de descrever como mal-iluminado?

— É absolutamente impossível. Nem um rato conseguiria se esconder na sala ou no corredor. Não há nenhum esconderijo.

— Obrigado. Por favor, prossiga.

— O porteiro, vendo pelo meu rosto pálido que havia algo a temer, me seguira escada acima. Então ambos desabalamos pelo corredor e pelos íngremes degraus que levam à Charles Street. A porta ao pé da escada estava fechada, mas não trancada. Nós a escancaramos e corremos para fora. Lembro distintamente que naquele momento ouvimos três badaladas de uma igreja próxima. Eram 21h45.

— Isso é de enorme importância — disse Holmes, fazendo uma anotação no punho da camisa.

— A noite era muito escura, e caía uma chuva fina e tépida. Não havia ninguém na Charles Street, mas havia muito trânsito, como de costume, na Whitehall, no fim da rua. Corremos pela calçada, sem chapéu, como estávamos, e na esquina mais distante encontramos um policial.

"'Um roubo foi cometido', gaguejei. 'Um documento de imenso valor foi roubado do Ministério do Exterior. Alguém passou por aqui?'

"'Estou aqui há quinze minutos, senhor', ele declarou; 'só uma pessoa passou nesse tempo: uma mulher, alta e idosa, com um xale estampado.'

"'Ah, é só a minha esposa', exclamou o porteiro. 'Mais alguém passou?'

"'Ninguém.'

"'Então o ladrão deve ter ido para o outro lado', disse o sujeito, puxando a minha manga.

"Mas eu não estava satisfeito, e as suas tentativas de me afastar dali aumentavam minhas suspeitas.

"'Para que lado a mulher foi?', perguntei.

"'Não sei, senhor. Notei quando ela passou, mas não tinha nenhum motivo especial para prestar atenção nela. Parecia estar com pressa.'

"'Há quanto tempo foi isso?'

"'Oh, poucos minutos.'

"'Nos últimos cinco minutos?'

"'Bem, não podem ter sido mais do que cinco.'

"'O senhor só está perdendo tempo, e cada minuto agora é importante', bradou o porteiro. 'Acredite no que eu digo: minha velha não teve nada a ver com isso; vá para a outra ponta da rua. Bem, se o senhor não vai, eu vou', e com isso correu para o outro lado.

"Mas eu o segui num instante e o puxei pela manga.

"'Onde você mora?', perguntei.

"'Ivy Lane, número 16, em Brixton', ele respondeu; 'mas não siga uma pista falsa, Sr. Phelps. Vamos para a outra ponta da rua ver se descobrimos alguma coisa.'

"Eu não perderia nada seguindo o seu conselho. Com o policial, corremos para lá, mas encontramos a rua cheia de tráfego, com muitas pessoas indo e vindo, todas ansiosas para chegar a um lugar seguro numa noite tão úmida. Não havia ninguém parado que pudesse nos contar o que havia acontecido.

"Então voltamos para o escritório e vasculhamos as escadas e o corredor, sem resultados. O corredor que levava para a sala era revestido com uma espécie de linóleo fosco que conservava marcas muito facilmente. Nós o examinamos com cuidado, mas não encontramos nenhuma pegada."

— Chovera a tarde toda?

— Desde umas 19h.

— Como foi, então, que a mulher que entrou na sala por volta das 21h não deixou pegadas com suas botas enlameadas?

— Fico feliz que tenha levantado essa questão. Também pensei nisso, naquele dia. As faxineiras costumam tirar as botas na guarita do porteiro e calçar chinelos.

— Isso está bastante claro. Não havia pegadas, então, embora a noite fosse úmida? A sequência de acontecimentos certamente é de extraordinário interesse. O que vocês fizeram a seguir?

— Examinamos também a sala. Não há possibilidade de existir uma porta secreta, e as janelas ficam a nove metros do chão. Ambas estavam trancadas por dentro. O tapete impede qualquer possibilidade de um alçapão, e o forro é do tipo comum, caiado. Apostaria minha vida que quem roubou meus documentos só poderia ter entrado pela porta.

— E a lareira?

— Não há lareira. Há uma estufa. O cordão da campainha está preso a um fio bem à direita da minha escrivaninha. Quem a tocou deve ter-se aproximado da escrivaninha para fazê-lo. Mas por que um criminoso iria querer tocar a campainha? É um mistério absolutamente insolúvel.

— Decerto que o incidente foi incomum. Quais foram seus próximos passos? Examinou a sala, presumo, para ver se o intruso deixara alguma pista, algum toco de charuto, uma luva, um grampo ou qualquer objeto assim?

— Não havia nada disso.

— Nenhum cheiro?

— Bem, nós nem pensamos nisso.

— Ah, o cheiro de tabaco seria de grande valia numa investigação assim.

— Eu nunca fumo, então acho que teria notado se a sala cheirasse a tabaco. Não havia absolutamente nenhuma pista do gênero. O único fato palpável era que a esposa do porteiro, Sra. Tangey é o nome dela, saíra apressada do lugar. Ele não conseguia dar nenhuma explicação para isso, a não ser que aquele era o horário por volta do qual a mulher sempre ia para casa. O policial e eu concordamos que nosso melhor plano seria apreender a mulher antes que ela pudesse se livrar dos documentos, presumindo que estivessem com ela.

"O alerta havia chegado à Scotland Yard, a essa altura, e o Sr. Forbes, o detetive, veio imediatamente e assumiu o caso com muita energia. Alugamos um *hansom*, e em meia hora estávamos no endereço que nos fora dado. Uma jovem abriu a porta, a filha mais velha da Sra. Tangey. A mãe ainda não voltara, e ela nos levou para a sala de estar, para esperá-la.

"Cerca de dez minutos depois, bateram na porta, e foi então que cometemos o único erro grave pelo qual me culpo. Em vez de nós mesmos abrirmos a porta, deixamos que a garota o fizesse. Nós a ouvimos dizer: 'Mamãe, dois homens estão esperando a senhora', e um instante depois ouvimos pés apressados descendo o corredor. Forbes escancarou a porta e ambos corremos para os fundos, para a cozinha, mas a mulher chegara ali antes de nós. Ela nos encarava com um olhar desafiador, e então, reconhecendo-me, uma expressão de assombro absoluto tomou o seu rosto.

"'Ora, se não é o Sr. Phelps, do escritório!', ela exclamou.

"'Vamos, quem a senhora achou que éramos, quando fugiu de nós?', perguntou o meu acompanhante.

"'Achei que fossem cobradores', ela disse. 'Tivemos uns problemas com um comerciante.'

"'Isso não basta', respondeu Forbes. 'Temos motivos para acreditar que a senhora retirou um documento importante do Ministério do Exterior, e que correu para cá a fim de se livrar dele. Precisa voltar conosco para a Scotland Yard para ser revistada.'

"Foi em vão que ela protestou e resistiu. Uma carruagem foi trazida, e os três voltamos nela. Antes examinamos a cozinha, e especialmente o fogareiro, para ver se ela não se livrara dos documentos no momento em que ficara sozinha. Não havia sinais, no entanto, de nenhuma cinza ou fragmento. Quando chegamos à Scotland Yard, ela foi imediatamente entregue à policial feminina. Aguardei em agonizante expectativa que a policial voltasse com seu relatório. Não havia nem sinal dos documentos.

"Então, pela primeira vez, o horror da minha situação me atingiu com toda a sua força. Até então eu estivera em ação, e a ação suprimira o pensamento. Eu estava tão confiante em reaver o tratado imediatamente que nem ousara pensar em quais seriam as consequências caso não conseguisse. Mas agora não havia mais nada a ser feito, e eu tinha espaço para me dar conta da minha situação. Era horrível! Watson pode atestar que eu era um menino nervoso e sensível na escola. É a minha natureza. Pensei no meu tio e nos seus colegas de gabinete, na vergonha que eu trouxera sobre ele, sobre mim, sobre todos os meus conhecidos. E daí que eu fora vítima de um acidente extraordinário? Não há nenhuma tolerância para acidentes quando interesses diplomáticos estão em jogo. Eu estava arruinado; vergonhosa, desesperadoramente arruinado. Não sei o que fiz. Imagino que devo ter dado um escândalo. Tenho a vaga lembrança de um grupo de policiais reunidos ao meu redor, tentando me acalmar. Um deles me acompanhou até Waterloo e me pôs no trem para Woking. Acredito que ele teria ido comigo até lá se o Dr. Ferrier, que mora aqui perto, não estivesse no mesmo trem. O doutor gentilmente se encarregou de mim, e ainda bem que o fez, pois tive uma convulsão na estação e antes que chegássemos em casa, eu já era praticamente um maníaco delirante.

"Pode imaginar o estado das coisas aqui, quando todos foram acordados pelo médico tocando a campainha e me encontraram nesse estado. A pobre Annie e minha mãe ficaram desoladas. O Dr. Ferrier ouvira o suficiente do detetive na estação para ser capaz de dar uma ideia do que acontecera, e seu relato não melhorou a situação. Era evidente para todos que eu sofreria com uma longa enfermidade, por isso Joseph foi despejado deste alegre quarto, que foi transformado numa enfermaria para mim. Aqui eu jazi, Sr. Holmes, por mais de nove semanas, inconsciente e delirando com a febre cerebral. Se não fosse pela Srta. Harrison aqui e pelos cuidados do médico, eu não estaria falando com o senhor agora. Ela cuidava de mim de dia e uma enfermeira contratada me acompanhava à noite, já que em meus acessos de loucura eu era capaz de qualquer coisa. Aos poucos, fui recuperando a razão, mas foi somente nos últimos três dias que minha memória voltou completamente. Às vezes gostaria que ela não tivesse voltado. A primeira coisa que fiz foi enviar um telegrama para o Sr. Forbes, que estava cuidando do caso. Ele me assegurou de que, embora todo o possível tivesse sido feito, nem sombra de uma pista fora descoberta. O porteiro e sua esposa foram examinados de todas as maneiras sem que isso em nada ajudasse a esclarecer o caso. As suspeitas da polícia se voltaram, então, para o jovem Gorot, que, como o senhor deve lembrar, ficara depois do horário no escritório naquela noite. Sua demora na sala e seu sobrenome francês eram realmente os únicos detalhes que poderiam suscitar alguma suspeita; mas, na verdade, eu não começara a trabalhar antes que ele fosse embora, e sua família é de origem huguenote, porém tão inglesa na afinidade e na tradição quanto eu ou o senhor. Nada foi encontrado que o envolvesse de qualquer forma, e com isso o caso foi encerrado. Dirijo-me ao senhor absolutamente como minha última esperança. Se o senhor fracassar, minha honra e minha posição estarão perdidas para sempre."

O doente afundou novamente em suas almofadas, esgotado por esse longo discurso, enquanto sua enfermeira lhe servia um copo de algum remédio estimulante. Holmes ficou em silêncio, com a cabeça jogada para trás e os olhos fechados, numa atitude que poderia parecer relapsa para um estranho, mas que eu sabia que indicava a absorção mais intensa.

— Seu depoimento foi tão explícito — ele disse, finalmente — que realmente me restam bem poucas perguntas. Há uma, no entanto, que é da maior importância. O senhor contou a alguém que precisava realizar essa tarefa especial?

— A ninguém.

— Nem mesmo aqui à Srta. Harrison, por exemplo?

— Não. Eu não voltei para Woking do momento em que recebi a ordem até que a executei.

— E nenhum dos seus funcionários, por acaso, foi ver o senhor?

— Nenhum.

— Todos estavam familiarizados com as dependências do ministério?

— Oh, sim; elas foram mostradas a todos.

— Mesmo assim, é claro, se o senhor não disse nada a ninguém sobre o tratado, essas investigações são irrelevantes.

— Eu não disse nada.

— Sabe alguma coisa sobre o porteiro?

— Nada, a não ser que é um ex-soldado.

— De que regimento?

— Oh, ouvi dizer, dos Coldstream Guards.

— Obrigado. Sem dúvida poderei obter mais detalhes com Forbes. As autoridades são excelentes em acumular fatos, embora nem sempre os usem proveitosamente. Que coisa mais adorável, é uma rosa!

Ele andou até o sofá perto da janela aberta e segurou a haste encurvada de uma rosa cem-folhas, examinando a delicada mistura de vermelho-vivo e verde. Era uma nova fase de seu caráter para mim, pois eu jamais o vira demonstrar qualquer interesse acentuado por objetos naturais.

— Não há nada em que a dedução seja mais necessária do que na religião — ele disse, apoiando as costas na folha da janela. — Ela pode ser transformada em ciência exata pelo pensador. Nossa maior garantia da bondade da Providência parece-me estar nas flores. Todas as outras coisas, nossos poderes, nossos desejos, nosso alimento, são realmente necessários para a nossa existência, a princípio. Mas esta rosa é um extra. Seu perfume e sua cor são um embelezamento da vida, não uma condição dela. Somente a bondade dá extras, por isso repito que podemos obter muita esperança das flores.

Percy Phelps e sua enfermeira olharam para Holmes, durante essa demonstração, com surpresa e uma boa dose de decepção estampadas no rosto. Ele se abandonara a um devaneio, com a rosa cem-folhas entre os dedos. Isso durou alguns minutos, até que a jovem o interrompeu.

— Vê alguma possibilidade de resolver este mistério, Sr. Holmes? — ela perguntou, com um toque de aspereza na voz.

— Oh, o mistério! — ele respondeu, voltando com um sobressalto às realidades da vida. — Bem, seria absurdo negar que o caso é muito abstruso e complexo, mas posso prometer que examinarei a questão e informarei sobre quaisquer detalhes que me chamarem a atenção.

— O senhor vê alguma pista?

— Seu depoimento me forneceu sete, mas, é claro, preciso verificá-las antes que possa me pronunciar sobre seu valor.

— Suspeita de alguém?

— Suspeito de mim mesmo...

— Quê?

— Quando tiro conclusões rapidamente demais.

— Então vá para Londres e teste suas conclusões.

— Seu conselho é verdadeiramente excelente, Srta. Harrison — disse Holmes, levantando-se. — Acho, Watson, que não podemos fazer coisa melhor. Não se permita alimentar falsas esperanças, Sr. Phelps. O caso é muito complicado.

— Ficarei febril até vê-lo de novo — exclamou o diplomata.

— Bem, tomarei o mesmo trem amanhã, embora seja mais do que provável que meus resultados serão negativos.

— Deus o abençoe por prometer voltar — agradeceu nosso cliente. — Ganho nova vida sabendo que algo está sendo feito. A propósito, recebi uma carta de Lorde Holdhurst.

— Ha! O que ele disse?

— Foi frio, mas não ríspido. Ouso dizer que minha doença grave o dissuadiu disso. Ele repetiu que a questão era da maior importância, e acrescentou que nenhuma medida seria tomada acerca do meu futuro, com o que quis dizer, é claro, minha demissão, até que eu recobrasse a saúde e tivesse a oportunidade de reparar meu infortúnio.

— Bem, isso demonstra sabedoria e consideração — disse Holmes. — Venha, Watson, um belo dia de trabalho nos espera.

O Sr. Joseph Harrison nos levou até a estação, e logo estávamos rodando no trem de Portsmouth. Holmes estava mergulhado em pensamentos profundos, e mal abriu a boca até passarmos por Clapham Junction.

— É muito animador chegar a Londres por qualquer um destes trilhos elevados, de onde se podem ver as casas do alto, assim.

Achei que ele estivesse brincando, pois o panorama era bastante sórdido, mas ele logo se explicou.

— Veja aqueles prédios grandes e isolados se elevando acima dos telhados, como ilhas de tijolo num mar cor de chumbo.

— Os internatos.

— Faróis, meu rapaz! Iluminando o futuro! Cápsulas, cada uma contendo centenas de sementinhas brilhantes, das quais brotará a melhor e mais sábia Inglaterra do futuro. Imagino que o tal de Phelps não beba.

— Acho que não.

— Também acho, mas somos obrigados a considerar todas as possibilidades. O pobre diabo certamente se meteu num atoleiro, e a questão é se um dia conseguiremos levá-lo para o cais. O que você achou da Srta. Harrison?

— Uma garota de personalidade forte.

— Sim, mas ela é das boas, se não me engano. Ela e o irmão são os únicos filhos do proprietário de uma forja para os lados de Northumberland. Phelps ficou noivo dela enquanto viajava por lá, no inverno passado, e ela veio conhecer os pais dele, acompanhada pelo irmão. Então aconteceu a tragédia, e ela ficou para cuidar do amado, e o irmão Joseph, sentindo-se bastante confortável, ficou também. Andei fazendo algumas investigações independentes, como vê. Mas hoje o dia vai ser de mais investigações.

— Minha prática... — comecei.

— Oh, se você acha seus casos mais interessantes do que os meus... — disse Holmes, com certa aspereza.

— Eu ia dizer que minha prática pode muito bem ficar sem mim por um dia ou dois, já que esta é a época do ano de menor movimento.

— Excelente — ele respondeu, recuperando o bom humor. — Então investigaremos o caso juntos. Acho que devemos começar indo ver Forbes. Ele provavelmente poderá nos fornecer todos os detalhes que queremos, até sabermos de que ângulo devemos abordar o caso.

— Você disse que tem uma pista?

— Bem, temos várias, mas só poderemos testar sua validade investigando mais. O crime mais difícil de desvendar é aquele que não tem propósito. Bem, este não é sem propósito. Quem se beneficia com ele? Há o embaixador francês, o russo, e qualquer um que possa vender o documento a um deles; e há o Lorde Holdhurst.

— O Lorde Holdhurst!

— Bem, é concebível que um estadista possa se ver numa situação em que não lamente ver um documento como esse acidentalmente destruído.

— Não um estadista com o histórico honrado do Lorde Holdhurst.

— É uma possibilidade, e não podemos nos dar ao luxo de ignorá-la. Iremos ver o nobre lorde hoje e descobrir se ele pode nos contar alguma coisa. Enquanto isso, já dei início às investigações.

— Já?

— Sim, enviei telegramas da Estação de Woking para todos os jornais vespertinos de Londres. Este anúncio vai aparecer em todos eles.

Ele me entregou uma folha de caderno. Nela estava rabiscado a lápis: "Recompensa de dez libras. O número do táxi que deixou um passageiro na porta do Ministério do Exterior ou perto dali, na Charles Street, às 21h45 da noite de 23 de maio. Comparecer à Baker Street, 221B".

— Você acredita que o ladrão chegou de táxi?

— Mesmo que não tenha chegado, isso não fará mal nenhum. Mas, se o Sr. Phelps estiver certo ao dizer que não há esconderijo nem na sala, nem nos corredores, então a pessoa deve ter vindo de fora. Se veio de fora numa noite tão chuvosa e não deixou marcas de umidade no linóleo, que foi examinado minutos depois que essa pessoa passou, então é muito provável que ela tenha vindo de táxi. Sim, acho que podemos deduzir com segurança um táxi.

— Parece plausível.

— Essa é uma das pistas de que falei. Pode levar a algo. E também, claro, há a campainha, que é o detalhe mais característico do caso. Por que a campainha tocou? Foi o ladrão que a tocou por bravata? Ou foi alguém que estava com o ladrão e tentou evitar o crime? Ou foi um acidente? Ou foi...? — Ele mergulhou novamente no estado de intensa e silenciosa reflexão do qual emergira, mas me pareceu, acostumado como eu estava com todas as suas reações, que alguma nova possibilidade repentinamente se lhe afigurara.

Eram 15h20 quando chegamos ao nosso destino, e depois de um almoço apressado no bufê, fomos imediatamente para a Scotland Yard. Holmes já havia telegrafado a Forbes, e o encontramos esperando para nos receber: um homenzinho matreiro, com uma expressão inteligente, mas nada amável. Ele foi decididamente frio no trato conosco, especialmente ao saber o que nos trazia.

— Já ouvi falar dos seus métodos, Sr. Holmes — ele disse, azedo. — O senhor usa de bom grado todas as informações que a polícia coloca à sua disposição, e então tenta resolver o caso sozinho, para descrédito da força policial.

— Pelo contrário — replicou Holmes —; dos meus últimos 53 casos, meu nome só apareceu em quatro, e a polícia ficou com todo o crédito em 49. Não o culpo por não saber disso, pois o senhor é jovem e inexperiente, mas, se deseja se destacar em suas novas funções, é melhor trabalhar comigo, e não contra mim.

— Eu ficaria bastante feliz com algumas dicas — afirmou o detetive, mudando seu comportamento. — Até agora certamente o caso não me ajudou.

— Que medidas o senhor tomou?

— Tangey, o porteiro, foi seguido. Ele deixou o regimento com boa reputação, e não encontramos nada contra ele. Mas sua esposa não é boa coisa. Acho que ela sabe mais sobre o caso do que aparenta.

— Mandou segui-la?

— Mandamos uma de nossas mulheres. A Sra. Tangey bebe, e nossa agente esteve duas vezes com ela quando estava bem alterada, mas não conseguiu descobrir nada.

— Pelo que sei, eles foram procurados por cobradores.

— Sim, mas já foram pagos.

— De onde veio o dinheiro?

— Com isso está tudo certo. Ele recebeu a pensão; o casal não dá nenhum sinal de enriquecimento ilícito.

— Que explicação ela deu para ter atendido à campainha quando o Sr. Phelps pediu o café?

— Ela disse que o marido estava muito cansado e que quis ajudá-lo.

— Bem, isso certamente se encaixa com ele ter sido encontrado, um pouco mais tarde, adormecido em sua cadeira. Não há nada contra eles, então, a não ser o caráter da esposa. Perguntou a ela por que saiu tão apressada naquela noite? Sua pressa chamou a atenção do policial.

— Ela havia saído mais tarde do que de costume e queria chegar em casa.

— Disse a ela que o senhor e o Sr. Phelps, que saíram de lá no mínimo vinte minutos depois, chegaram à casa antes dela?

— Ela explica isso pela diferença de velocidade entre um ônibus e um *hansom*.

— Ela esclareceu por que, ao chegar à casa, correu para a cozinha nos fundos?

— Porque lá estava o dinheiro com o qual pagaria os cobradores.

— Ela tem respostas prontas para tudo. Perguntou se, ao sair, ela encontrou alguém ou viu alguém perambulando pela Charles Street?

— Ela não viu ninguém além do policial.

— Bem, o senhor parece tê-la interrogado minuciosamente. O que mais fez?

— O funcionário, Gorot, foi seguido durante estas nove semanas, mas sem resultados. Não temos nenhuma prova contra ele.

— Mais alguma coisa?

— Bem, não temos mais nada para usar, nenhuma evidência de nenhum tipo.

— Já formulou alguma teoria sobre o toque daquela campainha?

— Olhe, confesso que não faço ideia. Seja quem for, foi deveras corajoso para dar o alarme assim.

— Sim, foi uma ação bem esquisita. Muito obrigado pelo que me contou. Se eu puder entregar o culpado em suas mãos, terá notícias minhas. Vamos, Watson!

— Aonde iremos agora? — perguntei, quando saímos do escritório.

— Vamos interrogar o Lorde Holdhurst, ministro de Estado e futuro primeiro-ministro da Inglaterra.

Tivemos a sorte de descobrir que o Lorde Holdhurst ainda estava em seus aposentos na Downing Street, e, quando Holmes mandou seu cartão, fomos imediatamente recebidos. O estadista nos recepcionou com a cortesia antiquada que o notabiliza, e nos fez sentar nas duas luxuosas poltronas dos lados da lareira. De pé sobre o tapete entre nós, com sua figura magra e alta, seu rosto pensativo de traços fortes e o cabelo cacheado prematuramente grisalho, parecia representar aquele tipo não muito comum, um membro da nobreza verdadeiramente nobre.

— Seu nome me é muito familiar, Sr. Holmes — ele disse, sorrindo. — E, é claro, não posso fingir ignorar o motivo de sua visita. Houve apenas uma ocorrência neste ministério que poderia requerer sua atenção. Posso perguntar no interesse de quem está trabalhando?

— No do Sr. Percy Phelps — respondeu Holmes.

— Ah, meu desventurado sobrinho! O senhor deve entender que nosso parentesco impossibilita mais ainda que eu o defenda como quer que seja. Temo que o incidente tenha um efeito muito prejudicial sobre sua carreira.

— Mas e se o documento for encontrado?

— Ah, então, é claro, seria diferente.

— Eu queria lhe fazer uma ou duas perguntas, Lorde Holdhurst.

— Ficarei feliz em lhe informar tudo o que puder.

— Foi nesta sala que o senhor deu as instruções para a cópia do documento?

— Foi.

— Então dificilmente poderia ter sido ouvido por terceiros?

— Isso está fora de questão.

— O senhor fez menção a alguém de que tinha a intenção de mandar copiar o tratado?

— Nunca.

— Tem certeza disso?

— Absoluta.

— Bem, já que o senhor nunca disse, e o Sr. Phelps nunca disse, e ninguém mais sabia nada sobre o assunto, então a presença do ladrão na sala foi puramente acidental. Ele viu uma oportunidade e a aproveitou.

O estadista sorriu.

— Nisso o senhor me tira da minha área — ele alegou.

Holmes ponderou por um momento.

— Há outra questão muito importante que eu gostaria de discutir com o senhor — ele disse. — O senhor temia, pelo que entendi, que resultados muito graves pudessem decorrer da divulgação dos detalhes desse tratado.

Uma sombra passou pelo expressivo semblante do estadista.

— Resultados muito graves mesmo.

— E eles se verificaram?

— Ainda não.

— Se o tratado tivesse chegado, digamos, ao Ministério do Exterior francês ou russo, o senhor esperaria ficar sabendo?

— Eu ficaria sabendo — respondeu o Lorde Holdhurst, com uma expressão contrariada.

— Já que quase dez semanas se passaram, então, e nada se soube, não é irrefletido supor que por algum motivo o tratado ainda não os alcançou.

O Lorde Holdhurst deu de ombros.

— Dificilmente poderíamos supor, Sr. Holmes, que o ladrão roubou o tratado para emoldurá-lo e pendurá-lo na parede.

— Talvez ele esteja esperando uma oferta melhor.

— Se esperar mais um pouco, não haverá oferta nenhuma. O tratado deixará de ser segredo daqui a alguns meses.

— Isso é muito importante — observou Holmes. — Naturalmente, é uma suposição possível que o ladrão tenha ficado subitamente doente...

— De febre cerebral, por exemplo? — perguntou o estadista, olhando-o de relance.

— Eu não disse isso — respondeu Holmes, imperturbavelmente. — E agora, Lorde Holdhurst, já tomamos o suficiente seu valioso tempo, e lhe desejamos uma boa tarde.

— Todo o sucesso em sua investigação, seja quem for o criminoso — declarou o nobre, ao se despedir de nós na porta.

— Ele é um ótimo sujeito — disse Holmes, quando saímos na Whitehall. — Mas tem dificuldades para manter sua posição. Está longe de ser rico e tem muitas obrigações. Você notou, é claro, que as botas dele tiveram as solas trocadas. Agora, Watson, não atrapalharei mais seu trabalho legítimo. Não farei mais nada hoje, a menos que chegue alguma resposta ao meu anúncio sobre o táxi. Mas ficaria extremamente grato a você se me acompanhasse até Woking amanhã, no mesmo trem que tomamos hoje.

Eu o encontrei, conforme combináramos, na manhã seguinte, e viajamos para Woking juntos. Ele disse que o anúncio não teve respostas, e nenhuma nova luz havia sido lançada sobre o caso. Holmes adotava, quando queria, a total imobilidade de um pele-vermelha em seu semblante, e eu não podia deduzir de sua aparência se ele estava satisfeito ou não com a situação do caso. Sua conversa, eu lembro, era sobre o sistema de identificação de Bertillon, e ele manifestou sua entusiástica admiração pelo sábio francês.

Encontramos nosso cliente ainda aos cuidados de sua devotada enfermeira, mas consideravelmente mais bem disposto do que antes. Ele se levantou do sofá e nos cumprimentou sem dificuldade quando entramos.

— Alguma novidade? — ele perguntou, ansioso.

— Meu relatório, como eu esperava, é negativo — disse Holmes. — Fui ver Forbes, fui ver seu tio, e iniciei uma ou outra instância investigativa que pode levar a algum resultado.

— Não desanimou, então?

— De modo algum.

— Deus o abençoe por dizer isso! — exclamou a Srta. Harrison. — Se conservarmos a coragem e a paciência, a verdade deve aparecer.

— Temos mais novidades para o senhor do que o senhor tem para nós — afirmou Phelps, voltando a se sentar no sofá.

— Eu esperava que vocês fossem me contar algo.

— Sim, tivemos uma aventura durante a noite, e que pode provar ser grave. — Seu semblante ficou muito pesaroso enquanto ele falava, e uma expressão de algo parecido com medo surgiu em seu olhar. — Sabia — ele disse — que começo a crer que sou inconscientemente o centro de alguma conspiração monstruosa que atenta contra a minha vida, e não somente contra a minha honra?

— Ah! — exclamou Holmes.

— Parece incrível, pois não tenho, até onde sei, nenhum inimigo no mundo. No entanto, depois da experiência da noite passada, não posso chegar a outra conclusão.

— Por favor, me conte.

— O senhor precisa saber que a noite passada foi a primeira que passei sem uma enfermeira no quarto. Estava me sentindo tão melhor que achei que poderia dispensá-la. Deixei uma lâmpada acesa, de qualquer forma. Bem, por volta das duas da manhã, eu pegara num sono leve, quando fui repentinamente acordado por um ruído suave. Parecia o som que um rato faz quando está roendo uma tábua, e fiquei ouvindo por algum tempo, com a impressão de que essa era a causa. Então ele ficou mais forte, e de repente, da janela, veio um sonoro clique metálico. Eu me sentei na cama, assombrado. Não restava dúvida do que eram os sons, agora. Os primeiros foram causados por alguém forçando uma ferramenta na fenda entre as folhas da janela, e o segundo, pela tranca sendo aberta.

“Houve uma pausa de uns dez minutos, como se a pessoa estivesse esperando para ver se o ruído me acordara. Então ouvi um leve rangido, como se a janela estivesse sendo aberta bem devagar. Não aguentei mais, pois meus nervos não são mais o que eram. Saltei da cama e escancarei a janela. Um homem estava agachado nela. Pouco pude vê-lo, já que ele fugiu como um raio. Estava envolto numa espécie de capa que lhe cobria a parte inferior do rosto. A única coisa de que tenho certeza é que ele tinha alguma arma na mão. Pareceu-me um longo punhal. Vi distintamente seu brilho quando ele se virou para fugir."

— Isso é muito interessante — disse Holmes. — Por favor, o que o senhor fez então?

— Eu deveria tê-lo seguido pela janela aberta, se estivesse mais forte. Em vez disso, toquei a campainha e acordei a casa toda. Isso levou algum tempo, porque a campainha toca na cozinha e todos os criados dormem no andar de cima. Eu gritei, porém, e isso atraiu Joseph, e ele acordou os outros. Joseph e o cavalariço encontraram marcas no canteiro em frente à janela, porém o tempo anda tão seco que foi impossível seguir os rastros através do gramado. Mas há um lugar na cerca de madeira que ladeia a estrada, que mostra sinais, disseram eles, de que alguém saltou a cerca e lascou o alto dela ao fazê-lo. Eu ainda não disse nada à polícia local, porque achei que seria melhor ouvir primeiro a opinião do senhor.

Esse relato do nosso cliente pareceu ter um efeito extraordinário sobre Sherlock Holmes. Ele se levantou da poltrona e andou pela sala, numa agitação incontrolável.

— As desgraças nunca vêm sozinhas — disse Phelps, sorrindo, embora fosse evidente que sua aventura o tivesse abalado um pouco.

— Certamente o senhor já teve seu quinhão delas — observou Holmes. — Acha que poderia andar ao redor da casa comigo?

— Oh, sim, gostaria de pegar um pouco de sol. Joseph virá também.

— E eu também — disse a Srta. Harrison.

— Temo que não — anunciou Holmes, balançando a cabeça. — Acho que precisarei pedir que fique exatamente onde está.

A jovem voltou a se sentar, com um ar descontente. Seu irmão, no entanto, juntara-se a nós, e saímos os quatro. Passamos pelo gramado, diante da janela do jovem diplomata. Havia, como ele dissera, marcas no canteiro, mas eram desesperadoramente borradas e vagas. Holmes parou perto delas por um instante, e então se levantou, dando de ombros.

— Acho que ninguém consegue encontrar mais nada aqui — ele disse. — Vamos dar a volta na casa e ver por que este quarto em particular foi escolhido pelo ladrão. Eu imaginava que as janelas maiores do salão e da sala de jantar ofereceriam mais atrativos para ele.

— São mais visíveis da estrada — sugeriu o Sr. Joseph Harrison.

— Ah, sim, é claro. Há uma porta aqui que ele pode ter tentado abrir. Para que serve?

— É a entrada lateral dos vendedores. Naturalmente, fica trancada à noite.

— Já tiveram um alarme assim antes?

— Nunca — disse nosso cliente.

— Têm pratarias na casa, ou qualquer coisa que possa atrair ladrões?

— Nada de valor.

Holmes andou ao redor da casa com as mãos nos bolsos e um ar negligente que era incomum nele.

— A propósito — ele disse para Joseph Harrison —, o senhor encontrou um lugar, pelo que sei, onde o sujeito escalou a cerca. Vamos dar uma olhada.

O jovem roliço nos levou até um lugar onde o alto de uma das vigas de madeira estava rachado. Um pequeno fragmento da madeira estava pendurado. Holmes o arrancou e o examinou com atenção.

— Acha que isto foi feito noite passada? Parece um tanto velho, não?

— Bem, possivelmente.

— Não há marcas de ninguém que tenha saltado do outro lado. Não, acho que não conseguiremos ajuda aqui. Vamos voltar para o quarto e falar a respeito.

Percy Phelps andava muito devagar, apoiando-se no braço do futuro cunhado. Holmes andava rapidamente pela relva, e chegamos à janela aberta do quarto bem antes que os outros nos alcançassem.

— Srta. Harrison — anunciou Holmes, falando de maneira visivelmente intensa —, precisa ficar onde está o dia todo. Não deixe que nada a impeça de ficar aí onde está o dia todo. Isso é da maior importância.

— Certamente, se o senhor deseja, Sr. Holmes — respondeu a garota, assombrada.

— Quando for se deitar, tranque a porta deste quarto por fora e leve a chave. Prometa que fará isso.

— Mas e quanto a Percy?

— Ele irá para Londres conosco.

— E eu devo ficar aqui?

— É para o bem dele. Pode ajudá-lo! Rápido! Prometa!

Ela balançou a cabeça rapidamente, no exato momento em que os outros dois chegaram.

— Por que fica sentada aí se lamuriando, Annie? — exclamou seu irmão. — Vá tomar sol!

— Não, obrigada, Joseph, estou com uma leve dor de cabeça, e este quarto está deliciosamente fresco e agradável.

— O que propõe agora, Sr. Holmes? — perguntou nosso cliente.

— Bem, ao investigar esse incidente menor, não devemos perder de vista nosso inquérito principal. Seria de grande ajuda para mim se o senhor voltasse para Londres conosco.

— Já?

— Bem, assim que for conveniente para o senhor. Em uma hora, digamos.

— Já me sinto forte o suficiente, se realmente puder ser de alguma ajuda.

— A maior possível.

— Talvez queira que eu pernoite por lá?

— Eu ia propor isso agora.

— Então, se meu amigo noturno vier me visitar novamente, encontrará o ninho vazio. Estamos todos em suas mãos, Sr. Holmes, e precisa nos dizer com exatidão o que quer que façamos. Talvez prefira que Joseph nos acompanhe, para cuidar de mim?

— Oh, não; meu amigo Watson é homem de medicina, sabe, e cuidará do senhor. Almoçaremos aqui, se permitir, e em seguida partiremos os três para a cidade juntos.

Tudo foi preparado como ele sugeriu, embora a Srta. Harrison se desculpasse para não precisar sair do quarto, de acordo com a sugestão de Holmes. Qual era o objetivo das ações do meu amigo eu não conseguia imaginar, a menos que fosse para manter a dama longe de Phelps, que, alegre com a saúde em recuperação e a perspectiva de ação, almoçou conosco na sala. Holmes tinha uma surpresa ainda mais chocante para nós, todavia, porque, depois de nos acompanhar à estação e nos levar até nosso vagão, ele calmamente anunciou que não tinha nenhuma intenção de partir de Woking.

— Há um ou dois detalhezinhos que eu gostaria de esclarecer antes de partir — ele disse. — Sua ausência, Sr. Phelps, vai me ajudar de algumas formas. Watson, quando chegar a Londres, faça-me o favor de ir para a Baker Street imediatamente com o nosso amigo aqui, e ficar com ele até que eu o veja de novo. É sorte vocês dois serem ex-colegas de escola, pois devem ter muito o que conversar. O Sr. Phelps pode ficar no quarto de hóspedes esta noite, e estarei com vocês em tempo para o desjejum, porque há um trem que me levará para Waterloo às 8h.

— Mas e a nossa investigação em Londres? — perguntou Phelps, ressentido.

— Podemos fazer isso amanhã. Acho que no momento posso ser mais útil de imediato aqui.

— Pode avisar em Briarbrae que espero voltar amanhã à noite — gritou Phelps, quando começamos a deixar a plataforma.

— Acho difícil eu ir para Briarbrae — respondeu Holmes, e acenou alegremente enquanto partíamos da estação.

Phelps e eu falamos a respeito na viagem, mas nenhum dos dois conseguia imaginar um motivo satisfatório para esse novo desdobramento.

— Acho que ele quer encontrar alguma pista da tentativa de roubo da noite passada, se é que foi um ladrão. Pessoalmente, não acho que tenha sido um larápio comum.

— Qual é a sua ideia, então?

— Palavra, você pode ou não atribuir isto aos meus nervos fracos, mas acredito que haja alguma profunda intriga política acontecendo ao meu redor, e que, por algum motivo que escapa ao meu entendimento, os conspiradores atentam contra a minha vida. Parece exagerado e absurdo, mas considere os fatos! Por que um ladrão tentaria entrar pela janela de um quarto onde não teria nenhuma esperança de roubar nada, e por que ele viria com um longo punhal na mão?

— Tem certeza de que não era um pé de cabra?

— Oh, não; era um punhal. Vi distintamente o brilho da lâmina.

— Mas por que, afinal, perseguiriam você com tanta animosidade?

— Ah! Eis a questão.

— Bem, se Holmes é da mesma opinião, isso explicaria suas ações, não? Presumindo que sua teoria esteja correta, se ele puder pôr as mãos no homem que ameaçou você noite passada, estará muito mais perto de encontrar quem roubou o tratado naval. É absurdo supor que você tenha dois inimigos, um que o roubou e outro que ameaça sua vida.

— Mas Holmes disse que não iria a Briarbrae.

— Eu o conheço há algum tempo — eu disse —, mas nunca o vi fazer nada sem ter um motivo muito bom — e, com isso, nossa conversa passou para outros assuntos.

Mas o dia fora cansativo para mim. Phelps ainda estava fraco, depois da longa doença, e seus infortúnios o deixaram desconfortável e nervoso. Em vão tentei interessá-lo no Afeganistão, na Índia, nas questões sociais, em qualquer coisa que afastasse sua mente daquele sulco. Ele sempre voltava ao seu tratado perdido, imaginando, adivinhando, especulando o que Holmes estaria fazendo, que medidas o Lorde Holdhurst estaria tomando, que novidades conheceríamos pela manhã. À medida que a noite caía, sua agitação se tornou bem dolorosa.

— Você tem confiança implícita em Holmes? — ele perguntou.

— Já o vi fazer coisas notáveis.

— Mas ele nunca esclareceu um caso tão sombrio quanto este?

— Oh, sim; já o vi resolver questões que apresentavam menos pistas do que a sua.

— Mas não com interesses tão altos em jogo.

— Não sei. O que sei com certeza é que ele já agiu a serviço de três das dinastias reinantes da Europa em assuntos muito vitais.

— Mas você o conhece bem, Watson. Ele é um sujeito tão inescrutável que nunca sei o que está pensando. Você acha que ele tem esperanças? Acha que ele espera ter êxito?

— Ele não disse nada.

— Isso é um mau sinal.

— Pelo contrário. Já notei que, quando perde o fio da meada, em geral ele anuncia isso. É quando está seguindo uma pista, e ainda não tem certeza absoluta de que seja a certa, que ele fica mais taciturno. Agora, caro camarada, não ajudaremos em nada ficando nervosos a respeito dos fatos, por isso imploro que vá dormir, para estar descansado para o que quer que nos aguarda amanhã.

Consegui, finalmente, persuadir meu colega a seguir meu conselho, embora soubesse, pelo seu comportamento agitado, que não haveria muita esperança de sono para ele. Aliás, seu humor era contagioso, pois também fiquei rolando na cama metade da noite, pensando nesse estranho problema e inventando mil teorias, cada uma mais impossível do que a outra. Por que Holmes ficara em Woking? Por que pedira que a Srta. Harrison ficasse no quarto do doente o dia todo? Por que tomou tanto cuidado para não informar às pessoas de Briarbrae que pretendia ficar perto delas? Martelei meu cérebro até adormecer com o esforço, tentando encontrar alguma explicação que justificasse todos esses fatos.

Eram 7h quando acordei, e imediatamente fui até o quarto de Phelps, encontrando-o amarfanhado e exausto depois de uma noite insone. Sua primeira pergunta foi se Holmes já havia chegado.

— Ele estará aqui no momento combinado — eu disse —, nem um instante antes ou depois.

E minhas palavras eram a verdade, pois logo depois das 8h um *hansom* encostou à porta e nosso amigo saiu dele. Observando da janela, vimos que sua mão esquerda estava enfaixada, e seu rosto, muito sombrio e pálido. Ele entrou na casa, mas demorou um pouco antes de subir.

— Ele parece alguém derrotado — exclamou Phelps.

Fui obrigado a confessar que ele tinha razão.

— Afinal — observei —, a pista do caso provavelmente está aqui na cidade.

Phelps soltou um gemido.

— Não sei por quê — ele disse —, mas eu depositava tantas esperanças no retorno dele. No entanto, sua mão certamente não estava enfaixada assim ontem. Qual será o problema?

— Não está ferido, Holmes? — perguntei quando meu amigo entrou na sala.

— Ora, é só um arranhão devido ao meu próprio estouvamento — ele respondeu, cumprimentando-nos com a cabeça. — Esse seu caso, Sr. Phelps, certamente é um dos mais sombrios que já investiguei.

— Temi mesmo que estivesse além de suas capacidades.

— Foi uma experiência assaz notável.

— Essa mão enfaixada indica aventura — eu disse. — Não quer nos contar o que aconteceu?

— Depois do desjejum, meu caro Watson. Lembre-se de que já respirei quase cinquenta quilômetros do ar de Surrey esta manhã. Imagino que não tenha chegado nenhuma resposta ao meu anúncio sobre o táxi? Bem, bem, não podemos esperar ganhar todas.

A mesa estava posta, e, quando eu ia tocar a sineta, a Sra. Hudson entrou trazendo o chá e o café. Alguns minutos depois, trouxe os pratos cobertos, e todos fomos até a mesa, Holmes esfaimado, eu curioso, e Phelps no mais profundo estado de depressão.

— A Sra. Hudson não se furtou à ocasião — comentou Holmes, descobrindo um prato de frango com *curry*. — Sua culinária é um tanto limitada, mas ela sabe preparar um bom desjejum à escocesa. O que você tem aí, Watson?

— Ovos com presunto — respondi.

— Ótimo! O que vai querer, Sr. Phelps? Frango com *curry*, ovos, ou vai se servir sozinho?

— Obrigado, não vou conseguir comer nada — disse Phelps.

— Ora, vamos! Experimente o prato à sua frente.

— Obrigado, realmente prefiro não comer.

— Bem, então — retrucou Holmes, com um sorrisinho malicioso —, imagino que não se importaria em me servir?

Phelps levantou a tampa, e ao fazê-lo soltou um grito, e ficou com o olhar parado e o rosto tão branco quanto o prato à sua frente. No meio dele estava um pequeno cilindro de papel cinza-azulado. Ele o pegou, devorou-o com os olhos, e então dançou loucamente pela sala, apertando-o contra o peito e berrando de alegria. Então se deixou cair numa poltrona, tão amolecido e esgotado por suas emoções que precisamos derramar *brandy* em sua goela para que não desmaiasse.

— Pronto, pronto! — anunciou Holmes, reconfortando-o e dando-lhe tapinhas no ombro. — Foi muita maldade apresentá-lo assim ao senhor, mas Watson confirmará que jamais resisto a um toque dramático.

Phelps pegou a mão de Holmes e a beijou.

— Deus o abençoe! — exclamou. — O senhor salvou minha honra.

— Bem, a minha também estava em jogo, sabe? — disse Holmes. — Garanto que é tão odioso, para mim, fracassar num caso quanto pode ser para o senhor não cumprir uma tarefa a contento.

Phelps enfiou o precioso documento no bolso mais interno de seu casaco.

— Não tenho coragem de atrapalhar ainda mais seu desjejum, porém morro de vontade de saber como o recuperou e onde estava.

Sherlock Holmes engoliu uma xícara de café e voltou sua atenção para os ovos com presunto. Então se levantou, acendeu o cachimbo e refestelou-se em sua poltrona.

— Contarei primeiro o que fiz e, em seguida, como fiz — ele disse. — Depois de deixá-los na estação, saí para uma caminhada encantadora pela admirável paisagem de Surrey, até chegar a uma linda aldeiazinha chamada Ripley, onde tomei chá num hotel, e me precavi abastecendo meu cantil e guardando um saco de sanduíches no bolso. Lá fiquei até o entardecer, quando parti para Woking novamente e me vi na estrada perto de Briarbrae assim que o sol se pôs.

"Bem, esperei até que a estrada ficasse deserta — imagino que ela nunca tenha muito movimento — e então pulei a cerca para dentro do terreno."

— Mas o portão devia estar aberto. — exclamou Phelps.

— Sim; contudo, tenho um gosto particular nessas questões. Escolhi o lugar onde há três pinheiros e, escondido por eles, pulei sem a menor possibilidade de que alguém da casa pudesse me ver. Abaixei-me entre os arbustos do outro lado e rastejei de um para o outro — apreciem o estado deplorável dos joelhos da minha calça — até chegar à touceira de rododendros bem em frente à janela do seu quarto. Ali me agachei e aguardei os desdobramentos.

"A persiana não estava fechada em seu quarto, e eu podia ver a Srta. Harrison sentada ali, lendo, à mesa. Eram 22h15 quando ela fechou o livro, trancou a janela e se recolheu. Eu a ouvi fechar a porta, e tive certeza de que ela a trancou a chave."

— A chave? — exclamou Phelps.

— Sim, eu instruíra a Srta. Harrison para que trancasse a porta por fora e levasse a chave quando fosse dormir. Ela executou cada uma de minhas injunções à letra, e certamente, sem sua cooperação, o senhor não estaria com esse documento no bolso. Ela saiu, então, as luzes se apagaram, e eu continuei agachado na moita de rododendros.

"A noite estava bonita, mas, mesmo assim, foi uma vigília muito cansativa. Naturalmente, causa o tipo de empolgação que o caçador sente quando se deita perto de um rio e espera por um animal de grande porte. Mas foi muito longa — quase tão longa, Watson, quanto a que você e eu fizemos naquele cômodo mortal, ao investigarmos o probleminha da 'Faixa Pintada'. Havia um relógio de igreja em Woking que batia os quartos de hora, e mais de uma vez pensei que ele tivesse parado. Finalmente, porém, por volta das duas da manhã, ouvi de súbito o som de um trinco sendo aberto delicadamente, e o ranger de uma chave. Ato contínuo, a porta de serviço se abriu e o Sr. Joseph Harrison apareceu ao luar."

— Joseph! — exclamou Phelps.

— Ele estava sem chapéu, mas tinha um casaco preto jogado sobre os ombros, para poder esconder o rosto imediatamente caso alguém desse o alarme. Andou pé ante pé sob a sombra do muro, e, ao chegar à janela, enfiou uma faca de lâmina comprida na fresta e empurrou a lingueta do trinco. Então abriu o vidro e, enfiando a faca na fenda entre as folhas, empurrou a taramela para cima e terminou de abrir a janela.

"Da minha posição, eu tinha uma visão perfeita do interior do quarto e de todos os seus movimentos. Ele acendeu as duas velas sobre a moldura da lareira, e então levantou o canto do tapete, perto da porta. Nesse momento, agachou-se e levantou uma tábua quadrada, como a que costuma ser deixada para que o encanador possa ter acesso às juntas da tubulação de gás. Essa tábua cobria, de fato, a junta em T da qual sai o cano que vai para a cozinha, no andar de baixo. Desse esconderijo ele tirou aquele pequeno cilindro de papel, recolocou a tábua, ajeitou o tapete, apagou as velas e veio parar em meus braços, pois eu estava à sua espera do lado de fora da janela.

"Bem, ele é um pouco mais perverso do que eu pensava, esse Sr. Joseph. Saltou em cima de mim com sua faca, tive que derrubá-lo duas vezes e levei um corte nos nós dos dedos antes de conseguir dominá-lo. Ele tinha um brilho assassino no único olho pelo qual conseguia enxergar, quando a luta acabou, mas ouviu a voz da razão e me entregou o documento. Depois de recuperá-lo, deixei que ele fugisse, mas telegrafei todos os detalhes do caso para Forbes hoje de manhã. Se ele for rápido o suficiente para pegar esse pássaro, ótimo! Mas se, como suspeito ardilosamente, ele encontrar o ninho vazio ao chegar, ora, tanto melhor para o governo. Imagino que o Lorde Holdhurst, por exemplo, e também o Sr. Percy Phelps prefiram que esse caso nunca chegue aos tribunais."

— Meu Deus! — gaguejou nosso cliente. — Está me dizendo que, durante estas longas dez semanas de agonia, o documento roubado estava dentro do quarto, comigo, o tempo todo?

— Estava.

— E Joseph! Joseph, um bandido e um ladrão!

— Hum! Temo que a personalidade de Joseph seja um pouco mais profunda e perigosa do que se pode avaliar por sua aparência. Pelo que ouvi dele esta manhã, entendi que perdeu muito dinheiro com ações, e está disposto a fazer qualquer coisa para melhorar sua sorte. Por ser absolutamente egoísta, quando a oportunidade se apresentou, ele não permitiu que a felicidade da irmã ou a reputação do senhor o dissuadissem.

Percy Phelps afundou novamente na poltrona.

— Minha cabeça está girando — ele disse —; suas palavras me atordoaram.

— A principal dificuldade do seu caso — comentou Holmes, à sua maneira didática — estava no fato de haver evidências demais. O que era vital estava encoberto e oculto pelo que era irrelevante. De todos os fatos que nos foram apresentados, precisávamos escolher só aqueles que achávamos essenciais, e então montá-los em sua ordem, para reconstruir essa tão notável sequência de acontecimentos. Eu já havia começado a suspeitar de Joseph, pelo fato de que o senhor pretendia voltar para casa com ele, naquela noite, e portanto era bastante provável que ele fosse visitar o senhor — conhecendo bem o Ministério do Exterior — a caminho da estação. No momento em que eu soube que alguém estava tão ansioso para entrar no seu quarto, onde ninguém além de Joseph poderia ter escondido alguma coisa — o senhor nos contou, em sua narrativa, como desalojou Joseph quando chegou com o médico —, todas as minhas suspeitas se transformaram em certezas, especialmente porque a tentativa foi feita na primeira noite em que a enfermeira esteve ausente, mostrando que o invasor conhecia bem a rotina da casa.

— Como fui cego!

— Os fatos do caso, até onde pude reconstituí-los, são os seguintes: esse Joseph Harrison entrou no escritório pela porta da Charles Street e, conhecendo o local, foi diretamente para a sua sala um instante depois que o senhor havia saído de lá. Ao encontrar a sala vazia, ele prontamente tocou a campainha, mas, assim que o fez, seus olhos pousaram na folha sobre a mesa. Um olhar lhe revelou que o acaso pusera em seu caminho um documento de Estado de imenso valor, e num instante ele o meteu no bolso e se foi. Alguns minutos se passaram, como o senhor lembra, antes que o porteiro sonolento atraísse a atenção do senhor se para a campainha, e eles foram exatamente suficientes para dar ao ladrão o tempo de fugir.

"Ele foi para Woking no primeiro trem e, depois de examinar o produto do seu roubo e se certificar de que realmente era de imenso valor, o escondeu no que considerava um lugar muito seguro, com a intenção de tirá-lo de lá num dia ou dois, e levá-lo para a embaixada francesa, ou onde quer que ele achasse que o documento alcançaria um alto preço. Então o senhor voltou abruptamente. Ele, sem nenhum sobreaviso, foi despejado de seu quarto, e daquele momento em diante sempre havia no mínimo duas pessoas ali, para evitar que ele reouvesse seu tesouro. A situação devia ser enlouquecedora. Mas, finalmente, ele pensou ter encontrado sua chance. Tentou invadir o quarto, mas foi surpreendido pelo senhor, bem acordado. O senhor se lembra de que não tomou seu remédio costumeiro naquela noite."

— Lembro.

— Imagino que ele tenha adotado medidas para tornar esse remédio eficaz, e que estivesse contando com encontrar o senhor desacordado. Naturalmente, percebi que ele repetiria a tentativa assim que ela pudesse ser feita com segurança. Sua saída do quarto lhe deu a oportunidade que ele queria.

Mantive a Srta. Harrison no quarto o dia todo para que ele não pudesse se antecipar. Então, depois de dar a ele a ideia de que a área estava livre, montei guarda, como descrevi. Eu já sabia que o documento provavelmente estava no quarto, mas não tinha nenhuma intenção de arrancar todo o assoalho e os rodapés à procura dele. Deixei que ele o tirasse, portanto, do esconderijo, e assim me poupei de uma infinidade de problemas. Há algum outro detalhe que eu possa esclarecer?

— Por que ele tentou entrar pela janela na primeira ocasião — perguntei —, quando poderia ter entrado pela porta?

— Para chegar à porta, ele precisaria passar por sete quartos. Por outro lado, podia sair para o jardim com facilidade. Mais alguma coisa?

— O senhor não imagina — perguntou Phelps — que ele tivesse qualquer intenção assassina? A faca era só para usar como ferramenta?

— Pode ser — respondeu Holmes, dando de ombros. — Só posso dizer com certeza que o Sr. Joseph Harrison é um cavalheiro em cuja misericórdia eu não estaria nem um pouco disposto a confiar.

PASTEURS
DEATH
MICROBES

onze

O PROBLEMA FINAL

É com o coração pesaroso que empunho minha pena para escrever estas últimas poucas palavras, com as quais registrarei uma derradeira vez os dotes singulares pelos quais meu amigo, o Sr. Sherlock Holmes, se distinguia. De maneira incoerente e, como sinto, no fundo totalmente inadequada, tentei fazer alguns relatos das minhas estranhas experiências em sua companhia, desde o acaso que nos uniu pela primeira vez na época do "Estudo em Vermelho" até o momento de sua interferência na questão do "Tratado Naval" — uma interferência que teve, inquestionavelmente, o efeito de evitar uma grave complicação internacional. Era minha intenção parar por ali, e não dizer nada sobre esse acontecimento que deixou um vácuo na minha vida que a passagem de dois anos fez pouco para preencher. Forçaram-me a mão, todavia, as recentes cartas nas quais o Coronel James Moriarty defende a memória de seu irmão, e não tenho escolha senão expor os fatos ao público exatamente como aconteceram. Só eu conheço a verdade absoluta do caso, e acredito que chegou o momento em que nenhum bom propósito é servido por sua supressão. Até onde sei, houve apenas três relatos do caso na imprensa: o do *Journal de Genève* de 6 de maio de 1891, o despacho da Reuters publicado nos jornais ingleses de 7 de maio e finalmente, as cartas recentes às quais me referi. Desses três, o primeiro e o segundo foram extremamente condensados, enquanto o último é, como demonstrarei agora, uma total perversão dos fatos. Recai sobre mim a tarefa de contar pela primeira vez o que realmente aconteceu entre o professor Moriarty e o Sr. Sherlock Holmes.

Talvez alguém se lembre de que, depois do meu casamento e do subsequente início de minha prática particular, o relacionamento muito íntimo que existira entre mim e Holmes foi, em alguma medida, modificado. Ele ainda me procurava, de tempos em tempos, quando desejava companhia em suas investigações, mas tais ocasiões ficavam cada vez mais escassas, até que verifico que no ano de 1890 houve só três casos dos quais conservo qualquer registro. Durante o inverno daquele ano e o início da primavera de 1891, li nos jornais que ele estivera engajado pelo governo francês numa questão de suma importância, e recebi dois bilhetes de Holmes, endereçados de Narbonne e de Nimes, dos quais inferi que sua estada na França provavelmente seria longa. Foi com certa surpresa, portanto, que o vi entrar no meu consultório na noite de 24 de abril. Pareceu-me que ele estava até mais pálido e magro do que de costume.

— Sim, andei me desgastando um tanto liberalmente demais — ele comentou, respondendo mais ao meu olhar do que às minhas palavras —; ando algo ocupado ultimamente. Você se oporia a fechar as folhas das janelas?

A única luz na sala vinha da lâmpada sobre a mesa à qual eu estava lendo. Holmes andou encostado à parede, e, fechando as folhas, trancou-as com cuidado.

— Está com medo de alguma coisa? — perguntei.

— Bem, estou.

— Do quê?

— De armas de pressão.

— Meu caro Holmes, o que quer dizer?

— Acho que você me conhece o suficiente, Watson, para saber que de modo algum sou um homem nervoso. Ao mesmo tempo, é estupidez, e não coragem, recusar-se a reconhecer o perigo quando ele está próximo. Posso lhe pedir um fósforo? — Ele tragou a fumaça do cigarro como se sua influência calmante fosse bem-vinda.

— Devo pedir desculpas por aparecer tão tarde — ele disse —, e também implorar que você aceite a inconvencionalidade de me permitir deixar sua casa, no presente momento, escalando o muro dos fundos.

— Mas o que significa tudo isso? — perguntei.

Ele ergueu a mão, e vi, à luz da lâmpada, que dois nós dos seus dedos estavam cortados e sangrando.

— Não é um nada etéreo, como vê — ele disse, sorrindo. — Ao contrário, é sólido o suficiente para quebrar a mão de um homem. A Sra. Watson está?

— Saiu para fazer uma visita.

— Não diga! Você está só?

— Deveras.

— Então isso facilita que eu proponha que você me acompanhe numa viagem de uma semana ao continente.

— Aonde?

— Oh, a qualquer lugar. Para mim, dá no mesmo.

Havia algo de muito estranho em tudo aquilo. Não era da natureza de Holmes tirar férias sem motivo, e algo em seu rosto pálido e esgotado me dizia que seus nervos estavam no auge da tensão. Ele viu a interrogação em meus olhos e, juntando as mãos e apoiando os cotovelos nos joelhos, explicou a situação.

— Provavelmente você nunca ouviu falar do professor Moriarty — ele começou.

— Nunca.

— Sim, aí está o gênio e a maravilha da coisa! — ele exclamou. — O homem está por toda a Londres, e ninguém jamais ouviu falar dele. É isso que o põe no ápice dos anais do crime. Eu lhe digo, Watson, com toda a seriedade, que, se eu pudesse derrotar esse homem, se pudesse livrar dele a sociedade, sentiria que minha carreira teria atingido seu auge, e estaria preparado para me recolher a uma vida mais plácida. Aqui entre nós, os casos recentes nos quais assisti a família real da Escandinávia e a república francesa me deixaram numa situação que me permitiria continuar a viver da forma sossegada que me é mais congenial, e concentrar minha atenção em minhas pesquisas químicas. Mas eu não poderia descansar, Watson, não poderia sentar-me sossegado em minha poltrona, pensando que um homem como o professor Moriarty anda pelas ruas de Londres sem oposição.

— O que ele fez, afinal?

— Sua carreira tem sido extraordinária. É um homem de berço e excelente educação, naturalmente dotado de um fenomenal talento matemático. Aos 21 anos, escreveu um tratado sobre o Teorema Binomial, que fazia furor na Europa. Pelos méritos desse trabalho, conquistou a cadeira de Matemática numa das nossas universidades menores, e tinha, aparentemente, uma carreira brilhante pela frente. Mas o homem carrega tendências hereditárias do tipo mais diabólico. Corre em seu sangue uma cepa criminosa que, em vez de ser atenuada, foi potencializada e tornada infinitamente mais perigosa por seus extraordinários dons intelectuais. Boatos sombrios sobre ele se acumularam na cidade da universidade, e finalmente ele se viu obrigado a renunciar à sua cadeira e vir para Londres, onde se estabeleceu como preparador de cadetes.

Tudo isso é de conhecimento do mundo, mas o que vou contar agora é o que eu mesmo descobri.

"Como você sabe, Watson, ninguém conhece o alto escalão do mundo londrino do crime tão bem quanto eu. Já há anos tenho consciência constante de algum poder por trás dos malfeitores, algum profundo poder organizador que sempre está no caminho da lei, e que protege os bandidos com seu escudo. Muitas e muitas vezes, em casos dos tipos mais variados — falsificações, roubos, assassinatos —, senti a presença dessa força, e deduzi sua ação em muitos daqueles crimes sem solução nos quais não fui pessoalmente consultado. Por anos tentei romper o véu que o envolvia, e finalmente chegou o momento em que encontrei minha pista e a segui, até que ela me levou, depois de mil meandros engenhosos, ao ex-professor Moriarty, a celebridade da Matemática.

"Ele é o Napoleão do crime, Watson. É o organizador de metade do que é mau e de quase tudo o que não é detectado nesta grande cidade. Ele é um gênio, um filósofo, um pensador abstrato. Tem um cérebro da primeira ordem. Fica imóvel, como uma aranha no centro de sua teia, mas essa teia tem mil fios, e ele conhece bem cada tremor de cada um deles. Pouco faz pessoalmente. Só planeja. Mas seus agentes são numerosos e esplendidamente organizados. Se há um crime a ser realizado, um documento a ser roubado, digamos, uma casa a ser invadida, um homem a ser eliminado — a mensagem é passada ao professor, o serviço é organizado e executado. O agente pode ser pego. Nesse caso, o dinheiro é encontrado para custear sua fiança ou sua defesa. Mas o poder central que usa o agente nunca é pego, não fica nem sob suspeita. Essa foi a organização que deduzi, Watson, e devotei toda a minha energia a expô-la e desmantelá-la.

"Mas o professor estava cercado de defesas tão engenhosamente projetadas que, não importava o que eu fizesse, parecia impossível conseguir provas que levassem à condenação num tribunal. Você conhece meus poderes, caro Watson; no entanto, ao fim de três meses, fui obrigado a confessar que finalmente encontrara um antagonista que me equivalia intelectualmente. Meu horror pelos seus crimes se perdia na minha admiração pela sua habilidade. Mas finalmente ele cometeu um deslize; um pequeno, bem pequeno, porém foi mais do que ele poderia se permitir, comigo seguindo-o tão de perto. Tive minha chance, e, partindo desse ponto, teci minha teia ao redor dele, até que agora ela está pronta para ser fechada. Daqui a três dias, vale dizer, na próxima segunda-feira, a coisa vai amadurecer, e o professor, com todos os principais membros de seu bando, estará nas mãos da polícia. Então virá o maior julgamento criminal do século, o esclarecimento de mais de quarenta mistérios, e a forca para todos eles — mas, se agirmos prematuramente, por pouco que seja, entenda, eles podem escapulir mesmo no último momento.

"Agora, se eu pudesse ter feito isso sem o conhecimento do professor Moriarty, tudo estaria bem. Mas ele é esperto demais para tanto. Percebeu cada passo que dei para fechar meu cerco ao redor dele. Repetidas vezes ele tentou escapar, mas eu sempre o contive. Estou dizendo, meu amigo, que, se um relato detalhado dessa competição silenciosa pudesse ser escrito, assumiria o lugar de mais brilhante esgrima intelectual da história da detecção. Nunca alcancei um patamar tão alto, e nunca fui tão pressionado por um oponente. Ele estocava com força, mas eu bloqueava seus golpes. Hoje de manhã, as últimas medidas foram tomadas, e só faltavam três dias para completar a tarefa. Eu estava sentado na minha sala, pensando no assunto, quando a porta se abriu e o professor Moriarty apareceu diante de mim.

"Meus nervos são bem fortes, Watson, mas confesso que tive um sobressalto quando vi o próprio homem que ocupara tanto meus pensamentos parado ali, na minha porta. Sua aparência me era bastante familiar. Ele é extremamente alto e magro, sua testa tem uma curva pronunciada e alva, e seus olhos são muito fundos. Não tem barba, é pálido, de aparência ascética, conservando algo do professor em seus traços. Seus ombros são caídos de tanto estudar, e seu rosto é projetado para a frente e está sempre oscilando lentamente de um lado para o outro, de uma forma curiosamente reptiliana. Ele me olhou com grande curiosidade nos olhos estreitos.

"'O senhor tem a fronte menos desenvolvida do que eu esperava', ele disse finalmente. 'É um hábito perigoso apalpar uma arma carregada no bolso do roupão.'

"O fato é que, assim que ele entrou, reconheci instantaneamente o perigo extremo em que me encontrava. A única escapatória concebível, para ele, estava em me silenciar. Num instante, eu transferira o revólver da gaveta para o meu bolso, e o estava mirando nele através do tecido. Depois desse comentário, tirei a arma do bolso e a deixei, engatilhada, sobre a mesa. Ele ainda sorria e piscava, mas havia algo em seus olhos que me fazia sentir grato por ter a arma ali.

"'Evidentemente, o senhor não me conhece', ele disse.

"'Pelo contrário', respondi, 'acho que está bem evidente que conheço. Por favor, sente-se. Posso lhe dar cinco minutos, se tem algo a dizer.'

"'Tudo o que tenho a dizer já passou pela sua mente', ele afirmou.

"'Então é possível que minha resposta tenha passado pela sua', repliquei.

"'O senhor persiste?'

"'Absolutamente.'

"Ele enfiou a mão no bolso e eu ergui a pistola da mesa. Mas ele apenas puxou um bloquinho, no qual rabiscara algumas datas.

"'O senhor cruzou o meu caminho em 4 de janeiro', ele declarou. 'No dia 23, me incomodou; em meados de fevereiro fui seriamente atrapalhado pelo senhor; no fim de março, meus planos foram frustrados em absoluto; e agora, no final de abril, encontro-me numa posição, graças à sua perseguição constante, em que me vejo positivamente ameaçado de perder a liberdade. A situação está se tornando insustentável.'

"'Tem alguma sugestão a fazer?', perguntei.

"'Precisa desistir, Sr. Holmes', ele disse, balançando o rosto. 'Precisa mesmo, sabe?'

"'Depois de segunda-feira', retruquei.

"'Ora, ora!', ele ironizou. 'Tenho certeza absoluta de que um homem da sua inteligência entende que esse negócio só pode ter um resultado. É necessário que o senhor desista. Deixou as coisas num estado em que só nos resta um recurso. Foi um prazer intelectual, para mim, ver o modo como o senhor conduziu essa empreitada, e digo sem afetação que lamentaria ser obrigado a adotar qualquer medida extrema. O senhor sorri, mas garanto que eu realmente lamentaria.'

"'O perigo faz parte do meu ofício', comentei.

"'Isso não é perigo', ele contestou. 'É a destruição inevitável. Não está enfrentando apenas um indivíduo, mas uma organização poderosa, cuja total extensão o senhor, com toda a sua esperteza, não foi capaz de perceber. Precisa recuar, Sr. Holmes, ou será pisoteado.'

"'Temo', anunciei, me levantando, 'que o prazer de sua conversa esteja me fazendo negligenciar negócios importantes que me esperam.'

"Ele também se levantou e me olhou em silêncio, balançando a cabeça tristemente.

"'Pois bem', ele disse, finalmente. 'Parece-me uma pena, mas fiz o que pude. Conheço cada jogada sua. Não pode fazer nada antes de segunda-feira. Este foi um duelo entre o senhor e mim, Sr. Holmes. O senhor espera me pôr no banco dos réus. Eu lhe digo que jamais subirei ao banco dos réus. O senhor espera me derrotar. Eu lhe digo que jamais vai me derrotar. Se é esperto o suficiente para causar minha destruição, tenha certeza de que farei o mesmo com o senhor.'

"'Fez-me vários elogios, Sr. Moriarty', agradeci. 'Permita-me retribuir dizendo que, se eu tivesse certeza desse primeiro resultado, de muito bom grado, no interesse do público, aceitaria o segundo.'

"'Posso prometer um deles, mas não o outro', ele rosnou, e em seguida virou suas costas encurvadas para mim e saiu da sala, olhando para todo lado e piscando.

"Esse foi o meu singular colóquio com o professor Moriarty. Confesso que ele deixou um efeito desagradável na minha mente. Sua suave e precisa maneira de falar carrega uma sinceridade convincente que a intimidação pura e simples não seria capaz de produzir. Naturalmente, você dirá: 'Por que não tomar medidas policiais contra ele?' O motivo é que estou bastante convencido de que serão seus agentes a desferir o golpe. Tenho a melhor das provas de que isso vai acontecer."

— Você já foi atacado?

— Meu caro Watson, o professor Moriarty não é o tipo de homem que deixa a grama crescer sob seus pés. Eu saí por volta do meio-dia para realizar alguns negócios na Oxford Street. Ao passar pela esquina que leva da Bentinck Street ao cruzamento com a Welbeck Street, uma carroça com dois cavalos, conduzida furiosamente, dobrou a esquina e me alcançou como um raio. Saltei para a calçada e me salvei por uma fração de segundo. A carroça virou na Marylebone Lane e sumiu num instante. Mantive-me na calçada depois disso, Watson, mas, quando descia a Vere Street, um tijolo veio do telhado de uma das casas e se partiu em mil pedaços aos meus pés. Chamei a polícia e mandei examinar o lugar. Havia lajes e tijolos empilhados no telhado, que seriam usados em alguns consertos, e queriam que eu acreditasse que o vento derrubara um deles. Claro que não acreditei, mas não tinha como provar nada. Tomei um táxi, depois disso, e cheguei aos aposentos do meu irmão na Pall Mall, onde passei o dia. Agora vim procurar você e, no caminho para cá, fui atacado por um brutamontes com um porrete. Eu o derrubei e a polícia o prendeu; mas posso dizer com a mais absoluta segurança que nenhuma possível conexão jamais será descoberta entre o cavalheiro cujos dentes machucaram os nós dos meus dedos e o velho professor de Matemática, que está, ouso dizer, resolvendo problemas num quadro-negro a uns quinze quilômetros daqui. Você não se espantará, Watson, por minha primeira ação ao entrar nos seus aposentos ter sido fechar suas janelas, e por eu ter pedido sua permissão para sair daqui de uma forma mais discreta do que pela porta da frente.

Muitas vezes eu admirara a coragem do meu amigo, mas jamais como naquele momento, em que ele enumerava tranquilamente uma série de incidentes que, somados, deviam ter produzido um dia de horror.

— Vai passar a noite aqui? — perguntei.

— Não, meu amigo; eu seria um hóspede perigoso. Já fiz meus planos, e tudo ficará bem. As coisas já estão tão adiantadas que podem progredir sem minha ajuda com relação à prisão, embora minha presença seja necessária para uma condenação. É óbvio, portanto, que o melhor que tenho a fazer é me ausentar pelos poucos dias que faltam antes que a polícia possa agir. Seria um grande prazer para mim, portanto, se você pudesse me acompanhar ao continente.

— Minha agenda está quase vazia — eu disse —, e meu vizinho me ajudará. Ficarei feliz em ir.

— E partir amanhã?

— Se necessário.

— Oh, sim, é muito necessário. Então estas são suas instruções, e rogo, meu caro Watson, que as obedeça à risca, pois agora está metido comigo num jogo contra o vilão mais astuto e a mais poderosa liga de criminosos da Europa. Agora escute! Você despachará as bagagens que quiser levar com um mensageiro de confiança, sem endereço, para a Estação Victoria, hoje à noite. De manhã, mande chamar um *hansom*, e peça que seu criado não faça sinal nem para o primeiro, nem para o segundo que aparecer. Nesse *hansom* você entrará e irá para o lado da Strand da Lowther Arcade, entregando o endereço ao cocheiro numa tira de papel, pedindo que ele não a jogue fora. Prepare o dinheiro da corrida e, assim que o táxi parar, corra pela Arcade, controlando a hora para chegar ao outro lado às 9h15. Você encontrará uma pequena carruagem à espera perto da calçada, guiada por um sujeito com uma capa preta pesada, de colarinho vermelho. Entre nela e chegará à Estação Victoria a tempo de pegar o Expresso Continental.

— Onde encontrarei você?

— Na estação. O segundo vagão da primeira classe estará reservado para nós.

— O vagão é o nosso ponto de encontro, então?

— Sim.

Foi inútil pedir que Holmes pernoitasse. Era evidente, para mim, que ele achava que atrairia problemas para o teto que o abrigava, e que esse era o motivo que o impelia a ir embora. Com algumas palavras apressadas sobre nossos planos para o dia seguinte, ele se levantou e saiu comigo no jardim, escalando o muro que dá para a Mortimer Street, e imediatamente assobiando para um *hansom*, dentro do qual o ouvi indo embora.

Pela manhã, segui as injunções de Holmes à risca. Um *hansom* foi providenciado, com precauções para evitar um veículo que fosse deixado pronto para nós, e eu segui, imediatamente após o desjejum, para a Lowther Arcade, através da qual corri o mais rápido que pude. Uma carruagem estava me esperando, com um cocheiro corpulento embrulhado numa capa escura, o qual, assim que entrei, açoitou o cavalo e partiu sacolejando para a Estação Victoria. Quando desci ali, ele manobrou a carruagem e partiu ventando, sem nem olhar na minha direção.

Até aí, tudo correra admiravelmente bem. Minha bagagem estava à minha espera, e não tive dificuldade para encontrar o vagão que Holmes indicara, ainda mais sendo o único do trem que estava marcado como "Reservado". Meu único motivo de ansiedade, agora, era a ausência de Holmes. O relógio da estação indicava que faltavam apenas sete minutos para o horário em que deveríamos partir. Em vão procurei entre os grupos de viajantes e acompanhantes a figura esbelta do meu amigo. Não havia nem sinal dele. Passei alguns minutos ajudando um venerável padre italiano, que estava tentando fazer um carregador entender, com seu inglês claudicante, que sua bagagem deveria ser enviada a Paris. Então, depois de dar mais uma olhada ao redor, voltei para o meu vagão, onde descobri que o carregador, apesar do que dizia a passagem, deixara meu decrépito amigo italiano como meu companheiro de viagem. Foi inútil explicar a ele que sua presença era uma intromissão, porque meu italiano era até mais limitado do que seu inglês, por isso dei de ombros, resignado, e continuei a procurar ansiosamente o meu amigo. Um arrepio de medo tomou conta de mim quando pensei que sua ausência podia significar que algum golpe já fora desferido durante a noite. As portas já haviam se fechado e o apito já tocara quando...

— Meu caro Watson — disse uma voz —, você ainda nem me deu bom-dia.

Eu me virei, num assombro indisfarçável. O eclesiástico idoso virara o rosto na minha direção. Por um instante, as rugas se aplanaram, o nariz se afastou do queixo, o lábio inferior deixou de ser saltado e a boca, de balbuciar, os olhos baços recuperaram seu fogo, a silhueta encarquilhada se encorpou. No instante seguinte, toda a sua compleição murchou novamente, e Holmes se fora tão rapidamente quanto havia aparecido.

— Pelos céus! — exclamei. — O susto que você me deu!

— Toda precaução ainda é necessária — ele sussurrou. — Tenho razões para acreditar que eles ainda estão no nosso encalço. Ah, lá está o próprio Moriarty.

O trem já havia partido quando Holmes falou. Olhando para trás, vi um homem alto abrindo caminho furiosamente pela multidão e agitando a mão, como se quisesse que parassem o trem. Era tarde demais, porém, pois ganhávamos impulso rapidamente, e, um instante depois, saíamos da estação.

— Mesmo com todas as nossas precauções, você vê que escapamos por um triz — disse Holmes, rindo. Ele se levantou, tirou a batina preta e o chapéu que compunham seu disfarce e os guardou numa bolsa.

— Leu os jornais matutinos, Watson?

— Não.

— Não sabe sobre Baker Street, então?

— Baker Street?

— Atearam fogo aos nossos aposentos noite passada. Não causaram grandes danos.

— Pelos céus, Holmes! Isso é intolerável.

— Devem ter perdido meu rastro completamente depois que o brutamontes com o porrete foi preso. Senão nem suporiam que voltei para meus aposentos. Evidentemente, tomaram a precaução de vigiar você, no entanto, e foi isso que trouxe Moriarty à estação. Você não cometeu nenhum deslize no caminho?

— Fiz exatamente o que você mandou.

— Encontrou sua carruagem?

— Sim, estava à espera.

— Reconheceu o cocheiro?

— Não.

— Era o meu irmão, Mycroft. É uma vantagem poder agir numa situação assim sem ter que confiar num mercenário. Mas precisamos planejar o que vamos fazer com Moriarty, agora.

— Como este é um trem expresso, e como o navio faz conexão com ele, imagino que o tenhamos deixado para trás de maneira bastante eficaz.

— Meu caro Watson, você evidentemente não entendeu o que eu disse quando falei que se pode considerar esse homem no mesmo nível intelectual que eu. Você não imagina que, fosse eu o perseguidor, me deixaria desencorajar por um obstáculo tão insignificante. Por que, então, o subestima tanto?

— O que ele vai fazer?

— O que eu faria.

— E o que você faria, então?

— Fretaria um trem especial.

— Mas já deve ser tarde demais.

— De modo algum. Este trem para em Canterbury; e sempre há uma demora de no mínimo um quarto de hora para embarcar no navio. Ele nos alcançará lá.

— Assim parece que nós somos os criminosos. Vamos mandar prendê-lo assim que chegar.

— Isso arruinaria três meses de trabalho. Pegaríamos o peixe grande, mas os menores escapariam da rede por todos os lados. Na segunda-feira, vamos pegá-los todos. Não, uma prisão é inadmissível.

— O que fazer, então?

— Vamos descer em Canterbury.

— E depois?

— Bem, precisamos fazer uma jornada pelo interior até Newhaven, e de lá para Dieppe. Moriarty fará novamente o que eu faria. Seguirá para Paris, localizará nossas bagagens e esperará por dois dias no guarda-volumes. Enquanto isso, compraremos um par de malas de lona, incentivaremos a indústria dos países pelos quais passarmos, e seguiremos a nosso bel-prazer para a Suíça, via Luxemburgo e Basileia.

Em Canterbury, portanto, descemos do trem, somente para descobrir que teríamos que esperar uma hora pelo próximo trem para Newhaven.

Eu ainda olhava um tanto inconformado para o vagão de bagagens que se afastava, levando todo o meu guarda-roupas, quando Holmes puxou minha manga e apontou para a ferrovia.

— Já, está vendo? — ele mostrou.

Ao longe, entre as florestas de Kent, elevava-se um fino penacho de fumaça. Um minuto depois, um vagão e uma locomotiva podiam ser vistos voando pela curva suave que leva à estação. Mal tivemos tempo de nos abrigar atrás de uma pilha de bagagens antes que a composição passasse, chocalhando e rugindo, jogando uma lufada de ar quente em nosso rosto.

— Lá vai ele — disse Holmes, enquanto observávamos o vagão balançando e se inclinando sobre os eixos. — Como vê, a inteligência do nosso amigo tem limites. Teria sido um *coup-de-maître*[*] se ele tivesse deduzido o que eu deduzi, e agido de acordo.

— E o que ele faria se nos alcançasse?

— Não pode restar a menor dúvida de que tentaria um ataque assassino à minha pessoa. No entanto, os dois podem entrar nesse jogo. A questão, agora, é se devemos almoçar

* "Golpe de mestre", em francês no original. (N. T.)

prematuramente aqui ou correr o risco de morrer de fome antes de chegar ao bufê de Newhaven.

Chegamos a Bruxelas naquela noite e passamos dois dias ali, seguindo no terceiro até Estrasburgo. Na segunda-feira de manhã, Holmes telegrafou para a polícia de Londres, e à tarde encontramos uma resposta à nossa espera no hotel. Holmes a abriu, e então, praguejando amargamente, jogou-a no fogo.

— Eu deveria saber — Holmes gemeu. — Ele escapou!

— Moriarty?

— Capturaram o bando todo, com exceção dele. Ele os despistou. Naturalmente, tendo eu deixado o país, não restou ninguém capaz de lidar com ele. Mas eu pensei que havia deixado essa presa nas mãos da polícia. Acho que é melhor você voltar para a Inglaterra, Watson.

— Por quê?

— Porque você verá que sou uma companhia perigosa, agora. A ocupação desse homem desapareceu. Ele está perdido se voltar para Londres. Se conheço bem o seu caráter, ele devotará todas as suas energias a se vingar de mim. Disse isso em nossa breve conversa, e imagino que estivesse falando sério. Recomendo mesmo que você volte para a sua prática.

Esse era um apelo que dificilmente seria atendido por alguém que era um ex-soldado, além de um velho amigo. Ficamos na *salle à manger** de Estrasburgo, discutindo a ques-

* "Refeitório", em francês no original. (N. T.)

tão por meia hora, mas naquela mesma noite seguiríamos viagem, e estaríamos bem encaminhados para Genebra.

Por uma semana encantadora, vagamos pelo vale do Ródano, e então, fazendo um desvio em Leuk, seguimos para a Passagem Gemmi, ainda muito nevada, e assim, atravessando Interlaken, para Meiringen. Foi uma viagem adorável, com o verde delicado da primavera abaixo e o branco virginal do inverno acima de nós; mas estava claro, para mim, que nunca, nem por um instante, Holmes esqueceu a sombra que se estendia sobre ele. Nas belas aldeias alpinas ou nos vales solitários das montanhas, eu podia ver, por seus olhares furtivos e seu exame atento de todo rosto que passava por nós, que ele estava convencido de que, onde quer que estivéssemos, não conseguiríamos nos afastar do perigo que seguia nosso rastro.

Uma vez, eu lembro, quando passamos pela Gemmi e andávamos pela margem do melancólico Daubensee, uma grande pedra que fora deslocada do desfiladeiro à nossa direita caiu com estrondo no lago abaixo de nós. Num instante Holmes subira até o desfiladeiro e, de pé sobre um pico elevado, esticou o pescoço em todas as direções. Foi em vão que nosso guia lhe garantiu que avalanches como aquelas eram um acaso comum naquele local, na primavera. Holmes não disse nada, mas sorriu para mim com o ar de alguém que viu concretizar-se o que já esperava.

Ainda assim, mesmo com toda a sua vigilância, ele nunca ficou deprimido. Ao contrário, não me lembro de tê-lo visto antes num humor tão exuberante. Repetidas vezes voltou a dizer que, se pudesse ter certeza de que a sociedade estaria livre do professor Moriarty, também encerraria alegremente sua própria carreira.

— Acho que posso me atrever a dizer, Watson, que não vivi totalmente em vão — ele comentou. — Se meu histórico fosse encerrado esta noite, ainda assim eu poderia avaliá-lo de maneira equânime. O ar de Londres ficou mais doce com minha presença. Em mais de mil casos, não sei de nenhum no qual eu tenha usado meus poderes a serviço do mal. Ultimamente, tenho me sentido tentado a examinar os problemas que a natureza me oferece, em vez daqueles mais superficiais, pelos quais nosso estado artificial de vida em sociedade é responsável. Suas memórias chegarão ao fim, Watson, no dia em que eu coroar minha carreira com a captura ou a eliminação do criminoso mais perigoso e competente da Europa.

Serei breve e exato no pouco que me resta para contar. Não é um assunto que eu lembraria voluntariamente; no entanto, tenho consciência de que o dever exige que eu não omita nenhum detalhe.

Foi no dia 3 de maio que chegamos à pequena aldeia de Meiringen, onde nos hospedamos no Englischer Hof, então administrado por Peter Steiler pai. Nosso anfitrião era um homem inteligente, e falava um inglês excelente, por ter trabalhado três anos como garçom no Hotel Grosvenor, em Londres. Por sugestão dele, na tarde do dia 4 partimos juntos, com a intenção de atravessar as colinas e pernoitar no povoado de Rosenlaui. Tínhamos ordens explícitas, porém, de não passar de forma alguma pelas quedas de Reichenbach, que ficam a meio caminho, colina acima, sem fazer um pequeno desvio para vê-las.

Na verdade, é um lugar de meter medo. O rio, encorpado pelas neves derretidas, mergulha num abismo tremendo, do qual a névoa se eleva como a fumaça de uma casa em chamas. O próprio vale no qual o rio se precipita é uma imensa fenda, forrada por rocha preta e reluzente, que se estreita num fosso espumante e agitado, de profundidade incalculável, que transborda e lança o fluxo de água por cima de sua borda irregular. A longa cascata esverdeada rugindo eternamente para baixo e a espessa cortina de frio vapor chiando eternamente para cima atordoam com seu constante torvelinho e estrondo. Ficamos perto da borda, olhando para o precipício, para o brilho da água arrebentando bem abaixo de nós contra os rochedos negros, e ouvindo o grito quase humano que se elevava, junto com a água pulverizada, para fora do abismo.

O caminho dá meia-volta na cachoeira para permitir uma visão completa, mas termina abruptamente, e o viajante precisa voltar por onde veio. Havíamos dado meia-volta para fazer isso quando avistamos um rapaz suíço vir correndo, trazendo uma carta na mão. Tinha o timbre do hotel de onde saíramos, e fora endereçada a mim pelo diretor. Ao que parecia, alguns minutos depois que partíramos, chegara uma senhora inglesa, tísica em fase terminal. Ela passara o inverno em Davos Platz, e estava viajando para juntar-se a amigos em Lucerna quando uma hemorragia repentina a acometera. Imaginava-se que ela não conseguiria viver por muitas horas, mas seria um grande consolo, para ela, ser atendida por um médico inglês, se eu pudesse voltar etc. O bom Steiler me garantia em pós-escrito que consideraria minha anuência um grande favor, já que a dama se recusava absolutamente a receber um médico suíço, e ele não podia deixar de sentir que estava assumindo uma grande responsabilidade.

Era um apelo que não podia ser ignorado. Era impossível recusar o pedido de uma compatriota morrendo em terra estrangeira. No entanto, eu tinha meus escrúpulos quanto a deixar Holmes. Ficou combinado, todavia, que ele ficaria com o jovem mensageiro suíço como guia e companhia enquanto eu voltava para Meiringen. Meu amigo ficaria mais um pouco na cachoeira, ele disse, e então subiria lentamente a colina até Rosenlaui, onde eu poderia alcançá-lo à noitinha. Ao me virar, vi Holmes, encostado numa pedra e de braços cruzados, olhando para baixo, para a agitação das águas. Era a última vez que eu estava destinado a vê-lo neste mundo.

Quando eu estava perto do fim da descida, olhei para trás. Era impossível, daquela posição, ver a cachoeira, mas eu podia ver o caminho em curva que abraça a encosta da colina e leva até ela. Lembro que vi nele um homem andando muito rapidamente.

Pude ver sua silhueta negra claramente recortada no verde por trás dele. Eu o notei, e notei a energia com a qual andava, mas ele sumiu da minha mente enquanto eu me apressava em minha missão.

Pouco mais de uma hora deve ter passado quando cheguei a Meiringen. O velho Steiler estava de pé na entrada do seu hotel.

— Bem — eu disse, aproximando-me a passos rápidos —, espero que ela não tenha piorado.

Uma expressão de surpresa cruzou o seu rosto, e, quando suas sobrancelhas tremeram, meu coração fez-se chumbo em meu peito.

— O senhor não escreveu isto? — perguntei, tirando a carta do bolso. — Não há nenhuma inglesa doente no hotel?

— Certamente que não! — ele exclamou. — Mas é papel timbrado do hotel! Ha! Deve ter sido escrita por aquele inglês alto que chegou depois que vocês saíram. Ele disse...

Mas eu não esperei as suas explicações. Com uma ponta de medo, eu já estava correndo pela rua da aldeia, voltando para o caminho de onde acabara de vir. Eu havia levado uma hora para descer. Apesar de todo o meu esforço, mais duas se passaram antes que eu conseguisse chegar às quedas de Reichenbach novamente. Lá estava o bordão de Holmes, ainda apoiado no rochedo, onde eu deixara meu amigo. Mas não havia sinal dele, e foi em vão que gritei. Minha única resposta era a minha própria voz, reverberando num eco prolongado dos penhascos ao meu redor.

Foi a visão daquele bordão que me deixou gelado e nauseabundo. Ele não fora para Rosenlaui, então. Ficara naquela trilha de um metro de largura, com uma parede vertical de um lado e um precipício do outro, até que seu inimigo o alcançara. O jovem suíço também desaparecera. Provavelmente estava a soldo de Moriarty, e deixara os dois homens juntos. E então, o que acontecera? Quem poderia dizer o que acontecera então?

Fiquei parado por um ou dois minutos, me recuperando, pois estava zonzo com o horror daquilo tudo. Por fim, comecei a pensar nos métodos do próprio Holmes e tentei pô-los em prática para interpretar aquela tragédia. Infelizmente, foi fácil fazê-lo. Durante nossa conversa, não chegáramos ao fim do caminho, e o bordão indicava o lugar onde havíamos parado. O solo preto é mantido sempre úmido pelo incessante vapor d'água, e até um pássaro deixaria pegadas nele. Duas fileiras de pegadas estavam claramente impressas na extremidade do caminho, ambas se afastando de mim. Nenhuma das duas voltava. A alguns metros do fim, o solo estava todo escavado e revirado em lama, e os galhos e samambaias à beira do precipício, arrancados e despedaçados. Deitei de bruços e olhei para baixo, com a névoa rodopiando ao meu redor. Escurecera desde que eu saíra de lá, e agora eu só conseguia enxergar aqui e ali o brilho da umidade nas paredes negras, e bem mais abaixo, no fundo do abismo, o reflexo da água agitada. Gritei; mas apenas o mesmo gemido quase humano da cachoeira chegava aos meus ouvidos.

Mas eu estava destinado a ter, no fim das contas, uma última palavra de despedida do meu amigo e camarada. Eu disse que aquele bordão havia sido deixado apoiado numa rocha saliente do caminho. Do alto dessa pedra, o brilho de algo me chamou a atenção, e, erguendo a mão, descobri que vinha da cigarreira de prata que ele costumava carregar. Quando a peguei, um pedacinho quadrado de papel, sobre o qual ela fora deixada, flutuou para o chão. Desdobrando-o, descobri que se tratava de três páginas arrancadas do seu caderno e endereçadas a mim. Era característico dele que as linhas fossem tão precisas, e a letra tão firme e clara, quanto se ele tivesse escrito o bilhete em seu escritório.

> Meu caro Watson — Escrevo estas poucas linhas graças à cortesia do Sr. Moriarty, que espera a minha conveniência para a discussão final daquelas questões que temos em aberto. Ele relatou os métodos pelos quais evitou a polícia inglesa e se manteve informado dos nossos movimentos. Eles certamente confirmam a elevada opinião que formei sobre suas habilidades. Agrada-me pensar que poderei livrar a sociedade de quaisquer novos efeitos da sua presença, embora

tema que seja a um preço que vá causar dor aos meus amigos, e especialmente, meu caro Watson, a você. Já expliquei, no entanto, que minha carreira havia, de todo modo, entrado em crise, e que para mim nenhuma outra possível conclusão do meu histórico poderia ser mais satisfatória do que esta. De fato, se posso me abrir completamente com você, eu estava bastante convencido de que a carta de Meiringen era falsa, e permiti que você voltasse por acreditar que algum desdobramento deste tipo iria se seguir. Diga ao inspetor Patterson que os documentos de que ele precisa para condenar o bando estão no escaninho M, num envelope azul com a inscrição "Moriarty". Fiz todas as disposições referentes às minhas posses antes de sair da Inglaterra, e passei-as ao meu irmão, Mycroft. Por favor, mande lembranças minhas à Sra. Watson, e acredite que sou, caro camarada,

Sinceramente seu,

SHERLOCK HOLMES.

Algumas palavras devem bastar para contar o pouco que falta. O exame dos especialistas deixa poucas dúvidas de que uma contenda pessoal entre os dois homens terminou, como dificilmente poderia não terminar, naquela situação, com os dois se precipitando para o vale, atracados nos braços um do outro. Qualquer tentativa de recuperar os corpos seria absolutamente inviável, e ali, nas profundezas daquele terrível caldeirão de água agitada e espuma em torvelinho, permanecerão para sempre o criminoso mais perigoso e o maior campeão da lei de sua geração. O jovem suíço nunca mais foi encontrado, e não resta dúvida de que era um dos numerosos agentes que Moriarty mantinha em sua folha de pagamento. Quanto ao bando, o público deve lembrar quão completamente as provas que Holmes acumulou expuseram sua organização, e quão pesadamente a mão do falecido os esmagou. De seu terrível comandante, poucos detalhes foram revelados durante o processo, e, se agora fui compelido a dar um depoimento claro sobre sua trajetória, foi devido aos insensatos defensores que tentaram limpar sua memória atacando aquele que sempre considerarei o melhor e mais sábio homem que conheci na vida.

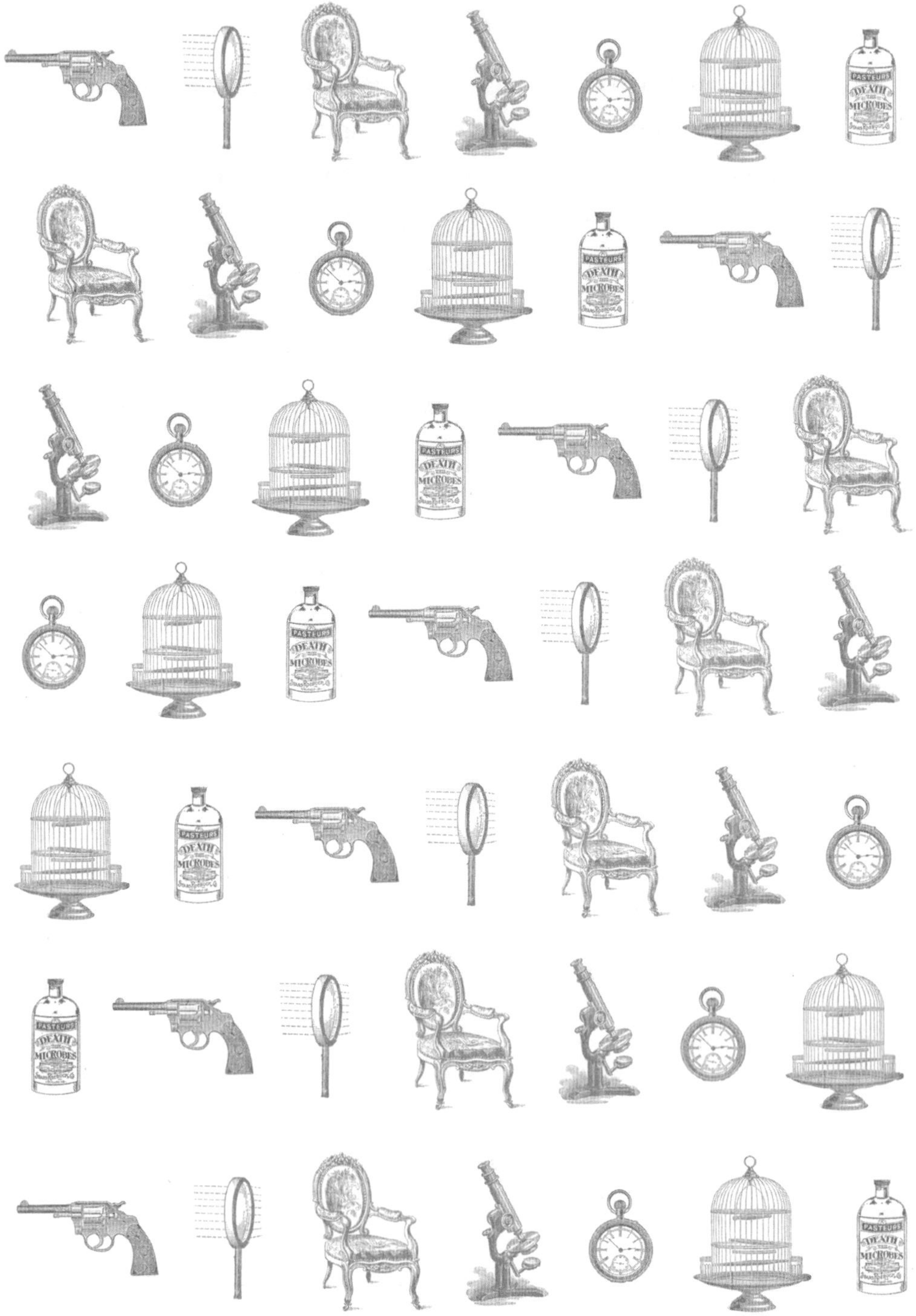
PASTEURS
DEATH
MICROBES

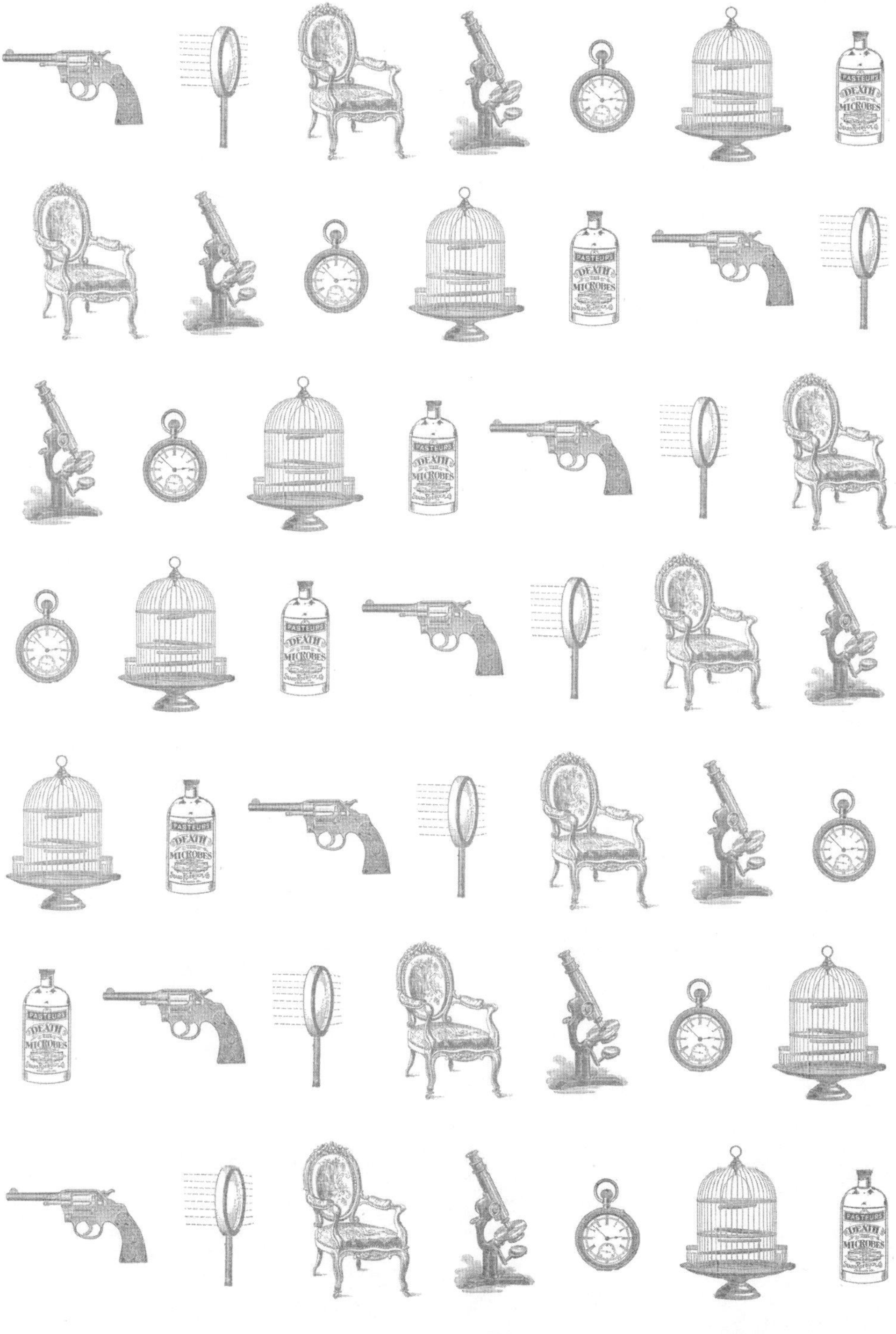
PASTEURS
DEATH
MICROBES

Este livro foi reimpresso em 2022 pela Editora Nacional,
impressão pela Gráfica Exklusiva.